JAMES CAMLIN BECKETT

GESCHICHTE IRLANDS

Bis zur Gegenwart
fortgeführt von
KARL H. METZ

4., erweiterte Auflage

ALFRED KRÖNER VERLAG STUTTGART

Deutsche Übertragung von Behrend Finke
ISBN 3-520-41904-1

Druck: Omnitypie-Gesellschaft, Stuttgart

KRÖNERS TASCHENAUSGABE BAND 419

INHALTSVERZEICHNIS

VORWORT

Die Aufgabe, eine historische Gesamtdarstellung zu schreiben, ist beinahe dazu vorherbestimmt, als undankbar zu gelten. Auswahl und Kürzung sind ihre notwendigen Grundlagen, und beides setzt den Verfasser der Kritik aus. Keine zwei Historiker werden sich darüber einigen, was auszuklammern sei, und es ist schwierig, so zu kürzen, daß die Untersuchung weder ihre klare Aussage einbüßt, noch allzu stark vereinfacht wirkt. Auf eine derartige Kritik gibt es keine Antwort, denn niemand ist sich deutlicher der sachlichen Lücken und der unzulänglichen Erörterung des Inhalts bewußt als der Verfasser selber. Doch scheint es letzten Endes hinfällig, einem schmalen Band zur Last zu legen, nicht umfassend zu sein; wie Dr. Johnson sagte: ›Rotwein wäre auch lieber Portwein, wenn er nur könnte.‹

Innerhalb des begrenzten Umfangs, der mir zur Verfügung stand, habe ich den historischen Hintergrund der zwei Staaten des heutigen Irland aufgezeigt, wobei ich keine Theorie rechtfertigen, keine politische Tendenz verteidigen mußte. Ich befasse mich ausschließlich damit, einen Knäuel von Ereignissen zu entwirren und die augenblickliche Lage in Irland vermittels ihrer Entstehungsgeschichte verständlich zu machen. Zu diesem Zweck habe ich das Schwergewicht auf die Neuzeit gelegt, was eine gewisse Hervorhebung anglo-irischer Beziehungen notwendigerweise einschloß. Diese Hervorhebung erfolgte nicht unbegründet, da der Einfluß Englands der stärkste und dauerhafteste Faktor in der Entwicklung der politischen Einrichtungen und des wirtschaftlichen Lebens in Irland war. Zugleich ist die irische Geschichte mehr als nur eine Unterabteilung der Geschichte Englands. Die ›Engländer in Irland‹ — wie auch die Einrichtungen, die sie einführten — veränderten sich im Zuge der Besiedlung, und selbst als sie der Verbindung mit England, auf der ihrer Meinung nach ihre politische und wirtschaftliche Sicherheit beruhte, treu blieben, fuhren sie fort, sich als Iren zu betrachten. Aus diesem Grund habe ich es abgelehnt, die Bezeichnung ›irisch‹ in irgendeinem enggefaßten ethnischen oder sprachwissenschaftlichen Sinn zu definieren, und ich habe versucht, eine Geschichte des gesamten Landes zu schreiben.

Diese Aufgabe wurde durch den Aufschwung der irischen Geschichtswissenschaft erleichtert, der während der vergangenen fünfzehn Jahre stattgefunden und zu einem umfassenden und einheitlichen Verständnis der Vergangenheit Irlands beigetragen hat. Der mögliche Wert, den dieses Buch als eine neuerliche Darstellung der irischen Geschichte besitzen mag, ist weitgehend bedingt durch die Arbeiten anderer; ich bin jedoch Professor G. O. Sayles von der Queen's University in Belfast, Dr. R. B. McDowell vom Trinity College in Dublin, Herrn David Kennedy, Master of Science, und Dr. J. L. McCracken zu besonderem Dank verpflichtet, die einzelne Abschnitte aus diesem Buch im Manuskript gelesen haben und von deren Kritik und Beratung ich profitierte. Herr J. L. Lord, Master of Arts, las die gesamten Korrekturbogen und äußerte viele wertvolle Vorschläge. Mein Dank gilt auch Sir Maurice Powicke, dem Herausgeber der Hutchinson University Library, für seine Hilfe und Ermunterung. Es sei vielleicht noch hinzugefügt, daß ich selber die Verantwortung für die in diesem Buch vorgebrachten Meinungen und die möglicherweise unterlaufenen Irrtümer übernehme.

J. C. Beckett
Professor für irische Geschichte
an der Queen's University Belfast

ALTERTUM UND MITTELALTER

Irland vor den Normannen

Die irische Geschichte wurde wie die Geschichte anderer Länder auch nachhaltig von geographischen Bedingungen geprägt. Viele Jahrhunderte lang befand sich Irland außerhalb der Hauptströmungen europäischen Lebens, aber die insulare Lage und die vergleichsweise Abgelegenheit schützten es nicht vor Invasionen. Eine Inselbevölkerung ohne Seemacht forderte Angriffe geradezu heraus, und die breiten, strömungsarmen Flüsse Irlands boten einen bequemen Zugang von der Küste ins Landesinnere. Aber die isolierte Lage hatte auch andere Auswirkungen. Stärker dem Binnenland als dem Meer zugewandt, vereinigten sich die Einwanderer bereitwillig mit der vorgefundenen Bevölkerung, und die Bewohner des heutigen Irland weisen bemerkenswert homogene äußere Merkmale auf. Obgleich das Innere des Landes von der Küste aus leicht erreichbar ist, besitzt Irland keine natürliche Mitte, keinen beherrschenden Knotenpunkt der Verkehrswege, kein Zentrum, von dem aus verändernde Einflüsse in die Randgebiete dringen. Dies war mit einer der Faktoren, die der Verwirklichung innerer politischer Einheit im Wege standen. Dublin ist in erster Linie eine Hauptstadt der Eroberer. Nach der Gründung durch die Wikinger wurde die Stadt zum Mittelpunkt der anglonormannischen Macht in Irland, was sie vor allem ihrer Lage an der Ostküste und ihrer leichten Erreichbarkeit von den Häfen Bristol und Chester aus verdankte. Diese Tatsache führt zu der bedeutsamsten Grundvoraussetzung in der politischen Geographie Irlands: der Lage Englands als einer Schranke zwischen Irland und dem europäischen Festland. In der Vergangenheit kam nahezu jeder wichtige Einfluß, der Irland vom Kontinent aus erreichte, durch den Filter England. Selbst heutzutage ist der englische Einfluß in vielen Lebensbereichen noch durchaus vorherrschend, obwohl die politische Macht Englands entscheidende Einbußen erlitten hat. Die Sprache der überwiegenden Mehrheit der Bevölkerung ist englisch, ihre wechselnde Vorliebe für Kleidung und Nahrung, die meisten ihrer Zeitschriften und Zeitungen, ihre Romanliteratur und Filme – dies alles stammt aus England. Darüberhinaus verbleibt Irland in der Rechtssphäre des ›Common Law‹ (Sammlung der im Mittelalter ausgebildeten Rechtssatzungen, die vor allem der königlichen Rechtsprechung entlehnt waren und überwiegend gewohnheitsrechtlicher Natur sind, Anm. d. Übers.). Diese enge und unausweichliche Verbindung zwischen den beiden Inseln stellt die fundamentale Voraussetzung der irischen Geschichte dar.

Die gälischen Schriftsteller des frühen Mittelalters ließen die Geschichte Irlands mit der Sintflut ihren Anfang nehmen. Archäologen der Neuzeit weisen zwar Spuren menschlicher Besiedlung für einen Zeitraum von vielen Jahrtausenden vor Christi Geburt nach, aber der vorsichtige Historiker muß sich mit einem späteren Einsatz zufrieden geben. Die Gälen oder Goideln (mit deren Auftreten der Anfang der geschichtlichen Zeit am ehesten zusammenfällt) erreichten Irland wahrscheinlich während des 1. vorchristlichen Jahrhunderts auf direktem Weg von Gallien aus. Sie fanden in dem bereits besiedelten Irland eine Mischrasse vor, die von früheren Einwanderern aus England und vom Festland abstammte; wenigstens einige dieser Gruppen sprachen einen keltischen Dialekt, der dem Gälischen ähnlich war. Die Gälen verhielten sich dieser Bevölkerung gegenüber auf eine Weise, die ihr eigenes Schicksal vorzeichnete, das ihnen von nachfolgenden Eroberern bereitet werden sollte: Sie töteten, eigneten sich fremden Besitz an und zwangen die Überlebenden zu Tributzahlungen. Trotz ihrer aus Eisen gefertigten Waffen verlief die Eroberung langsam, und die vorgälische Bevölkerung erhielt sich vor allem im Norden auf lange Zeit ihre

Unabhängigkeit. Das epische Gedicht ›Táin Bó Cualgne‹ (Der Viehraub von Cooley) berichtet, wie die ›Männer von Ulster‹ (der nördlichsten der vier Provinzen Irlands, Anm. d. Übers.), angeführt von Connor MacNessa sowie den ›Rittern vom Roten Zweig‹ und unterstützt von dem heldenhaften Cuchulain (Der Jagdhund von Ulster), den Norden gegen die ›Männer von Irland‹ verteidigen, deren Anführerin die Königin Maeve war. Die Einzelheiten dieses Kampfes gehören der Sage an, aber der Vorgang selber offenbart eine historische Tatsache.

Auch nach dem erfolgreichen Abschluß der gälischen Eroberung — der nicht vor dem 5. nachchristlichen Jahrhundert stattgefunden haben kann — bildeten die Gälen nur eine beherrschende Minderheit, eine aufstrebende Klasse von Mächtigen, die das fruchtbarste Land besaßen und die politische Macht in ihren eigenen Händen zu vereinigen suchten. Obgleich eine beständige Verschmelzung der Bevölkerung stattfand, blieb die formale Unterscheidung zwischen ›freien‹ und ›tributpflichtigen‹ Stämmen bis zum 12. Jahrhundert bestehen. Aber schon lange zuvor hatten die Gälen dem gesamten Land ihre Sprache und Rechtsprechung aufgezwungen, und die gälischen Geschichtsschreiber und Genealogen hatten die Vergangenheit auf ihre Weise nachvollzogen, um die krassen Unterschiede zwischen den ursprünglichen Bevölkerungsteilen zu verschleiern.

Auf dem Festland hatten sich die Gälen innerhalb aristokratischer Herrschaftsformen politisch organisiert, aber in Irland nahmen sie eine monarchische Ordnung an. Sie hatten jedoch keine Pläne für ein einheitliches Königtum für die gesamte Insel. Stattdessen entstand eine Vielzahl sehr kleiner Stammesbereiche, die von einem König oder Stammesfürsten regiert wurden, der gewöhnlich einer herrschenden Familie entstammte und von den Freien gewählt wurde. Die Grenzen dieser Staatsgebilde lagen nicht fest, da der Führungsanspruch eines Königs stärker in seiner Person als in seiner territorialen Zugehörigkeit begründet lag. Diese kleinen Stammesbereiche neigten naturgemäß zur Bildung von Gruppen, die jeweils in der Herrschaft einer vergleichsweise mächtigen Familie aufgingen; dieser Vorgang wurde durch die herkömmliche Teilung des Landes noch gefördert, die die Gälen bei ihrer Landung vorgefunden hatten: ›die fünf Fünftel von Irland.‹ In Wahrheit scheint es jedoch nicht so gewesen zu sein, daß diese fünffache Unterteilung des Landes in der historisch erfaßbaren Zeit jemals bestanden hat. Aber während des 5. Jahrhunderts sind sieben ›Provinzkönige‹ nachweisbar, die alle ihren eigenen kleinen Stammesbereich direkt beherrschten und eine externe Vormacht über eine Gruppe anderer ähnlicher Stämme ausübten. Das politische Machtsystem wurde durch einen ›Hochkönig‹ (árd rí) sinnvoll ergänzt, der selber ein Provinzkönigtum beherrschte und Vorrang vor den anderen Provinzkönigen hatte. Aber das ist eine ziemlich späte Entwicklung; wahrscheinlich meldeten erst im 5. Jahrhundert die Könige von Tara einen Anspruch auf eine derartig umfassende Oberherrschaft an. Selbst wenn sich ein Hochkönig die allgemeine Anerkennung durch eine Rundreise durch Irland und durch Geiseln gesichert hatte, die er von den Provinzkönigen erzwang, blieb seine Verfügungsgewalt eher nominell. Die damalige Situation in Irland ähnelte in manchen Zügen dem Griechenland des Altertums: Es gab keine wirkungsvolle politische Einheit, aber es bestand ein kultureller Gesamtzusammenhang, der auf Sprache, Religion und Recht beruhte. Wie andere Völkergruppen des keltischen Sprachraumes übten die Gälen eine Art des Druidentums aus, das dem ganzen Land geläufig war. Solange Irland jedoch ziemlich isoliert blieb, fehlte der klare Kontrast zu einer fremden Bevölkerung, wodurch sich die Wesensmerkmale einer derartigen Gesellschaft notwendigerweise voll erschließen. Theoretisch hätte das Rechtssystem als ein stärkeres Band wirken müssen. Es setzte sich aus einer Sammlung von Rechten und urkundlichen Präzedenzfällen zusammen und wurde von den ›Brehonen‹, einem Stand von Berufsrichtern (das Amt des ›brehon‹ war vererbbar, Anm. d. Übers.), ausgelegt, wonach diese Rechtssammlung gewöhnlich als ›Brehonenrecht‹ bezeichnet wird. Aber dieses Recht besaß keine geregelten Formen der Vollstreckung; die Brehonen waren zudem mehr Schiedsrichter als Richter im heutigen Sinn, und ihre Rechtsprüche konnten nur durch private Maßnahmen oder unter Zuhilfenahme der Öffentlichkeit vollstreckt werden.

Nach dem gewaltsamen Eindringen der Gälen blieb Irland viele Jahrhunderte lang weitgehend isoliert. Die Römer unternahmen keinen Eroberungsversuch, und obgleich es einige Kontakte mit England und dem Festland gab, befanden sich die Iren außerhalb des Hauptstroms europäischer Entwicklung. Als sie dann tatsächlich gegen Ende des 4. und zu Beginn des 5. Jahrhunderts außerhalb Irlands in Erscheinung treten, befinden sie sich unter den Barbaren, deren gewalttätige Raubzüge dazu beitrugen, die in Auflösung begriffene römische Zivilisation in England zu zerstören. Bei einer dieser Raubfahrten wurde ein sechzehnjährger Junge, der römischer Bürger war und Patrick hieß, als Sklave nach Irland entführt. Einige Jahre später konnte er fliehen, und nachdem er in Gallien studiert und die Bischofsweihe empfangen hatte, kehrte er nach Irland zurück, um das Evangelium zu verkünden. Der Überlieferung nach landete der Heilige Patrick 432 in der Grafschaft Down und starb 465. Während dieses kurzen Zeitraumes durchquerte er fast das ganze Land, wobei er Kirchen gründete sowie Bischöfe und Priester berief. Die gegenwärtige Forschung bezweifelt diese Daten und beschränkt Patricks eigene Missionstätigkeit auf ein ziemlich kleines Gebiet. Aber damit ändert sich nichts an der Tatsache, daß es vor Patricks Mission in Irland nur wenige Christen gab und diese verstreut, ohne eine kirchliche Organisation und ohne Bischöfe lebten. Danach war die Kirche fest begründet, und obgleich der heidnische Kult noch viele Anhänger hatte, ging er doch seinem Ende entgegen. Und all das scheint auf friedlichem Wege erreicht worden zu sein, denn das frühchristliche Irland weist keine urkundlich erwähnten Märtyrer auf.

Von Anfang an entwickelte das irische Christentum

nationale Sonderformen. Anderswo wurde die Kirche in Ländern aufgebaut, die früher zum Römischen Reich gehört hatten und in denen die Einhaltung der Ländergrenzen eine wichtige Rolle spielte. Der Begriff ›Diözese‹ war ja direkt aus dem römischen Verwaltungssystem übernommen worden. Aber in Irland waren territoriale Besitzfragen von zweitrangiger Bedeutung. Die Herrschaftsstruktur wies hier eine Verschmelzung blutsverwandter Gruppen auf, die von einer mächtigen Familie beherrscht wurden, und die Kirchenorganisation folgte einem ähnlichen Muster. Das Land wurde nicht in Diözesen aufgeteilt, die Bischöfe schlossen sich vielmehr bestimmten Familien an. Ihre große Anzahl (Patrick soll 300 Bischöfe ernannt haben) und besondere soziale Stellung hielten sie davon ab, eine gleichgeartete Macht auszubilden, wie sie von den Bischöfen des Festlandes ausgeübt wurde. Das typische religiöse Zentrum des frühchristlichen Irland war nicht der Bischofssitz, sondern das Kloster. Ein irisches Kloster bestand nicht aus einer Ansammlung steinerner Häuser. Es war vielmehr eine kleine Stadt mit Holzhütten, die an Straßen lagen und sich um eine kleine Steinkirche gruppierten. Hier lebten, arbeiteten und beteten Hunderte von Mönchen zusammen unter der Aufsicht eines Abtes, der gewöhnlich unter den Mitgliedern der Stifterfamilie ausgewählt wurde. Diese und andere Besonderheiten der irischen Kirche gewannen dadurch an Bedeutung, daß die politische Lage in Europa während der Jahrhunderte nach dem Zusammenbruch des Weströmischen Reiches, eine regelmäßige Verständigung zwischen Irland und Rom erschwerte.

Fast zur gleichen Zeit, als Patrick und seine Nachfolger dem Christentum ein dauerhaftes Bestehen in Irland sicherten, vernichteten die angelsächsischen Eroberer die christliche Religion in einem großen Teil Englands. Die englische Kirche, die niemals besonders mächtig oder unternehmend gewesen war, war nicht darum bemüht, die Angelsachsen zu taufen. Die Aufgabe, das für die Christenheit verlorengegangene Gebiet zurückzugewinnen, wurde zuallererst von irischen Missionaren aufgegriffen. Einer der ersten und berühmtesten war der Heilige Columba von Derry, der 563 das Kloster auf der Insel Iona ins Leben rief; von dort aus wurden während des folgenden Jahrhunderts große Teile Südschottlands und Nordenglands christianisiert. Andere irische Heilige setzten die Missionstätigkeit nicht nur in England, sondern auch auf dem Festland fort: der Heilige Columbanus in Burgund und Italien, der Heilige Kilian in Sachsen, die Heiligen Fiachra und Fursa in Gallien und der Heilige Livinius in den Niederlanden. Wo sie hinkamen, gündeten diese Heiligen Klöster; Lindisfarne, St. Gallen und Bobbio stellen wahrscheinlich die berühmtesten Glieder in einer Kette dar, die sich von den britischen Inseln bis nach Italien erstreckte.

Diese Heiligen und Klöster waren bekannt für ihren erzieherischen und religiösen Eifer. In vorchristlicher Zeit nahm der berufsmäßige Gelehrte einen Ehrenplatz innerhalb der irischen Gesellschaft ein, und diese Tradition setzt sich fort. Obgleich der Heilige Patrick kein Mann großer Gelehrsamkeit war, hatte er Irland mit der römischen Zivilisation in Berührung gebracht, bevor diese von der Völkerwanderung des 5. und 6. Jahrhunderts fast vollständig zerstört wurde. Irland selber entging diesen gewaltsamen Einfällen und war somit in der Lage, vieles zu hüten und zu tradieren, das sonst vernichtet worden wäre. Die irischen Klosterschulen zogen teils auf Grund ihres Wissensstandes, teils auf Grund ihrer friedvollen Abgeschiedenheit viele ausländische Gelehrte an. Als Lehrer, Schreiber und Interpretatoren überlieferter Texte erwiesen irische Mönche Europa hervorragende Dienste, und die ›Karolingische Renaissance‹ verdankt ihrer Tätigkeit und ihren Anregungen unschätzbar viel.

Während des 6., 7. und 8. Jahrhunderts erlebte Irland keinen Einfall, aber die inneren kriegerischen Auseinandersetzungen dauerten an. Die Einführung des Christentums trug dazu bei, die kulturellen Beziehungen zwischen den einzelnen Königtümern zu verstärken, was aber für die Herbeiführung der politischen Einheit kaum Bedeutung hatte. Als Irland nach langer Ruhepause das Opfer einer Angriffswelle aus dem Norden wurde, war das Land nicht imstande, vereint Widerstand zu leisten.

In Irland begannen die Angriffe der Wikinger – wie auch anderswo in Westeuropa – mit gelegentlichen Beutezügen, denen dauerhafte Siedlungen und planvolle Eroberungen folgten. Gegen Mitte des 9. Jahrh. gelangten die Wikinger mit ihren Booten auf dem Fluß Bann in Ulster zu dem See Neagh sowie auf dem Fluß Shannon im Westen Irlands hinauf auf die Zentralebene; Stadtstaaten der Wikinger, die ersten Städte in Irland, waren mit Dublin, Wexford, Waterford, Cork und Limerick gegründet worden. Die Kämpfe gegen die Wikinger dauerten mit unterschiedlichen Erfolgen während des 9. und 10. Jahrhunderts an und erreichten 1014 ihren Höhepunkt in einer Schlacht in Clontarf am Stadtrand von Dublin. Hier besiegte Brian Boru, der damalige Hochkönig, um den Preis seines eigenen Lebens ein Verbündetenheer der Wikinger, das von den Orkney-Inseln, den Hebriden, der Insel Man sowie aus den irischen Siedlungen zusammengezogen worden war. ›Brians Schlacht‹, wie sie in der Sage heißt, war eine der blutigsten des Zeitalters. Damit war der Wikingermacht ein schwerer Schlag versetzt worden, und der Eroberung Irlands seitens der Wikinger war endgültig Einhalt geboten.

Die Größe dieses militärischen Sieges und die Tatsache, daß er von einem Hochkönig erkämpft worden war, darf nicht zu dem Fehlschluß verleiten, daß unter den irischen Königen Einigkeit herrschte. Sie waren vielmehr häufig dazu bereit, bei ihren Kämpfen untereinander die Wikinger als Verbündete einzusetzen. Sogar in Clontarf kämpften die Iren aus der Provinz Leinster gegen Brian, weil sie seinen Versuchen zur Aufhebung ihrer Freiheit widerstrebten. In England hatten die Einfälle der Dänen die Provinzreiche Northhumbria und Mercia derart geschwächt, daß der Weg zu einer Vereinigung unter der Führung von Wessex (heutige Grafschaft gleichen Namens, Anm. d. Übers.) frei wurde. Aber in Irland überlebten die Provinzkönigreiche und ihr Rivalitätsverhältnis. Dies erweist sich klar an dem Aufstieg Brians. Um 970 hatte er sich gegen eine Reihe von Gegnern als König von Cashel durchgesetzt, wobei er auch die Vormacht über Munster ausübte. Er war darauf entschlossen, sich die Würde des Hochkönigs zu sichern, die fünf Jahrhunderte lang von der Familie der ›Uí Néill‹ beansprucht worden war, die von dem berühmten König des 4. Jahrhunderts ›Niall der Neun Geiseln‹ abstammte. Der damalige Hochkönig, Malachias II., führte einen erfolgreichen Krieg gegen die Wikinger von Dublin, aber Brian scheute sich nicht, Malachias anzugreifen, und er veranlaßte, daß die Boote der Wikinger von Limerick aus auf dem Shannon nach Osten fuhren, um das Land von Malachias und seinen Verbündeten in Connaught und Meath zu plündern. 1002 mußte Malachias nachgeben, und Brian wurde Hochkönig. Die Chroniken berichten in diesem Zusammenhang von einer gewaltsamen Aneignung, und obgleich Brian gewisse Anstrengungen unternahm, seine Machtergreifung durch straffe Amtsführung zu rechtfertigen, und obgleich seine stolze Selbstbezeichnung als ›Kaiser der Iren‹ eine nicht ganz unbegründete Prahlerei war, brachte auch er keine Vereinigung Irlands zustande. Selbst das Heer, das ihm zu seinem überragenden Sieg verholfen hatte, bestand fast nur aus Südiren, und mit seinem Tod brachen die alten Machtkämpfe von neuem aus. Malachias gewann die Würde des Hochkönigs für sich zurück, und die Nachfolger Brians mußten sogar um die Vorherrschaft über Munster kämpfen, die er erlangt hatte.

Begreiflicherweise stellt man sich die Einfälle der Wikinger als eine Phase der Zerstörung und Zwangsherrschaft vor. Doch trugen die Wikinger auch wesentlich zur Entwicklung des Landes bei, denn sie waren sowohl Plünderer als auch Händler. Ihnen ist die Gründung der ersten städtischen Siedlungen zu verdanken, und diese Städte waren Mittelpunkte kaufmännischer ebenso wie kriegerischer Unternehmungen. Die Schiffe der Wikinger brachten irische Häute und Wolle nach England und auf das Festland und kehrten mit Wein, Tuchen und Sklaven zurück. Dieses städtische Leben wurde durch den Sieg Brians kaum beeinträchtigt, denn das Heer der Iren war zu klein, um Dublin oder einen anderen Stützpunkt der Wikinger zu erobern. Tatsächlich kam es den Iren nicht auf die Vertreibung der Wikinger oder die Eroberung ihrer Städte an, und obgleich die Siedler von Zeit zu Zeit die Oberherrschaft irgendeines irischen Königs anerkennen mußten, blieben sie als Gemeinden mit Selbstverwaltung bestehen und waren als ›Ostmänner‹ bekannt. Die Ostmänner wurden früh zum Christentum bekehrt, und Heiraten zwischen ihnen und den Iren waren nicht selten, aber sie bewahrten ihre Sonderstellung. So hatten die Wikinger von Dublin beispielsweise einen eigenen Bischof, der nicht wie die irischen Bischöfe der Erzdiözese Armagh, sondern Canterbury, unterstellt war.

Die fortdauernde Unabhängigkeit der Wikingerstädte ergab sich zumindest teilweise aus dem Zusammenbruch des Hochkönigtums. 150 Jahre lang war nach dem Tode Brians diese Würde eine umstrittene Beute rivalisierender Dynastien: der O'Brien aus Munster, der MacLochlainn aus Ulster, der O'Connor aus Connaught. Zwar wurde eine Art Nachfolgerecht beachtet, aber die Könige waren, wie die Chronisten überliefern, ›Könige mit Opposition‹, die außerhalb ihrer eigenen Provinzen kaum Macht ausübten und alle gelegentlichen Maßnahmen nur mit Hilfe überlegener Heeresmacht erzwingen konnten. Diese langwierigen Auseinandersetzungen hätten das Land sicherlich einer politischen Einigung nähergebracht, aber dies war ein langsamer Vorgang, und die Auswirkungen anderer Ereignisse verhinderten seinen Abschluß. Die Eroberung Englands durch die Normannen und die Reformbewegung innerhalb der irischen Kirche führten mittelbar zu einer neuerlichen Invasion, der Irland nicht gewachsen war, obwohl es eineinhalb Jahrhunderte lang von äußeren Feinden verschont geblieben war.

Die irische Kirche war durch die Kämpfe mit den Wikingern stark in Mitleidenschaft gezogen worden. Das friedliche Leben in den Klöstern hatte ein Ende gefunden, Religiosität und Gelehrsamkeit hatten dadurch Verluste erlitten. Zwar trat unter der energischen Herrschaft Brians eine gewisse Verbesserung ein, aber die Entlegenheit Irlands, die früher das Land geschützt hatte, erwies sich nun als Hemmschuh des Fortschritts. Irland, ›ein Königreich der selbstgewählten Randlage‹, nahm nur geringen Anteil an der geistigen Unruhe, die von der Renaissance des 12. Jahrhunderts ausging. Gleichzeitig entdeckten die irischen Geistlichen dank der erweiterten Kontakte der Wikingerstädte mit der Außenwelt das volle Ausmaß der Diskrepanz, die zwischen Irland und der übrigen Christenheit im Westen aufgebrochen war. Gegen Mitte des 12. Jahrhunderts war die Kirchenreform einigermaßen fortgeschritten. Man hatte eine territoriale Neugliederung nach Diözesen vorgenommen und die Diözesen in vier Kirchenprovinzen zusammengefaßt, die den Erzbischöfen von Armagh, Dublin, Cashel und Tuam unterstellt waren. Jeder der vier Erzbischöfe empfing sein ›pallium‹ vom Papst, womit er formal seine Abhängigkeit von Rom anerkannte. Ungefähr zur gleichen Zeit kamen Zisterzienser nach Irland, und Klosterbauten kontinentalen Stils traten allmählich an die Stelle der altirischen Gründungen. Diese Reform war zu einem großen Teil den Bemühungen des Heiligen Malachias zu verdanken, der 1139 stellvertretend für die irischen Bischöfe nach Rom gereist und 1148 zu einer zweiten Romfahrt aufgebrochen war; er starb aber auf dem Weg dorthin im Kloster des Heiligen Bernhard in Clairvaux. Die vom Heiligen Bernhard verfaßte Vita des Malachias beweist, wie unvorteilhaft die Vorstellungen waren, die man sich auf Grund des Berichts von Malachias über die Zustände in der irischen Kirche machte, und diese Sachlage erleichtert das Verständnis für die Bereitschaft des Papsttums, die anglo-normannische Eroberung zu unterstützen, um Irland auf diese Weise der eigenen Jurisdiktion zu unterwerfen. Irische Geistliche waren mit diesem Vorhaben gleichermaßen einverstanden. Auf dem

Festland waren nämlich die Kirchenreformen zumeist von einflußreichen weltlichen Mächten unterstützt worden; in Irland gab es jedoch keine Macht, die fähig oder bereit gewesen wäre, Reformen gegen den Widerstand der alteingesessenen Interessengruppen durchzusetzen. Es war daher verständlich, daß sich die obersten Würdenträger der irischen Kirche außerhalb Irlands nach weltlicher Unterstützung für den Wiederaufbau ihrer Kirche umsahen und Heinrich II. als Verbündeten begrüßten. Doch obgleich die Kirche diese Entwicklung vorbereitete, nutzten die Normannen die innenpolitische Lage Irlands für ihre Intervention.

In den Kämpfen um das Hochkönigtum hatte der Provinzkönig von Leinster, Dermot MacMurrogh, die Ansprüche der Dynastie der MacLochlainn unterstützt. Folglich sah Dermot seine Machtstellung gefährdet, als Rory O'Connor von Connaught 1166 die Macht ergriff. Dermot entschloß sich, außerhalb Irlands militärische Hilfe zu suchen, und erhielt von Heinrich II. die Erlaubnis, unter den adligen Herren der südwalisischen Grenzmark, einer Mischrasse von Normannen, Flamen und Walisern, Verbündete zu sammeln. Ihren gepanzerten Fußtruppen, ihren Bogenschützen und ihrer Fertigkeit beim Bau von Befestigungsanlagen waren die Iren nicht gewachsen, und mit Unterstützung dieser Hilfstruppen gewann Dermot sein Königtum rasch zurück. Der Mächtigste dieser Verbündeten war Richard de Clare (›Starkbogen‹), dem Dermot seine Tochter Eva zur Frau gab – und mit ihr die Zusage auf die Thronfolge in Leinster. Diese Zusage war nach irischem Recht nicht verbindlich, aber als Dermot 1171 starb, eroberte und verteidigte Richard das Königtum von Leinster – darunter das überaus wichtige Dublin – gegen den Widerstand des Hochkönigs und der Ostmänner.

In dieser Situation griff Heinrich II. selber ein. Er setzte mit einer beträchtlichen Heeresmacht über, nicht jedoch um Irland zu erobern, sondern um seine mächtigen Barone an der Errichtung unabhängiger irischer Fürstentümer zu hindern. Heinrich behauptete seine Machtansprüche auf das gesamte eroberte Gebiet, und obgleich Richard die Provinz Leinster und Hugh de Lacy die Provinz Meath zugesprochen wurden, blieben sie Kronvasallen. Die Wikingerstädte, die militärisch und wirtschaftlich von lebenswichtiger Bedeutung waren, unterlagen diesen lehnsrechtlichen Bestimmungen nicht, sondern wurden der unmittelbaren Jurisdiktion des Königs unterstellt. Die meisten der altirischen Stammesfürsten waren mehr oder weniger damit einverstanden, die Oberherrschaft Heinrichs anzuerkennen. Die militärische Stärke der Invasoren hatte sie beunruhigt, und sie hofften, daß ihre Unterwerfung sie vor Angriffen schützen würde. Außerdem war bekannt, daß Heinrich die Unterstützung des Papsttums besaß, und er wurde von der Geistlichkeit – besonders von den Reformern – willkommengeheißen, die sich von ihm Unterstützung erhoffte. Auf Heinrichs Anweisung wurde eine Nationalsynode in Cashel abgehalten, die eine Vielzahl von Reformen verabschiedete, deren übergeordnete Zielsetzung eine weitgehende Annäherung der irischen an die englische Kirche war. Auf diese Weise und mit der allgemeinen Zustimmung geistlicher und weltlicher Mächte errichtete Heinrich II. die ›Lordschaft von Irland‹, die fast vier Jahrhunderte lang bestehen sollte, bis sie ein anderer Heinrich in ein Königreich umwandelte.

Die normannische Eroberung und die Lordschaft von Irland

Die Ankunft Heinrichs II. in Irland eröffnete eine neue Phase anglo-irischer Beziehungen, aber es wäre irreführend, die Ereignisse dieser Jahre als den Ursprung einer ›englischen‹ Eroberung Irlands zu betrachten. Die Invasoren waren Normannen, Flamen und Abkömmlinge einer normannisch-walisischen Mischrasse, kaum jedoch Engländer, denn ihre Sprache und Kultur waren französisch. Obgleich Heinrich II. König von England war, unterwarfen sich die irischen Stammesfürsten seiner Person, nicht jedoch der englischen Krone. Er nahm Irland einfach in die

Reihe der anderen Reiche auf, die er mit verschiedenen Herrschaftstiteln und Rechtsansprüchen regierte. Die Tatsache, daß er die Lordschaft von Irland einige Jahre später an seinen jüngeren Sohn John übertrug, zu einem Zeitpunkt, als es noch keineswegs gewiß schien, daß John die Thronfolge in England antreten würde, beweist, daß Heinrich die politische Verbindung zwischen den beiden Inseln keineswegs für unauflösbar hielt.

Heinrichs kurzer Aufenthalt in Irland hatte für die Verwirklichung dringender Vorhaben ausgereicht, aber viele Fragen blieben ungelöst, besonders die der verfassungsmäßigen Stellung des Lord von Irland gegenüber den irischen Königen. Keiner von ihnen hatte Widerstand geleistet, aber viele – unter ihnen auch der Hochkönig Rory O'Connor – hatten sich Heinrich formell nicht unterworfen, und bevor nicht wenigstens der Hochkönig Heinrichs Oberherrschaft anerkannte, waren alle Hoffnungen auf politische Stabilität irreal. Die Kirche war an einer endgültigen Abgrenzung der politischen Machtverhältnisse besonders interessiert, und der Erzbischof von Dublin, Laurence O'Toole, war einer der Hauptverantwortlichen für den Abschluß des Windsor-Vertrages von 1175 zwischen Heinrich und Rory. In diesem Abkommen erkannte Rory Heinrich als Oberherrscher an und wurde seinerseits gegen eine jährliche Tributzahlung von Häuten als König von Connaught bestätigt: ›so uneingeschränkt und unbelästigt wie vor dem Eintreffen des Königs in Irland‹. Rorys Würde als Hochkönig wurde ebenfalls anerkannt; dafür sollte er die Verantwortung für die Abgabe der Tributzahlungen übernehmen, zu denen sich die irischen Könige Heinrich gegenüber verpflichtet hatten. Aber die Vormachtsrechte des Hochkönigs sollten sich nicht auf die Gebiete erstrecken, ›die der König in seine Lehnsherrschaft und die seiner Barone aufgenommen hat‹. Zur Zeit des Vertragschlusses bestanden diese Gebiete aus den ehemaligen irischen Königreichen Leinster und Meath sowie den Städten und Königreichen der Wikinger: Dublin, Wexford und Waterford.

Das System der Doppelherrschaft, auf das der Vertrag von Windsor direkt abzielte, hat sich nie bewährt und hätte sich auch nie bewähren können. Rorys Würde als Hochkönig war schon vor der Invasion auf Widerstand gestoßen, und nun war sie kaum mehr als ein Titel. Er war nicht in der Lage, die Tribute von den anderen irischen Königen im Namen Heinrichs einzutreiben, und es gibt keinen Nachweis dafür, daß er es jemals versuchte. Alle bestehenden Vormachtsrechte oder Rechtsbefugnisse lagen beim Lord von Irland, und Rory O'Connor besaß keinen Nachfolger.

Der Vertrag schätzte die machtpolitische Lage in Irland auch in einem weiteren Punkt nicht realistisch ein. Heinrich hatte – zumindest mittelbar – das Versprechen gegeben, die irischen Territorien jenseits der Grenzen von Leinster und Meath unangetastet zu lassen. Aber es erwies sich als unmöglich, die Expansion der Barone aufzuhalten, die sich bereits in Irland niedergelassen hatten oder während der nächsten Jahre folgten. Heinrich hatte Richard de Clare in seinem Königtum Leinster bestätigt und hatte Hugh de Lacy Meath zu Lehen gegeben, und diese zwei Grafen vergrößerten ihre Herrschaftsbereiche trotz vereinzelten Widerstandes der Iren sehr rasch. Sie gliederten die eroberten Gebiete in Ritterlehen, setzten Untervasallen ein, errichteten Burgen, gründeten Abteien, verliehen Privilegien an Städte und übertrugen das gesamte Herrschafts- und Verwaltungssystem einer feudalen Gesellschaft auf Teile Irlands. Ihre Erfolge wirkten ansteckend und lockten weitere Eindringlinge an. Einigen mußte Heinrich – entgegen dem Vertrag von Windsor – Lehensbriefe ausstellen, aber einige handelten auf eigene Faust, und der König verfügte nicht über geeignete Machtmittel, ihre Eroberungen zu kontrollieren oder die Rechte der irischen Herrscher zu schützen, die seine Oberherrschaft anerkannt hatten. Diese Landnahme verlief ohne Plan. Die einzelnen Heerführer verfolgten ihre persönlichen Ziele und setzten ihre Ansprüche nach bestem Vermögen durch. Ihre Erfolge verdankten sie ihrem Mut, ihrer Ausdauer und der überlegenen Ausrüstung ihrer Truppen. Häufig halfen ihnen auch die untereinander zerstrittenen Iren, da in einem einheimischen Königtum nach dem anderen Erbfolgestreitigkeiten und innere Machtkämpfe eine Möglichkeit zum Eingreifen boten, dem die Eroberung folgte. Durch geschickte Ausnutzung dieser Streitfälle setzten sich die Normannen allmählich in Munster und Connaught fest. Im Norden bewiesen die Iren hingegen ein ungewöhnliches Maß an Einigkeit, und doch erlebte gerade hier die Kühnheit der Normannen ihren größten Triumph. 1177 drang John de Courcy mit einer Truppe von 300 Anhängern in das Königreich Ulidia ein, überwältigte das vereinigte Aufgebot der nordirischen Könige und unterwarf ein Gebiet, das von der Carlingford-Bucht im Süden bis Fair Head im Norden reichte. Die spätere Textüberlieferung bezeichnet ihn als ›Graf von Ulster‹, aber von einem königlichen Lehnsbrief findet sich keine Spur. Seinen Zeitgenossen galt er nur als ›Eroberer von Ulster‹ (conquestor Ultoniae), dessen Macht sich auf das Recht des militärisch Stärkeren stützte. In beiden Titeln war mittelbar ein Anspruch auf die gesamte Nordprovinz enthalten, aber in Wirklichkeit übten weder de Courcy noch seine Nachfolger jemals Hoheitsrechte westlich des Neagh-Sees und des Flusses Bann aus.

Als Folge dieser regionalen und privaten Eroberungszüge breitete sich die normannische Macht während der 50 oder 60 Jahre nach der ersten Invasion über Irland aus. Diese schrittweise Eroberung unterschied sich grundlegend von der Politik der Normannen ein Jahrhundert früher in England, als das Land systematisch und innerhalb kurzer Zeit unterworfen worden war. Diese unterschiedliche Eroberungsstrategie resultierte aus einem wesentlichen Unterschied der politischen Umstände. Wilhelm der Eroberer war in ein Königreich gekommen, das bereits eine gewisse Einheit erlangt hatte und ein funktionsfähiges Verwaltungssystem besaß. Er fand eine politische und soziale Ordnung vor, die sich ohne Schwierigkeiten dem Feudalismus anpassen ließ, und er war entschlossen, England zum Zentrum seiner Macht auszubauen. Aber in Irland gab es keine oberste Regierungsgewalt, die Heinrich hätte übernehmen können, und das irische Recht war mit dem Lehnsrecht so unvereinbar, daß eine Verschmelzung ohne grundlegende Veränderungen unmöglich war. Es ist daher bezeichnend, daß Wilhelm versprochen hatte, England gemäß den Gesetzen Eduard des Bekenners zu regieren, wohingegen Heinrich keine entsprechende Zusicherung für Irland abgab und es auch gar nicht konnte. Der Hauptgrund für seine Landung in Irland war die lehnsrechtliche Einsetzung von Richard de Clare in Leinster, die dem irischen Erbfolgerecht vollständig zuwiderlief.

Verständlicherweise war Heinrich nicht dazu bereit, sich auf längere Zeit in dem armen und entlegenen Irland aufzuhalten, um eine Eroberung zu leiten, von der er sich kaum Gewinn erhoffen konnte; aber gerade die Abwesenheit Heinrichs bewirkte wie kein anderer Einzelfaktor, daß die normannische Eroberung Irlands so unvollständig blieb, wie sie es ja war. Das Fernbleiben des Königs wäre weniger ausschlaggebend gewesen, wenn er in Dublin, der Hauptstadt der neuen Lordschaft, eine wirksame Verwaltung ins Leben gerufen hätte. Doch so wenig die Eroberung planvoll war, so wenig lagen – zumindest am Anfang – Pläne für eine systematische Zentralverwaltung vor. Der König wurde in Irland von einem ›Justitiar‹ vertreten (bei Abwesenheit des Herrschers war dies auch in England der Fall), aber Heinrichs Argwohn gegenüber dem Hochadel verhinderte, daß einer der Adligen für längere Zeit mit diesem Amt betraut wurde. Die Übergabe der Lordschaft Irland an seinen Sohn John mag teilweise auch mit der Absicht verbunden gewesen sein, diesen Notstand zu verbessern, aber der Erfolg war gering, denn John war zu dieser Zeit zehn Jahre alt, und selbst nachdem er volljährig geworden war, suchte er Irland nur für kurze Zeit auf, bevor er 1199 den englischen Thron bestieg. Die Feudalstruktur der eroberten Gebiete schloß jedoch in sich selbst gewisse Grundformen eines Regierungsapparates ein. Die Kronvasallen bildeten einen Rat, den der Justitiar um Unterstützung anrufen konnte, wenn auch nicht bei der täglichen Verwaltungsarbeit, und das Einsammeln der Lehnsabgaben an den Lord von Irland erforderte die Einrichtung einer Art Staatskasse (›Exchequer‹). Darüber hinaus setzte die Zuteilung von Leinster, Meath, Ulster und anderen Gebieten an Untervasallen die Tätigkeit patrimonialer Gerichtshöfe in Gang, die für lehnsrechtliche Fragen zuständig waren. Die königliche Rechtsprechung begann erst mit König John, der einen Justitiargerichtshof begründete, der sich später zum königlichen Hofgericht (›Court of King's Bench‹) in Irland entwickelte. Die etwa gleichzeitige Ernennung eines Reiserichters ist ein weiterer Schritt bei der Einführung des zeitgenössischen englischen Rechtssystems in Irland.

1210 kam John noch einmal nach Irland. Sein Hauptziel war die Beschränkung baronialer Macht, denn Irland drohte ebenso wie die walisische Mark ein Widerstandszentrum der Barone gegen die Krone und ein Zufluchtsort für rebellische Kronvasallen zu werden. John führte ein beträchtliches Heeresaufgebot mit sich, und obgleich er sich nur für zwei Monate in Irland aufhielt, marschierte er durch große Teile des Landes: von Waterford nach Carrickfergus, nach Westen fast bis zum Shannon und dann ostwärts nach Dublin zurück. Dabei stellte er die königliche Oberherrschaft über das gesamte von Normannen besiedelte Gebiet wieder her. Obgleich seine Tätigkeit hinsichtlich der Einteilung nach Grafschaften, der Begründung von Gerichtshöfen und des Burgenbaus von der Überlieferung überbewertet wurde, ließ er die Verwaltung in Dublin doch besser organisiert zurück, als er sie vorgefunden hatte. Vor seiner Abreise zwang er die Kronvasallen zu einem Schwur auf die strikte Einhaltung der englischen Gesetze und Rechtsgepflogenheiten in Irland. Ohne Zweifel sollte diese allgemeine Ausweitung des englischen Rechtes in Irland wenigstens vorerst nur für die normannischen Siedler Geltung haben, aber gerade darin bestand das ganze Problem der zukünftigen Beziehungen zu den Iren. Falls sich auf die Dauer eine Einigung des Landes einstellen sollte, dann müßte das englische Rechtssystem für alle verbindlich sein. Falls andererseits die königliche Rechtsprechung nur für die normannischen Bewohner gelten sollte, dann würden diese Kolonisten bleiben und weiterhin von einer fremden und möglicherweise feindlichen Bevölkerung umgeben sein. Dieses Problem war schwerwiegend. Selbst in den Gebieten, in denen die Normannen vorherrschten, unterstanden weite Bezirke dem direkten Einfluß der irischen Könige, die daher eher Trabantenstaaten als integrierte Herrschaftsbereiche der Lordschaft waren. Die Anwendung englischen Rechts auf diese Gebiete hätte den völligen Zusammenbruch ihres bestehenden Sozialgefüges zur Folge gehabt. In den Gebieten mit überwiegend englischem Recht machten es sich die Barone zur Angewohnheit, alle Menschen irischer Herkunft als ›betaghs‹ (Leibeigene) einzustufen, so daß die Bezeichnung ›hibernicus‹ (Ire) juristisch zu einem Synonym für Leibeigener wurde; in Irland war der Leibeigene wie überall im mittelalterlichen Europa an den königlichen Gerichtshöfen nicht zugelassen. Somit kann man zusammenfassen, daß überall dort, wo die irische Herrschaft bestehen blieb, das englische Recht keine Anwendung fand, und dort, wo englisches Recht Geltung hatte, eine tiefbegründete Abneigung gegen die rechtliche Integration der Iren bestand. Nur der Abschluß der Eroberung und eine entschlossene, zentrale Verwaltungspolitik hätten diese Schwierigkeiten überwinden und eine Vermischung der Rassen herbeiführen können. Aber als die Gelegenheit vorbei war, entwickelte sich die herrschaftsfähige ›Lordschaft von Irland‹ zu einer unbedeutenden und machtlosen Kolonie.

Das Beispiel von König Johns Irlandfahrt fand erst 1394 wieder Nachfolge, als Richard II. nach Irland kam, und diese lange Abwesenheit englischer Könige erschwerte die Existenz einer wirksamen Zentralverwaltung. Die allgemeine Schwäche des Feudalismus bestand darin, daß die Autorität der königlichen Rechtsprechung von der Energie und Fähigkeit des Königs abhing; wenn die königlichen Rechtsprüche wirkungslos blieben, waren die Barone geradezu gezwungen, Streitfälle militärisch auszutragen. Das ereignete sich von Zeit zu Zeit in allen Ländern, die von Normannen besiedelt waren: England, Süditalien, Palästina. In Irland jedoch wurden innere Kämpfe fast zur Gewohnheit. Während der 30 Jahre nach dem Tod von John stritten sich die mächtigen Adelsfamilien der de Lacy, Marshal, Fitzgerald und de Burgh um Land und Erbfolge. In dem ›Krieg um Meath‹ und dem ›Krieg um Kildare‹ gingen sie Bündnisse und Gegenbündnisse miteinander und mit irischen Königen ein, während die Justitiare zusehen mußten, da sie von England kaum Unterstützung erhielten. In diesen Auseinandersetzungen büßten die Eroberer ständig an Kampfkraft ein, und das ist einer der Hauptgründe für das Scheitern der Eroberung. Diese Sachlage kam jedoch nicht sofort zum Vorschein, und trotz der inneren Kämpfe vergrößerten die Normannen beständig ihr Einflußgebiet. Die de Burgh und ihre Verbündeten stießen nach Connaught vor; die Fitzgerald (auch ›Geraldines› genannt) setzten sich in Munster fest und begründeten eine Macht, die bis ins 16. Jahrhundert Bestand hatte; in Ormonde gründeten die Butler eine Dynastie, die sich sogar noch länger hielt.

Zu Beginn des 14. Jahrhunderts, nachdem ihre Expansion zum Stillstand gekommen war, hatten die Normannen fast zwei Drittel der Insel in ihrer Hand. Ihre Macht erstreckte sich rund um die Ost- und Südküste von Carrickfergus bis nach Cap Clear (den südlichsten Punkt Irlands, Anm. d. Übers.). Im Binnenland zeichneten sich zwei breitgelagerte Bewegungsrichtungen im Westen nach Connaught und im Südwesten nach Kerry ab. Aber die Iren waren trotz ihrer territorialen und politischen Teilung nicht machtlos. Im Norden herrschten irische Könige über weite Teile des heutigen Ulster und wurden von den Normannen kaum behindert. In Connaught bewahrten die O'Connor einen Teil ihres alten Königtums. In Thomond verteidigten die O'Brien ihre Hoheitsrechte gegen die de Clare. In den bergigen Gebieten von Leinster und Munster sowie in der bewaldeten, sumpfigen Zentralebene erhielten sich viele irische Könige eine gewisse Unabhängigkeit als Herrscher über Teilgebiete ihrer ehemaligen Besitzungen.

Trotz der Bürgerkriege und trotz ethnischer Gegensätze erlebte die Lordschaftsregierung in der zweiten Hälfte des 13. Jahrhunderts einen Machtzuwachs. Der Großteil des besiedelten Gebietes war in Grafschaften unterteilt, die über eigene königliche Vollzugsbeamte (Sherriffs) und Gerichtshöfe verfügten, in denen die Reiserichter nach dem Common Law Recht sprachen. Ebenso wie in England gab es in Irland sogenannte ›Freiheiten‹ (liberties), die als Gebiete mit besonderen Hoheitsrechten königlicher Einflußnahme nur bedingt offenstanden. Aber diese Freiheiten unterlagen ebenso dem Common Law wie die Grafschaften, und als es üblich wurde, die ›Ritter der Grafschaft‹ zum Parlament zu berufen, wurden die Freiheiten ebenso dazu aufgefordert, Vertreter zu entsenden. Das Parlament von 1297 umfaßte beispielsweise Repräsentanten aus neun Grafschaften (Connaught, Cork, Dublin, Kerry, Kildare, Limerick, Louth, Tipperary, Waterford) und fünf Freiheiten (Carlow, Kilkenny, Meath, Ulster, Wexford). Diese Aufstellung vermittelt eine objektive Vorstellung von der Größe des damaligen anglo-normannischen Verwaltungsgebiets. Die Mitgliedschaft in einem irischen Parlament des Mittelalters stand praktisch nur den normannischen Siedlern offen, die Parlamentssprache war Französisch, und die Gesetzgebung galt nur für das besiedelte Gebiet. Aber der Rechtsanspruch des Parlaments erstreckte sich auf die ganze Insel. Die unabhängigen oder halbwegs unabhängigen irischen Könige fanden keine Aufnahme in dieses System von Grafschaften und Freiheiten, aber ihre Herrschaftsgebiete gehörten zur Lordschaft, und der Justitiar mußte den Kontakt zu ihnen aufrecht erhalten. Sehr häufig führte die Regierung gegen einen oder mehrere Könige Krieg, aber der Justitiar besaß Vollmacht zum Gnadenerweis und konnte sie vor Schaden bewahren, solange sie den Landfrieden nicht brachen. Diese ausschließlich externe Einflußnahme auf irische Territorien konnte nur mit Hilfe der irischen Herrscher ausgeübt werden und erwies sich gelegentlich als sehr irreal, aber sie schuf einen Zusammenhalt zwischen dem anglo-normannischen und irischen Element in einer rudimentären Form verfassungsmäßiger Beziehungen. Zu Beginn des 14. Jahrhunderts schienen die Anglo-Normannen an Macht zu gewinnen. Eduard I. hatte die Kronvasallen zum Frieden untereinander gezwungen, und der Erfolg seiner Herrschaft zeigte sich in dem Ausmaß, in dem er Soldaten und Vorräte zur Unterstützung für seine Kriege mit den Schotten aus Irland beziehen konnte. Je besser das Siedlungsgebiet verwaltet wurde, desto sicherer würde es sich ausdehnen. Gegen Ende von Eduards Herrschaft schien es auf den ersten Blick keine Gründe für ein Stocken der Expansion zu geben, deren Zielsetzung die Einteilung der ganzen Insel in Grafschaften, die Abschaffung der von den irischen Königen gehandhabten Zwischengewalt und die Unterwerfung der gesamten Lordschaft unter das Common Law war.

Der Mißerfolg dieser Zukunftsplanung wurde häufig dem Einfall der Schotten im Jahr 1315 zugeschrieben. Doch obgleich diese Invasion der Zentralverwaltung einen schweren Schlag versetzte, war die Position der Normannen schon so weit unterhöhlt, daß die Lordschaft wahrscheinlich von selber zusammengebrochen wäre. Darüber hinaus reichte die Zahl der Siedler nicht aus. Der ersten Eroberungswelle waren ziemlich stetig Ritter und Barone nachgefolgt, aber es gab keinen ausgeprägten englischen oder anglo-normannischen Mittelstand. Englische und französische Kaufleute hatten sich in einigen der Städte, vor allem jedoch in Dublin, niedergelassen, und William Marshall siedelte Freibauern englischer Abstammung in Teilen von Leinster an, doch im allgemeinen bestand die Mehrheit der Bevölkerung aus Iren – auch in den Gebieten, die sich fest in den Händen der Normannen befanden. In den entlegeneren Landstrichen von Connaught und Ulster bildeten die Normannen eine besonders kleine Minderheit. Daher war es fast unvermeidlich, daß diese auf sich selbst gestellten Siedler einige der Bräuche und sogar die Sprache ihrer irischen Nachbarn anzunehmen begannen. Noch vor dem Ende des 13. Jahrhunderts sah sich das irische Parlament genötigt, Gesetze gegen ›degenerierte‹ Engländer zu erlassen, die sich ›in irischer Tracht kleiden und mit halb geschorenem Haupthaar nur das Haar am Hinterkopf wachsen lassen ..., wodurch sie sich in Kleidung und Aussehen den Iren anpassen‹. Aber diese Entwicklung konnte man durch Gesetze nicht aufhalten, und mit der Zeit nahmen die Siedler immer mehr die Lebensweise der Iren an. Diese Schwäche der Normannen nutzten die Iren für die Wiederherstellung ihrer Macht. Zu keiner Zeit des Mittelalters gab es einen vereinten, noch weniger einen ›nationalen‹ Widerstand gegen die Eroberer. Aber einige irische Herrscher schränkten die Expansion der Normannen doch ein, obwohl sie ihre eigenen Ziele verfolgten und gewöhnlich bereit waren, die Oberherrschaft des Königs von England anzuerkennen. In der zweiten Hälfte des 13. Jahrhunderts wurde die militärische Unterlegenheit der Iren teilweise durch Söldner ausgeglichen, die von den Hebriden hinzugezogen wurden. Diese ›gallowglasses‹ (gall-óglaigh, das heißt: fremde Soldaten) entstammten einer Mischrasse aus Gälen und Wikingern, und ihre Hauptwaffe war die große skandinavische Streitaxt. Im Gegensatz zu den Iren trugen sie Panzer, und sie kämpften mit einer derart überlegenen Entschlossenheit, daß sie vom 13. bis zum 16. Jahrhundert in jedem irischen Heer die Kerntruppe bildeten. Der erwähnte Machtgewinn der Iren hatte vor der Invasion der Schotten zu keinem entscheidenden Erfolg geführt, aber doch das Kräfteverhältnis in Irland bedeutend beeinflußt, denn der fortgesetzte Widerstand der Iren, vor allem im Norden, ermutigte die Dynastie der Bruce zu ihrem entscheidenden Schritt.

Der Held der schottischen Invasion war Eduard Bruce, der Bruder Königs Robert. Im Mai 1315 landete er mit 6000 schottischen Soldaten an der Küste der Grafschaft Antrim, und ein Jahr später wurde er als ›König von Irland‹ in Dundalk gekrönt. Aber dieser Titel war nichtssagend. Im Gegensatz zu den hochtrabenden Worten, mit denen Donal O'Neill, ›König von Ulster und kraft Erbfolgerecht der wahre Erbe von ganz Irland‹, seine Ansprüche auf die irische Krone an Bruce übertrug, gab es unter den Iren in Wahrheit keine Einigkeit. Einige schlossen sich den Schotten an, die meisten nutzten jedoch die allgemeine Verwirrung, um gegen ihre normannischen Feinde Krieg zu führen, und obgleich Bruce Sieg auf Sieg für sich gewann, gab es in Irland keine Anzeichen für jenen allgemeinen Widerstand gegen die Fremden, der in Schottland zur Einheit und Unabhängigkeit des Königreiches geführt hatte. Vom Papst exkommuniziert, mangelhaft unterstützt oder im Stich gelassen von seinen irischen Verbündeten und mit einem entkräfteten Heer wurde Bruce im Oktober 1318 schließlich bei Faughart in der Nähe seines Krönungsortes besiegt und getötet. Bezeichnenderweise zeigten sich die irischen Chronisten bei der Schilderung der damaligen Ereignisse vor allem von der Grausamkeit der Kriegsführung und dem darauffolgenden Elend beeindruckt. Für sie war Bruce kein Vorkämpfer der irischen Unabhängigkeit, sondern ein Gewaltherrscher, dessen Tod sie begrüßten: ›Eduard Bruce, der Zerstörer des normannischen und gälischen Irland, wurde durch Kampf und Heldentum von den Fremdlingen bei Dundalk erschlagen ... und seit Erschaffung der Welt wurde keine bessere Tat für die Männer von ganz Irland begangen.‹

Das Spätmittelalter

Die verhängnisvollen Auswirkungen der schottischen Invasion auf die Lordschaftsregierung traten nicht sofort in vollem Umfang ans Tageslicht. Bruce war es nicht gelungen, die vereinte Unterstützung der Iren für sich zu gewinnen, er hatte in keinem Teil des Landes festen Fuß gefaßt, und auf seinen Tod folgte die vollständige Aufgabe seines Vorhabens. Eine Zeitlang schien es, als könne die

Zentralregierung ihre verlorene Machtposition zurückgewinnen. Donal O'Neill wurde in das Landesinnere von Ulster zurückgedrängt, andere irische Herrscher wurden zu Friedensschlüssen gezwungen, und die wenigen Rebellen aus dem anglo-normannischen Adel, die Bruce unterstützt hatten, besannen sich auf ihre Gefolgschaftstreue. Aber dieser Schlag war zu folgenreich für die Landesverwaltung gewesen, um einen dauerhaften Rückgewinn der einstigen Macht zuzulassen. Rechtlosigkeit und Plünderungen hatten die natürlichen Kräfte des Landes erschöpft, und Mißernten verschlimmerten die allgemeine Notlage. Die Grundlagen des Gemeinwesens waren erschüttert worden, seine Schwächen äußerten sich noch unheilvoller, und separatistische Kräfte gewannen an Spielraum.

Die unmittelbarste Bedrohung ging von den Iren aus. Seit der Ankunft der Normannen hatten sich die Kämpfe zwischen den beiden Rassen nahezu ohne Unterbrechungen hingezogen, aber das Ergebnis der das ganze 13. Jahrhundert erfüllenden Kriege bestand in der Ausdehnung der eroberten Gebiete. Obgleich der Vormarsch der Normannen seit dem Beginn des 14. Jahrhunderts im allgemeinen stagnierte, erlitten die Iren aus Connaught inmitten der Kämpfe mit den Schotten ihre schwerste Niederlage. 1316 vernichteten die de Burgh und ihre Verbündeten bei Athenry ein großes Aufgebot der Iren und setzten ihre Vorherrschaft im Westen von neuem durch. Seither bestand das ›Königreich Connaught‹ der Familie O'Connor nur noch aus einem Bruchteil seiner bisherigen Größe, und sein Herrscher war wenig mehr als ein Vasall der de Burgh. Dies war jedoch die letzte wesentliche Expansion normannischer Macht, und auch sie erwies sich als vorübergehend. Obgleich sich die Iren auch jetzt nicht zusammenschlossen, nutzten sie doch die Gelegenheit der infolge der schottischen Invasion eingetretenen Wirrnis für örtlich begrenzte Kriegshandlungen, um verlorene Gebiete zurückzuerobern. Ihren Anstrengungen fehlte es zwar an Ausdauer, und sie errangen auch nicht überall Erfolge, aber dennoch zeichnete sich eine Veränderung der Machtverhältnisse ab. Die geringe Besiedlungsdichte und die Gepflogenheit, irische Enklaven in dem normannischen Siedlungsgebiet bestehen zu lassen, begannen sich nun auszuwirken.

Während die normannische Macht diesen verlustreichen äußeren Angriffen ausgesetzt war, erfuhr sie auch eine interne Schwächung. Die Zahl der Siedler ging zurück. Die Städte litten 1349 und 1350 schwer unter der Pest, und eine stetige Rückwanderung nach England setzte ein, die durch die ärmlichen und unsicheren Lebensbedingungen im Land bedingt war. Dieser Übelstand einer mangelhaften englischen Präsenz in Irland (absenteeism) hatte bereits die ernste Sorge des Königs auf sich gelenkt und sollte Irland während der folgenden Jahrhunderte unterschiedlich stark belasten. Das Übel begann mit den Baronen, die sowohl in England oder auf dem Kontinent als auch in Irland Ländereien und Einkünfte besaßen und häufig dazu neigten, ihre Verpflichtungen in Irland zu vernachlässigen. Auf diese Weise ließ man Garnisonen verkommen, und die Lehnsleute mußten sich nach besten Kräften selber gegen die Iren verteidigen oder mit ihnen übereinkommen. Unter diesen Umständen war es nur allzu begreiflich, daß sie weder ihren nominellen Lehnsherrn in England noch einer Herrschaft, die so wenig für ihren Schutz unternahm, viel Achtung entgegenbrachten. Die Bedrohlichkeit dieser Lage war offensichtlich, und schon 1297 war ein Gesetz verabschiedet worden, das die abwesenden Lehnsherrn zu einer ausreichenden Verteidigungsvorsorge verpflichtete. Aber keine Strafen erwiesen sich bei der Durchführung derartiger gesetzlicher Bestimmungen als ausreichend, und die fortgesetzten Versuche gesetzlicher Maßnahmen seitens der Regierung beweisen zugleich ihre Unzulänglichkeit. Mit der Ausbreitung und Verstärkung der irischen Machtposition wuchs auch der Druck auf die zurückbleibenden Siedler, und nun waren alle Siedler – nicht nur die Kronvasallen – betroffen. 1361 beklagte sich Eduard III. über ›die Kronvasallen unseres Landes England‹, die als Besitzer irischer Länreien ›ihre Gewinne daraus ziehen, sie aber nicht verteidigen‹. 1421 waren es die ›Handwerker und Handarbeiter, die durch eine Vielzahl unerträglicher Abgaben und Kriege belastet wurden‹, so daß sie täglich in Scharen nach England zurückkehrten. Diese Entwicklung war symptomatisch für die Zukunft der Kolonie.

Inmitten dieser Gefahren nahmen die Auseinandersetzungen zwischen den mächtigen normannischen Familien eher zu als ab. Ihre Folgen waren häufig Schwächung der lehnsrechtlichen Bindungen an die Krone und Schutzlosigkeit gegenüber irischen Rückeroberungen. Ein Beispiel muß ausreichen, aber es verdeutlicht die damaligen Grundschwächen der Lordschaft auf eindringliche Weise. Die mächtige Familie der de Burgh hatte nicht nur ihre Vorherrschaft in Connaught durchgesetzt, sondern trat auch die Nachfolge der Grafen von Ulster an, wo Richard (›Der Rote Graf‹) sich bemüht hatte, wenigstens für einige Zeit die Folgen der schottischen Invasion zu beheben. Sein Enkel Wilhelm (›Der Braune Graf‹) aber führte einen erbitterten Streit mit seinen eigenen Vettern und wurde 1333 auf ihr Betreiben hin in Carrickfergus ermordet. Das wäre nicht weiter verhängnisvoll gewesen, wenn ein Sohn das Erbe hätte antreten können; Wilhelms einziger Erbe aber war eine unmündige Tochter, die von ihrer Mutter nach England gebracht wurde, und fast schlagartig begann sich das umfangreiche Erbe der de Burgh aufzulösen. Im Norden fiel das Gebiet der ehemaligen ›Grafschaft Ulster‹ an die Familien O'Neill und O'Doherty. In Connaught verlief die Entwicklung anders, aber nicht weniger verlustreich für die königliche Rechtshoheit. Hier widersetzten sich zwei Brüder einer jüngeren Seitenlinie der de Burgh dem feudalen Erbfolgerecht und teilten den Familienbesitz unter sich auf. Ihr Familienname war schon in ›Burke‹ gälisiert worden, nun nahmen sie zusätzlich den Namen ›MacWilliam‹ von ihrem Vater William ›Liath‹ (›Der Graue‹) an. Sie sprachen irisch, übernahmen Lebensgewohnheiten der Iren und verschwägerten sich mit irischen Familien, so daß sie selber zu irischen Stammesfürsten wurden und nahezu alle Wesensmerkmale ihrer ehemaligen sozialen Stellung aufgaben. Elisabeth de Burgh, die legitime Erbin von Ulster und Connaught, wurde Lionel, dem Sohn von Eduard III., angetraut. Dessen Bemühungen um die Durchsetzung seiner Rechtsansprüche blieben ergebnislos, aber dank dieser Heirat gelangte der Erbanspruch in die englische Königsfamilie und wurde später von den Tudors erneut aufgegriffen.

Im Verlauf des 14. Jahrhunderts wurden die Aussichten auf einen endgültigen Abschluß der Eroberung und die Umwandlung der Lordschaft in einen funktionsfähigen, integralen Feudalstaat immer geringer. Im Gegenteil, die Verwaltung mußte sich darauf beschränken, das bestehende Siedlungsgebiet zu bewahren, statt es zu vergrößern. Diese politische Notwendigkeit schloß in sich die Anerkennung des status quo ein, daß nämlich das Lordschaftsgebiet in Wahrheit eine Kolonie war, die inmitten einer feindlich gesinnten Bevölkerung nur durch fortwährende Grenzkriege erhalten werden konnte. Formal gab die englische Krone ihre Rechtsansprüche in Irland nicht auf, aber im Spätmittelalter vertiefte sich die schon immer vorhandene Diskrepanz zwischen diesen Ansprüchen und der tatsächlichen Vollzugsgewalt der Krone beträchtlich. Dieser Sachverhalt läßt sich besonders deutlich an der allmählichen Verkleinerung des erfaßbaren Hoheitsgebietes der Dubliner Verwaltung ablesen. Vor dem Ende des 14. Jahrhunderts beschränkte sich dieses ›englische Land‹ oder ›Land des Friedens‹ auf ungefähr ein Drittel der ganzen Insel, denn zu dieser Zeit waren die größten Teil von Ulster und Connaught sowie große Teile von Munster einer wirksamen Aufsicht entglitten. Die veränderte Situation läßt sich auch im gewandelten Verhalten gegenüber den Iren feststellen. So lange Aussicht auf Vollendung der Eroberung bestand, schien es nur natürlich, die Verschmelzung der beiden Rassen anzustreben und daher eine weitreichende Einbeziehung der einheimischen Bevölkerung in das englische Recht gutzuheißen. Eduard I., der später Erfahrungen aus dem gleichen Problemkreis in Wales sammeln sollte, hatte während der siebziger Jahre des 13. Jahrhunderts einen erfolglosen Versuch unternommen, eine derartige rechtliche Einbeziehung durchzuführen. Selbst nach der schottischen Invasion versuchte es Eduard III. noch einmal, aber obwohl vielen Einzelpersonen und Familien das Vorrecht der Rechtsgemeinschaft mit den Engländern zugestanden wurde, war der Zeitpunkt für die erfolgreiche Durchführung einer Integrationspolitik vorüber. Die Iren hatten das Übergewicht gewonnen, die Sicherheit der Siedlung war gefährdet, und die fast unausweichliche Reaktion darauf war eine defensive ›Kolonialpolitik‹, die ihren bezeichnendsten Ausdruck in den bekannten ›Statuten von Kilkenny‹ findet.

Diese Statuten wurden von einem Parlament verabschiedet, das 1366 vor Lionel, Herzog von Clarence und Stellvertreter seines Vaters König Eduards III., in Kilkenny zusammentrat. Die Beschlüsse enthielten Maßnahmen für die wirksamere Verteidigung der Grenzgebiete gegen den irischen Feind, für das Fehdeverbot und den Handel. Die bedeutsamsten dieser gesetzlichen Bestimmungen aber zielten auf die Errichtung einer permanenten Rassenschranke zwischen Iren und Anglo-Normannen, denn man hatte erkannt, daß bei jeder Form ethnischer Verschmelzung der gälische Einfluß überwog. Somit wurden Verbindungen – sei es durch Heirat, Konkubinat oder Adoption – verboten. Weder die Engländer (das heißt die anglo-normannischen Siedler) noch die ›Iren, die mit den Engländern leben‹, durften irisch sprechen. Die Engländer durften ebenfalls keine irischen Namen verwenden, auch wurden ihnen irische Kleidung sowie das irische Recht verwehrt, und sie sollten nicht nach irischer Art ohne Sattel reiten. Bereits bestehende Gesetze, die die Iren aus den Domkapiteln, von Kirchenämtern und aus Ordenshäusern des englischen Einflußgebietes ausschlossen, wurden erneut bekräftigt. Die Statuten von Kilkenny sind häufig als eine Art aggressiver ›Rechtlosigkeitserklärung‹ gegenüber den Iren bezeichnet worden. In Wahrheit waren sie grundsätzlich defensiver Natur, da sie der Erhaltung der königlichen Oberherrschaft und des englischen Einflusses in dem noch englischen Rechtsgebiet der Lordschaft dienen sollten. Um den Statuten mehr Nachdruck zu verleihen, drohten die im Parlament anwesenden drei Erzbischöfe und fünf Bischöfe allen Übertretern der Statuten die Exkommunikation an.

Die Beschlüsse von Kilkenny konnten nicht vollständig durchgeführt werden, obwohl sie durch geistliche Sanktionen und spätere Bestätigungen bekräftigt wurden. In dem Bereich der Kirche wurde die Trennung in die englische und die irische Geistlichkeit, die seit langem bestand, ziemlich streng bewahrt. Diese Spaltung wurde dadurch vertieft, daß die Reformen des 12. Jahrhunderts in den Gebieten, die noch der irischen Geistlichkeit unterstellt waren, in mancher Hinsicht kaum von dauerhafter Bedeutung für das kirchliche Leben waren. Es gab keine genaue Abgrenzung der Kirchensprengel; Bischofssitze und Klöster waren weiterhin eng an bestimmte Familien gebunden; selbst die Einhaltung der Erbfolge bei Kirchenämtern war nicht abgeschafft worden. Die Diözesen im ›englischen Siedlungsgebiet‹ waren gewiß nicht frei von Mißbräuchen, aber allgemein wiesen sie eine ordnungsgemäßere Verwaltung auf. Dieser Unterschied verstärkte das Einvernehmen von Krone und Papsttum, und mit vereinten Kräften gelang es ihnen, die Iren von den wichtigsten Kirchenämtern im ›englischen Gebiet‹ fernzuhalten. Die Bischöfe, Äbte und anderen Geistlichen, die an Parlamentssitzungen und Ratsversammlungen teilnahmen, waren fast ausnahmslos englischer Geburt oder Abstammung, und ihr Verhalten gegenüber den irischen Geistlichen erscheint ausschließlich von politischem Pragmatismus und rassisch orientierter Abneigung bestimmt.

Aber die Teilung in zwei Lager, die im kirchlichen Bereich eingeführt und beibehalten wurde, erwies sich im weltlichen Bereich als undurchführbar, und die Verschmelzung der beiden Bevölkerungsteile konnte nicht verhindert werden. In Connaught und der Grafschaft Ulster war diese Entwicklung für jeden Reformversuch zu weit fortgeschritten. Die ›degenerierten Engländer‹, wie sie genannt wurden, waren nicht geneigt, ihre längst verwurzelten Gewohnheiten auf Befehl des Parlamentes zu ändern. Selbst in Munster und Leinster, wo der Einfluß der Krone noch einigermaßen stark war, kannten die Familien der Geraldine und Butler sowie andere mächtige Adelsgeschlechter die Vorteile ihrer engen Kontakte mit den Iren zu genau, als daß sie sie aufgegeben hätten. Während des ausgehenden 14. und gesamten 15. Jahrhunderts, als der Machteinfluß der Dubliner Verwaltung abnahm, drangen irische Sprache, irisches Recht und irische Tracht immer weiter vor – sogar in den Gebieten mit einer ehemals dichten anglo-normannischen Bevölkerung. In den entlegeneren Landstrichen wurden die Siedler ›irischer als irisch‹.

Verfehlt wäre die Annahme, daß im Verlauf dieses Verschmelzungsprozesses nur eine Seite beeinflußt wurde und die Iren davon vollständig unberührt blieben. Irische Herrscher ahmten die Anglo-Normannen auf verschiedene Weise nach. Sie übernahmen Helmschmuck und Wappenschilde, verwendeten Siegel, stellten Urkunden aus, schlossen Verträge und trafen schriftliche Abkommen. Diese nicht unerheblichen Veränderungen waren aber nur Zeichen einer tiefgreifenden Umwandlung in der Grundlage des gälischen Gesellschaftssystem. Die Hauptschwäche dieses Systems war das Fehlen einer direkten Erbfolge im Sinne der Primogenitur. Stattdessen wurde nach dem Tod eines Herrschers sein Nachfolger unter den Mitgliedern seiner Familie ausgewählt. Häufig wurde der Versuch unternommen, die Kontinuität der Herrschaft durch eine zu Lebzeiten herrschender Könige oder Stammesfürsten durchgeführte Wahl eines ›Tanist‹ oder wahrscheinlichen Nachfolgers abzusichern. Dies war jedoch ein unbeholfener und zeitweise gefährlicher Vorgang. Zudem veranlaßte dynastischer Ehrgeiz so manchen irischen Herrscher, eine personelle Hausmacht durch direkte Erbfolge zu begründen, und die ungeheuren Vorteile eines politischen Systems auf der Grundlage erblichen Landbesitzes waren sehr verlockend. Das Zusammenwirken dieser Faktoren führte zu einer teilweisen Feudalisierung der gälischen Gesellschaft, die sich vor allem im Machtzuwachs des Stammesherrscher niederschlug und – mittels Anwerbung schottischer Söldner unter ihrem persönlichen Oberbefehl – vorangetrieben wurde. Diese Entwicklung ging nicht ohne Einspruch und Widerstand vonstatten. Insbesondere scheiterten alle Versuche, die direkte Erbfolge durch Primogenitur als feste Regel einzuführen. Aber diese Versuche wurden nicht aufgegeben, und Ehrgeiz und Streit der Dynastien erklären deutlich genug, warum die Erbfolgekämpfe des 15. Jahrhunderts fast alle Landesteile auseinanderrissen, und warum die irischen Fürsten im 16. Jahrhundert bereit waren, ihre Territorien von Heinrich VIII. zu Lehen zu nehmen.

Der allmähliche Machtverlust der Krone nach der schottischen Invasion hatte sich nicht nur in den schwindenden Verteidigungsanstrengungen gegenüber den Iren gezeigt, sondern auch darin, daß die Bindungen der Siedler an England sich lockerten. In gewissem Sinn waren diese Bindungen nie eng gewesen. Die Statuten von Kilkenny enthalten die Eingangserklärung, daß ›während der Eroberung von Irland und lange Zeit danach die Engländer von Irland Englisch sprachen.‹ Aber in Wirklichkeit waren die Eroberer des 12. Jahrhunderts Normannen und sprachen Französisch, genau die Sprache, in der die Statuten abgefaßt sind. Wie die Normannen in England allmählich das Französische zugunsten des Englischen aufgaben, so übernahmen die Normannen in Irland – oder doch ein beträchtlicher Teil – ebenso selbstverständlich das Irische. Natürlich wurde in den Handelsstädten, in ihren Nachbarbezirken sowie in den mächtigen Familien, die verhältnismäßig enge Kontakte mit England hatten, englisch gesprochen. Doch selbst vor Ende des 13. Jahrhunderts wurden die Siedler im allgemeinen als ›Engländer‹ angesprochen. Sie waren zwar Engländer – jedoch mit einem Unterschied: Die Unterscheidung zwischen dem in Irland geborenen Engländer und dem in England geborenen Engländer hielt sich als ein geläufiges Schlagwort bis mindestens zum 18. Jahrhundert. Die Statuten von Kilkenny versuchten diese Trennung auszulöschen, aber ohne Erfolg, denn in ihr trat eine durchaus bestehende Verschiedenheit der Ansichten und Absichten zutage.

Die in Irland geborenen Engländer (oder, wie man sie von nun ab nennen kann, die Anglo-Iren) waren nicht immer bereit, die Macht der Krone zu unterstützen, obwohl sie ihre Treue zur Krone möglicherweise formal beteuerten. Seit Beginn der Eroberung strebten die Kronvasallen dynastische Vormachtstellungen an, die sie gewöhnlich durch Bündnisse mit irischen Stammesführern absicherten. Diese Hausmachtpolitik konnten auch die Statuten von Kilkenny nicht verhindern. Die Kronvasallen anerkannten zwar den königlichen Verwaltungsapparat, aber wenn es die Gelegenheit zuließ, waren sie stets dazu bereit, die Verwaltungsaufsicht zu ihrem eigenen Nutzen – und nicht zum Nutzen der Krone – zu führen. Somit war die Krone geradezu gezwungen, sich bei der Aufrechterhaltung ihrer Machtstellung auf die in Irland geborenen Engländer zu stützen, die vom Beginn der Lordschaft an fast durchgehend mit den höchsten Ämtern in der irischen Verwaltung betraut wurden. Wenn die englischen Könige auch nicht regelmäßig nach Irland kamen und auch nicht dazu bereit waren, den Abschluß der Eroberung mit jenen Truppen und Geldmitteln zu unterstützen, die sie vergleichsweise in ihren Kriegen mit Walisern, Schotten und Franzosen bereitstellten, so sollten doch wenigstens Macht und Befugnis der Krone in den von Dublin aus kontrollierten Gebieten repektiert werden. Daher waren die irischen Gerichtshöfe den englischen unterstellt, und die englische Gesetzgebung galt auch für Irland, wobei das irische Parlament gelegentlich ein zusätzliches Plazet aussprach, das aber ebenso gelegentlich fortfiel. Der irische Schatzmeister mußte der englischen Staatskasse gegenüber Rechenschaft ablegen, und die anderen irischen Verwaltungsbeamten mußten sich gegebenenfalls vor einem englischen Gericht verantworten. Bis zur zweiten Hälfte des 15. Jahrhunderts reichten diese Kontrollmittel aus, um die anglo-irischen Kronvasallen an der Beherrschung des Verwaltungsapparates zu hindern.

Doch obgleich die Krone eine verhältnismäßig lückenlose Aufsicht über die Lordschaftsregierung ausüben konnte, vermochte sie nicht, die fortschreitenden Machtverluste dieser Regierung aufzuhalten. An allen Grenzen drangen die Iren erneut in die Gebiete ein, die sie verloren hatten. Im Norden hatte sich Niall More O'Neill zum König von Ulster erklärt und dabei mit einigen Ausnahmen alle Überreste der normannischen Grafenherrschaft zerstört. Er dehnte seinen Einfluß sogar bis Connaught aus, wo die Krone kaum mehr Rückhalt besaß. In Munster ergriffen die O'Kennedy, ehemals untergeordnete Verbündete der Grafen von Ormonde, die Macht und eroberten die Gebiete, die die Familie Butler nicht länger halten konnte. Sowohl in Munster als auch in Meath führten andere irische Familien ähnliche Eroberungen durch. Als noch gefährlicher erwies sich der Machtgewinn der Iren in Leinster. In der bergigen Gegend südlich von Dublin dehnte Art MacMurrough Kavanagh, der Ansprüche auf das alte irische Königtum von Leinster geltend machte, seinen Herrschaftbereich, der sich ost- und westwärts in das fruchtbare Flachland erstreckte, fortgesetzt aus. Damit schuf er eine machtvolle gälische Herrschaft in unmittelbarer Nähe der Hauptstadt. Aber diese irische Expansion entsprach dem Ehrgeiz einzelner Stammesfürsten und nicht einer ›nationalen Bewegung‹. Richard II. nahm die persönliche Huldigung von Niall More O'Neill und Art MacMurrough an, als er 1394 Irland aufsuchte, und O'Neill erhielt vom König den Ritterschlag. Ebenso ist es bezeichnend, daß Art MacMurrough ein Bündnis mit dem Grafen von Kildare abschloß, das er – unter Verletzung der Statuten von Kilkenny – durch seine Heirat mit der Schwester des Grafen festigte.

Das Schwinden der anglo-irischen Gefolgschaftstreue und die Zunahme irischer Macht begrenzten allmählich den Machtbereich der Dubliner Regierung auf einen schmalen Landstreifen an der Ostküste. Richard II. schlug während seines Irlandaufenthaltes von 1394/95 vor, diese Tatsache zu berücksichtigen und ein ausschließlich ›englisches Gebiet‹ zwischen Dundalk und Waterford als Machtbasis auszubauen, um von hier aus wenigstens Teilgebiete für das Königtum zurückzugewinnen. Richard besaß keine ausreichenden Mittel, um diesen Plan durchzuführen, und seine Nachfolger aus dem Haus Lancaster waren zu sehr mit den Kriegen in England und auf dem Kontinent beschäftigt, um diesen Versuch zu unternehmen. Gegen Mitte des 15. Jahrhunderts war das ›englische Land‹, oder ›Pale‹ (der durch Grenzpfähle umfriedete Siedlungsbezirk der Anglo-Iren, Anm. d. Übers.), wie er nun genannt wurde, viel kleiner geworden, als Richard geplant hatte. Somit war er weit davon entfernt, als Ausgangspunkt für die Rückeroberung des Landes dienen zu können. Stattdessen befand sich das englische Gebiet in einer Art Belagerungszustand und mußte sich von Zeit zu Zeit von den an der Grenze stehenden Iren durch die Zahlung von ›schwarzem Pachtzins‹ loskaufen. Es wäre jedoch irreführend, anzunehmen, daß die Macht des Königtums jenseits des englischen Bezirkes gänzlich verlorengegangen war. In einem ziemlich weitläufigen Gebiet wurde sie offiziell anerkannt und manchmal tatsächlich behauptet. Elf Grafschaften — die entlegenste war Limerick — beteiligten sich an der 1421 vom Parlament veranlaßten Subsidiensammlung. Sendschreiben des Parlaments wurden weiterhin an die Kronbeamten von Ulster und Connaught geschickt. Das Parlament trat zweimal in Städten zusammen, die weit außerhalb des englischen Bezirks lagen: 1463 in Wexford, 20 Jahre später in Limerick. Auf diese Weise gab die Regierung in Dublin selbst während ihres Tiefpunktes den Anspruch auf die Oberherrschaft in Irland niemals auf. Darüber hinaus hielt sie einen Brückenkopf. Die Häfen von Dublin, Drogheda, Dundalk und Waterford standen der englischen Schiffahrt offen und boten freien Zugang für jeden englischen König, der bereit war, zur Wiederherstellung seiner Macht in Irland

Truppen zu entsenden. Der Weg war frei für eine erneute Eroberung Irlands durch die Engländer – frei sowohl rechtlich als auch politisch. Aber die Bedeutung dieser Möglichkeiten wurde erst im 16. Jahrhundert erkannt.

Fast während des ganzen 15. Jahrhunderts, in dessen Verlauf England durch die verlustreichen Feldzüge in Frankreich schwere Einbußen erlitt und zudem vom Bürgerkrieg erschüttert war, überließ man Irland weitgehend sich selber. Die Anglo-Iren waren in gewissem Maß von den Kriegen der weißen und roten Rose betroffen, die sich für sie jedoch nur als eine Art Neuauflage der alten Auseinandersetzungen zwischen den Dynastien Geraldine und Butler erwiesen. Die Geraldine wurden von den meisten anglo-irischen Adligen unterstützt und waren Anhänger des Hauses York, die Butler aber hielten zum Haus Lancaster. Die Anhänglichkeit an die Yorkisten war zumindest teilweise eine Folge des besonderen Ansehens, das Richard von York als Stellvertreter des Königs von 1447 bis 1460 erlangt hatte. Seine politischen Ziele lagen zwar weitgehend außerhalb Irlands, aber sein Stammbaum wies sowohl irische als auch anglo-irische Zweige auf. Darüber hinaus unterstützte er einen Anspruch auf legislative und judikative Unabhängigkeit, der im Parlament vorgebracht worden war, um auf diesem Weg die politischen Vorstellungen innerhalb der englischen Kolonie zum Vorteil seiner eigenen Hausmacht zu beeinflußen. Trotz dieser politischen Hintergründe führte der Sieg der Yorkisten und die Thronbesteigung Eduard IV. von 1461 zu keiner grundlegenden Veränderung der anglo-irischen Beziehungen. Eine wirklich bedeutsame Entwicklung vollzog sich während der folgenden 20 Jahre mit dem Aufstieg der Geraldine aus Leinster als Grafen von Kildare. Der Weg zur Macht stand offen, denn nachdem Thomas, siebter Graf von Desmond, seiner Rechte und Besitzungen verlustig gegangen und 1468 bei Drogheda hingerichtet worden war, zogen sich die Geraldine aus Munster von der Politik der englischen Kolonie zurück, und der Einfluß der Butler, die das Haus Lancaster unterstützt hatten, nahm unter der Herrschaft des Hauses York ab.

Das politische Gewicht der Grafen von Kildare hatte sich über ein Jahrhundert lang zusehends verstärkt, aber erst in den siebziger Jahren des 15. Jahrhunderts erlangte es eine überragende Position. Der siebte Graf von Kildare war kurz vor seinem Tod (1477) Vizekönig gewesen. (Der Vizekönig, während dieser Zeit gewöhnlich ein in England lebender Adliger, trat an die Stelle des Stellvertreters der Krone [lord lieutenant]. Dem Vizekönig wurde die formale Regierungsgewalt in Irland übertragen. Er war dem König persönlich verantwortlich, Anm. d. Verf.). Der Kronrat, der von der Kildare-Gruppe kontrolliert wurde, wählte sofort nach seinem Tod seinen Sohn Gerald (oder Garrett), den ›Mächtigen Grafen‹ (bei den Iren als ›Garrett More‹ bekannt), als Justitiar, der die Regierung bis zur Ernennung eines neuen Vizekönigs übernehmen sollte. Eduard IV. versuchte den Aufstieg dieser Faktion zu blockieren, indem er einen englischen Vizekönig, Lord Grey, nach Irland entsandte und nicht den Grafen Kildare in seinem Amt bestätigte, wie die Anglo-Iren erwartet hatten. Aber dieser Versuch Eduards mißlang. Der Graf von Kildare weigerte sich, Grey anzuerkennen, der Lordkanzler lehnte die Übergabe des Staatssiegels ab, der Burgvogt von Dublin legte seinen Oberbefehl nicht nieder, und schließlich mußte der König nachgeben. Graf Kildare suchte England auf und nahm eine Reihe von Bedingungen an, aber er kehrte als Vizekönig zurück, und die Hausmacht der Kildare, die sich sogar gegen den König behauptet hatte, beherrschte zwei Generationen lang die irische Politik.

Diese dynastische Machtkonzentration beruhte auf drei Grundvoraussetzungen. Erstens war die Familie der Kildare im Besitz eines weitläufigen Territoriums, dessen Lage in den heutigen Grafschaften Kildare und Carlow, teils innerhalb, teils außerhalb des englischen Bezirks, ihnen ermöglichte, einen nahezu unwiderstehlichen Einfluß auf die Regierung in Dublin auszuüben. Zweitens verstärkte der Graf die Bündnis- und Heiratspolitik mit den Iren. Die auf Grund dieser zwei Voraussetzungen freigesetzte Macht versetzte ihn in die Lage, die dritte Voraussetzung, sein Stellung als Vizekönig, nutzbringend zu verwenden. Mit dem bloßen Amt des Vizekönigs erlangte man nur ein geringes Maß an uneingeschränkter Autorität, aber der Graf von Kildare verfügte über ausreichende Mittel, um dieses Amt für seine Zwecke auszunützen. Kronrat und Parlament legalisierten Unternehmungen, die zur Verfügung stehenden Truppen des Kolonialgebietes gliederte er in seine Verbände ein, und die Abgaben an die Krone standen ihm fast ebenso frei zur Verfügung wie die Einkünfte aus seinem Landbesitz.

Die Nachfolge der Tudors in England führte kaum zu sofortigen Veränderungen in Irland. Heinrich VII. verfolgte eine abwartende Politik, und trotz der allgemein bekannten Anhänglichkeit des Grafen Kildare an das Haus York wurde ihm das Vizekönigtum nicht genommen. Selbst nachdem er Heinrich durch die Krönung von Lambert Simnel als ›Eduard VI.‹ in der Dubliner Christ Church herausgefordert hatte, blieb er im Amt. Einige Jahre später zwangen die bedrohlicheren Intrigen, die von einem Kreis um Perkin Warbeck ausgingen, Heinrich zu entschlossenen Maßnahmen, und für kurze Zeit unternahm er den Versuch, Irland durch einen englischen Vizekönig und mit der Unterstützung eines englischen Heeres zu regieren. Dieser Vizekönig war Sir Eduard Poynings, ein befähigter Soldat, dem es gelang, Warbecks Invasionsversuch von 1495 zu vereiteln. Aber die Kosten dieses Regierungssystems waren hoch, und man bemerkte rasch, daß das irische Steueraufkommen selbst bei einer Steuererhöhung nicht zur Deckung der Ausgaben ausreichte. Zudem verlagerte sich die von Warbeck ausgehende Bedrohung innerhalb sehr kurzer Zeit an die englische Nordgrenze, wo Jakob IV. Vorbereitungen traf, um Warbeck militärisch zu unterstützen. So wurden Poynings und die englischen Truppen zurückgerufen, und nach kurzer Unterbrechung erhielt der Graf von Kildare sein Amt zurück.

Poynings' Amtszeit hinterließ mit ›Poynings' Gesetz‹, dem nach seinem Urheber benannten und mehr berüchtigten als berühmten Statut, ein Erbe, das mit zahlreichen Abänderungen bis zur legislativen Union im Jahr 1800 Bestand hatte. Dieses Gesetz war von einem Parlament verabschiedet worden, das 1494 in Drogheda tagte. In seiner ursprünglichen Fassung enthielt es die Bestimmung, daß in Irland kein Parlament zusammentreten durfte, bevor Vizekönig und Kronrat in Irland den König und Kronrat in England über die Gründe für die Einberufung des Parlaments und die vorgeschlagenen Gesetzesanträge verständigt hätten, und bevor sie eine mit dem englischen Staatssiegel versehene Tagungserlaubnis erhalten hätten. In ferner Zukunft sollte sich dieses Gesetz als ein Hemmschuh für die Initiative des irischen Parlaments erweisen. Aber die Parlamente des 15. Jahrhunderts – sei es in England oder in Irland – übernahmen bei der Gesetzgebung selten eine führende Rolle, und Gesetze sollten dem Zweck dienen, allzu mächtige Vizekönige in die Schranken zu weisen. Von den friedlichen Bewohnern des englischen Bezirks wurde dieses Gesetz als Schutz und nicht als Unterdrückung angesehen.

Die erneute Amtseinsetzung des Grafen von Kildare im Jahr 1496 war ein klarer Beweis für die defensive Irlandpolitik Heinrichs VII. Es war sein Wunsch, eine ungestörte Regierungstätigkeit mit einem möglichst geringen Kostenaufwand aufrechtzuerhalten, und darin hatte er Erfolg. Warbecks letzter Invasionsversuch wurde 1497 abgeschlagen; über 20 Jahre lang und trotz ihrer wachsenden Seemacht und ihrer nationalen Auseinandersetzungen versuchte keiner der europäischen Staaten, dem englischen König über den Weg einer Verschwörung mit seinen anglo-irischen Untertanen Verluste beizubringen. Der Graf von Kildare herrschte ohne weitere Unterbrechungen bis zu seinem Tod im Jahr 1513, wobei er mit Hilfe seiner Einkünfte und Bündnisse weite Teile des Landes seinem Einfluß unterwarf und alle gegnerischen Vereinigungen zerschlug, dabei jedoch eine unerschütterliche Treue gegenüber der englischen Krone bewahrte. Als er starb, trat sein Sohn, ›Garrett Oge‹ (›Der Junge Gerald‹), fast ebenso selbstverständlich die Nachfolge als Vizekönig an, wie er die Grafschaft übernommen hatte. Aber diese reibungslose Erbfolge stand am Anfang einer neuen und entwicklungsreichen Epoche, denn die englische Irlandpolitik schlug eine Richtung ein, die der feudalen Selbstherrlichkeit des Hauses Kildare schon bald keinen Raum mehr ließ.

DIE EROBERUNGSKÄMPFE DER TUDORS

Der Sturz des Hauses Kildare

Die Nachfolge des neunten Grafen Kildare fiel zeitlich fast zusammen mit dem Amtsantritt des Kardinals Wolsey als englischer Lordkanzler, unter dessen Einfluß Heinrich VIII. die irische Politik zum erstenmal aufmerksam zu verfolgen begann. Obgleich die Grafen Kildare die Grundlage königlicher Macht unangetastet gelassen und dabei verhindert hatten, daß Irland zum Mittelpunkt englandfeindlicher Verschwörungen wurde, erwies sich die politische Lage als bedenklich. Die Regierung des englischen Bezirks wurde zwar im Namen des Königs fortgeführt, aber in Wirklichkeit war sie ein Machtinstrument in den Händen der Kildare und ihrer anglo-irischen Anhänger. Der englische Bezirk war nach wie vor auf einen schmalen Küstenstreifen beschränkt, und selbst Kildare gelang es nicht immer, das Siedlungsgebiet gegen eindringende Iren zu verteidigen. Jenseits des englischen Bezirks stellte Irland ein politisches Flickwerk dar, das ein englischer Beobachter der damaligen Zeit folgendermaßen beschrieb: ›Es bestehen in Irland mehr als 60 Herrschaftsgebiete, auch Gaue genannt, die die irischen Feinde des Königs bewohnen . . . wo mehr als 60 Stammesführer regieren . . ., die mit Schwert und Gewalt herrschen und keiner weltlichen Macht als sich selber gehorchen. Jeder der erwähnten Stammesführer entscheidet uneingeschränkt über Krieg und Frieden, regiert mit dem Schwert, besitzt königliche Rechtsbefugnisse und unterwirft sich weder Iren noch Engländern, es sei denn, er werde mit Gewalt dazu gezwungen . . . Es gibt aber auch mehr als 30 englische Adlige, die sich wie die Iren verhalten . . . und sie bestimmen selbständig über Krieg und Frieden ohne das Einverständnis des Königs oder einer anderen weltlichen Macht, und sie fügen sich nur überlegenen Gegnern.‹

Die Grenzen dieser Gaue oder Stammesstaaten (›tuatha‹) verschoben sich ständig; man stritt sich in diesem oder jenem Gebiet um die Vorherrschaft, man war beständig dabei, Bündnisse und Gegenbündnisse einzugehen oder zu lösen, und lokale Kämpfe, die sich manchmal fast über die ganze Insel ausbreiteten, brachen regelmäßig von neuem aus.

So mächtig Graf Kildare gewesen war, selbst ihm gelang es nicht, eine gewisse Ordnung in dieses Durcheinander rivalisierender Familien zu bringen – möglicherweise war es auch nicht seine Absicht. Er hatte sich damit zufriedengegeben, sein Amt als Vizekönig ungestört auszuüben, um Ansehen und Machtfülle seiner Position zum Vorteil seiner Familie auszunützen. Erst sein Sohn sollte feststellen, daß diese Hausmachtpolitik gezielten Interventionen der englischen Krone nicht lange standhalten konnte.

Heinrich VIII. plante zu Beginn seiner Herrschaft nur eine strengere Aufsicht über Kildares Regierungstätigkeit. 1515 wurde der Graf zu einer Fahrt nach England bewogen, kehrte aber mit uneingeschränkten Vollmachten zurück. Kardinal Wolsey war jedoch eifrig darum bemüht, Auskünfte über die Lage in Irland einzuholen, und vier Jahre später wurde Kildare erneut nach England zitiert, um sich gegen Klagen über seine Amtsführung zu verantworten. Diesmal wurde eine genaue Untersuchung in Gang gesetzt, und obwohl eine gegen ihn vorgebrachte Anklage wegen Landesverrats fallen gelassen werden mußte, wurde er im Januar 1520 aus seinem Amt entfernt, und der englische Kronrat entwarf eine völlig neue Irlandpolitik. Fehden sollten verhindert werden, die Befugnisse Wolseys, die dieser als päpstlicher Nuntius besaß, sollten erweitert und die Kirchenverwaltung reformiert werden. Ebenso wurden die Einberufung eines Parlaments und eine Subsidiensammlung in ganz Irland geplant. Der Mann, der diese Vorhaben in die Tat umsetzen sollte, war Thomas Howard, Graf von Surrey, dem das Amt des königlichen Stellvertreters (lord lieutenant) – nicht des Vizekönigs (deputy) – übertragen wurde. Seit etwa 1450 war er damit der erste in Irland residierende Stellvertreter des Königs. Surrey war ein befähigter Soldat, ein wohlhabender Adliger und Admiral der englischen Marine. Somit durfte er darauf hoffen, Kildare auszustechen und jenes Maß an Achtung und Ergebenheit zu gewinnen, das einem Kronbeauftragten wie Poynings verweigert worden war.

Diesem Plan war kein Erfolg beschieden. Surrey traf im Mai in Dublin ein und geriet sofort in Schwierigkeiten. Die irische Staatskasse war fast leer, und die 4000 Pfund, die er aus England mitgebracht hatte, waren schnell ausgegeben. Fast unmittelbar nach seiner Ankunft fiel O'Neill vom Norden her in den englischen Bezirk ein, und obwohl ein kurzer Feldzug den Frieden für eine Zeitlang wiederherstellte, blieb die Lage bedrohlich. Im Spätsommer brach die Pest unter den Siedlern aus, und die Nahrungsmittel wurden so teuer wie zu Zeiten einer Hungersnot. Im November sah Surrey kaum noch Auswege aus dieser Situation. ›Ich, der Schatzmeister und alle Kronbeamten haben alle zusammen nicht einmal mehr 20 Pfund.‹ Finanzielle Unterstützung aus England und eine Steuererhöhung in Irland verhalfen ihm zur zeitweiligen Fortsetzung seiner Tätigkeit. Aber Heinrich warnte Surrey vor der Erwartung weiterer hoher Beträge aus der englischen Staatskasse und beschwor ihn, Irland auf diplomatischem Wege zu unterwerfen, ›mit kühler Überlegung, berechnendem Taktieren und gefälligem Überreden‹ vorzugehen. Surrey konnte seine Lage jedoch illusionsloser einschätzen als sein König. Gegen Ende seines ersten Amtsjahres sandte er Heinrich einen Bericht, in dem er ihm auseinandersetzte, daß Irland nur durch militärische Maßnahmen unterworfen werden könne, und wies dabei auf die Konsequenzen hin, mit denen im Hinblick auf Heeresstärke und Kosten zu rechnen sei. Als Heinrich sich weigerte, die Notwendigkeit einer militärischen und finanziellen Hilfeleistung einzusehen, bat Surrey um seine Entlassung: ›Ich habe hier eineinhalb Jahre ausgeharrt, wobei ich für Euer Gnaden hohe Ausgaben und für mich schwere Verluste verursacht habe, denn ich habe auch meine zu erwartenden Einkünfte ausgegeben.‹ Einige Monate später wurde ihm gestattet, sein Amt niederzulegen.

Obwohl die kurze Amtszeit des Grafen Surrey weitgehend ergebnislos verlief, veranschaulicht sie zwei wichtige Tatsachen. Erstens: die direkte Regierungsführung war kostspielig: Von April 1520 bis März 1522 waren mehr als 18 000 Pfund von England nach Irland gesandt worden, und es gab auf lange Sicht keinerlei Hoffnung, das irische Steueraufkommen dieser Summe entsprechend zu erhöhen. Zweitens: die Macht des Grafen von Klidare konnte durch seine Entfernung von der Regierungsspitze nicht gebrochen werden. Surrey hatte der Dubliner Verwaltung neuen Aufschwung gegeben, und man hatte die Befürworter der englischen Politik gefördert, aber alle Schritte waren begleitet von der Ungewißheit über die künftige Entwicklung. Kildare konnte noch immer an die Macht zurückgelangen, und solange diese Möglichkeit offen war, wollte niemand sein Feind werden. Außerhalb des englischen Bezirks hielten ihm seine irischen und anglo-irischen Verbündeten die Treue, und Surrey verfügte nicht über ausreichende Kraftreserven, um zum Angriff überzugehen. Auf Heinrich machte die Feststellung des hohen Kostenaufwands für die direkte Regierungsführung in Irland einen sofortigen, sehr nachteiligen Eindruck, und seine Weigerung, größere Summen aufzuwenden, hielt ihn von entscheidenden Maßnahmen ab. Im Verlauf der nächsten Jahre versuchte er seine Ziele auf kostensparende Weise zu erreichen, indem er Kildare und dessen stärksten anglo-irischen Widersacher, Sir Piers Butler, Graf von Ormonde, gegeneinander ausspielte. Das erklärt die rasche Folge von Regierungswechseln. Nach der Abberufung des Grafen Surrey wurde im März 1522 Ormonde zum Vizekönig ernannt. Im August 1524 wurde er unerwartet entlassen, und Kildare trat an seine Stelle. Zwei Jahre später wurden sie beide nach England geladen. Kildare wurde dort unter Aufsicht gestellt – galt aber nicht als Gefangener – und blieb Vizekönig. Butler wurde genötigt, die Grafschaft Ormonde an Sir Thomas Boleyn abzutreten, erhielt aber als Ausgleich die Grafschaft Ossory, und die Rückkehr nach Irland wurde ihm gestattet. 1528 wurde Kildare, der sich noch immer in England befand, seines Amtes enthoben, und Butler wurde zum zweitenmal zum Vizekönig ernannt, um seinerseits binnen eines Jahres wieder entlassen zu werden.

Dieser unablässige Wechsel verringerte ohne Zweifel das politische Gewicht der beiden Grafen, zeigte aber gleichermaßen schädliche Auswirkungen auf das Ansehen der Regierung – und zwar zu einem Zeitpunkt, als die Krone ohnehin von Verschwörungen anglo-irischer Adliger mit europäischen Mächten bedroht wurde. Dies war eine zwangsläufige Folge der anmaßenden Außenpolitik Heinrichs VIII. Schon 1523 hatte der Graf von Desmond ein Bündnis mit dem französischen König abgeschlossen, der gerade gegen England Krieg führte. Erfolge blieben jedoch aus; aber 1528 führte er mit Heinrichs neuem Feind, Kaiser Karl V., Verhandlungen. Um dieser bedrohlichen Lage zu entgehen – nicht jedoch, um weiterhin einen Grafen gegen den anderen auszuspielen –, wurde Butler 1529 entlassen. An seine Stelle trat Sir William Skeffington, der wie Poynings ein Beamter der Krone und ein erfahrener Soldat war, um mit Hilfe englischer Truppen und englischen Geldes die Machtansprüche der Krone zu verteidigen. Aber wiederum sträubte sich Heinrich gegen die Ausgaben, und nachdem die unmittelbare Gefahr vorüber war, wurde Skeffington zurückgerufen und Kildare erneut als Vizekönig eingesetzt. Möglicherweise bestand ein Zusammenhang zwischen Kildares neuerlicher Ernennung und dem Sturz seines alten Feindes Wolsey, aber in der Hauptsache war das eine Maßnahme, die Irland eine zuverlässige und zugleich kostensparende Regierung sichern sollte. Für ein Gelingen dieses Planes war es jedoch zu spät. Es gibt keine Beweise dafür, daß Kildare seine Treuepflicht dem König gegenüber verletzt hätte, aber er war nicht mehr imstande, der Krone wirkungsvolle Dienste zu erweisen. Sein Ansehen war durch die häufigen Regierungswechsel der vergangenen Jahre unwiederbringlich zerstört worden. Eine schwere Verletzung aus dem Jahr 1532 hatte seine körperlichen und geistigen Kräfte stark beeinträchtigt. Weder konnte er die Iren unter Kontrolle halten, noch Dublin verteidigen. Der eine Vorteil, den seine Herrschaft in Heinrichs Augen besaß, war fortgefallen, und Heinrich hatte keine andere Wahl, als ihn seines Amtes zu entheben. Aber der König ließ sich Zeit, und als Kildare im Februar 1534 Irland auf Geheiß des Königs verließ, war er noch Vizekönig. Es war ihm auch gestattet worden, seinen Sohn, Lord Offaly (›Seidener Thomas‹), als Lordrichter und damit als seinen Stellvertreter einzusetzen.

Das Jahr 1534 ist ein Wendepunkt der irischen Geschichte. Es ist nicht zweifelsfrei nachzuweisen, daß Heinrich VIII. von diesem Jahr an eine erneute Eroberung Irlands geplant und eingeleitet hätte, aber es steht fest, daß die englische Krone von diesem Zeitpunkt an das Ziel verfolgte, ihren Machteinfluß auf die gesamte Insel auszudehnen. Dieser Prozeß wurde mit unterschiedlichem Einsatz und auf diplomatischem wie militärischem Wege in Gang gehalten; sein Hauptzweck war eher Verteidigung als Angriff, und doch wurde Irland gegen Ende der Herrschaft Elisabeths militärisch unterworfen. Vermutlich war eine derartige Entwicklung unvermeidbar. Die Tudors konnten die Existenz einer halbwegs unabhängigen Kolonie, die ohne die Kontrolle Englands unversehens zum Stützpunkt der Feinde Englands werden konnte, auf die Dauer nicht dulden. Die Lage im Jahr 1534 erforderte schnelles Handeln. Auf der einen Seite war Kildare nicht mehr in der Lage, Irland selbständig zu regieren, auf der anderen Seite konnte er jeden Stellvertreter der Krone behindern, solange seine Macht nicht gebrochen war. Vielleicht suchte Heinrich selbst in dieser Situation noch einmal einen Ausgleich, aber er wurde durch den überraschenden Aufstand von Kildares Sohn zur Entscheidung gezwungen. Der junge Kildare war in das Sitzungszimmer des Kronrats in Dublin gestürzt, hatte sein Amtsschwert zu Boden geworfen und dem König die Treue aufgekündigt. Ohne Zweifel war Thomas zu dieser Handlung durch Gerüchte verleitet worden, die von den Feinden seiner Familie in Umlauf gebracht worden waren: Sein Vater sei getötet worden, und er sei das nächste Opfer. Die Krise hatte einen Höhepunkt erreicht, und die Geraldine hatten nur die Wahl, dem König entweder Trotz zu bieten oder ihre Entmachtung widerstandslos hinzunehmen. Bedenkt man, daß Thomas ein stolzer, entschlossener junger Mann war, und daß er unter dem Eindruck seiner damaligen Situation stand, so ist es nicht verwunderlich, daß er den Weg gewaltsamen Widerstandes wählte. Das endgültige Schicksal seiner Familie wurde von dieser Entscheidung nur oberflächlich berührt.

Die Auseinandersetzungen zwischen den Kildare und der Krone zogen sich mit einigen Unterbrechungen über die folgenden sechs Jahre hin. Obgleich die Regierungstruppen beim Ausbruch des Aufstandes zahlenmäßig unterlegen waren, befand sich Thomas in einer schwierigen Lage. Die Einwohner von Dublin verhielten sich feindlich, denn ihr Interesse galt einer funktionsfähigen Regierung sowie einem ungestörten Handel mit England, und an ihrer Feindseligkeit scheiterte die Einnahme der Burg von Dublin. Die Dynastie der Butler verhielt sich der Krone gegenüber loyal, und Thomas war des öfteren gezwungen, sein Heer zu teilen, um seine Territorien gegen ihre Angriffe zu verteidigen. Die Ankunft von Sir William Skeffington und eines starken englischen Heeres entzog ihm bald jegliche Kontrolle über den englischen Bezirk und zwang ihn stärker als je zuvor, sich auf die mit ihm verbündeten Iren zu verlassen. Sein wichtigster Stützpunkt, Burg Maynooth, war von der englischen Artillerie sehr schnell zerstört worden, und dieser Vorfall war als eine Warnung an die Aufständischen zu verstehen, sich hinter ihren Befestigungen nicht allzu sicher zu fühlen. Zudem machte die Hinrichtung fast der gesamten Burgbesatzung unmißverständlich klar, daß die Zeiten, da man mit rascher Begnadigung rechnen konnte, vorüber waren. Eine Zeitlang verließen Thomas seine Verbündeten, er wurde gefangengenommen und nach England gebracht. Aber nach einem kurzen Frieden brach der Krieg von neuem aus. Diesmal war die ganze Insel davon betroffen, denn alle Iren und Anglo-Iren schlossen sich in einer ›Geraldinischen Liga‹ zusammen. Diese Liga sah nach einer machtvollen Allianz aus, aber die Einigkeit der Bündnispartner stand im Widerspruch zu den vielen alten Streitigkeiten, und die Liga löste sich auf Grund ihrer Niederlagen gegen Skeffingtons Nachfolger, Lord Leonard Grey, rasch auf. Gegen 1540 war der Kampf zu Ende. Die Macht der Geraldine aus Leinster war nicht nur gebrochen, die Familie war darüber hinaus fast vollständig ausgerottet worden. Der alte Graf Kildare war im Gefängnis gestorben, sein Sohn Thomas und fünf seiner Onkel waren in Tyburn hingerichtet worden, und der Familienerbe war ein zwölfjähriger Junge im Exil in Frankreich.

Der Umschwung in der Irlandpolitik Heinrichs VIII.

Nach dem Jahr 1540 stand der Weg zu einer erneuten Eroberung Irlands offen. Mit dem Verschwinden der Geraldine von der politischen Bühne gab es in Irland keine Macht, die der Krone hätte Widerstand leisten können. Aber Heinrich VIII. mußte diese Gelegenheit ungenutzt vorübergehen lassen. Mit seiner nationalen Kirchenpolitik hatte er sich in England sowie auf dem Festland Feinde geschaffen, und er wollte in Irland nicht allzu verpflichtende Bindungen eingehen. Die Kosten für die dortige Verwaltung waren ohnehin beträchtlich. Selbst gegen Ende seiner Herrschaft, als die Macht der Krone unangefochten schien und das Land verhältnismäßig friedlich war, reichte das irische Steueraufkommen nicht aus; Irland benötigte zusätzlich 5000 Pfund an englischen Geldern. Für großangelegte militärische Unternehmungen blieb folglich kein Geld.

Wieder einmal entschloß sich daher Heinrich, seine Ziele auf diplomatische Weise zu erreichen und auf ›kühle

Überlegung, berechnendes Taktieren und gefälliges Überreden‹ zurückzugreifen, was er schon 20 Jahre zuvor dem Grafen Surrey nahegelegt hatte. Ein Anfang war schon gemacht worden. Während der ersten Friedenspause in dem Krieg mit Kildare war ein Parlament einberufen worden, das gehorsam die wichtigsten Statuten, die vom englischen ›Reformationsparlament‹ verabschiedet worden waren, für Irland bestätigte. Die Auflösung der Klöster hatte ebenfalls begonnen, und wie in England fiel es den großen Landbesitzern irischer und anglo-irischer Herkunft sehr viel leichter, sich mit der neuen Kirchenverfassung einverstanden zu erklären, nachdem ihnen beträchtliche Ländereien aus ehemaligem Klosterbesitz übereignet worden waren. Möglicherweise wurde Heinrich durch die widerstandslose Erfüllung seiner Reformwünsche seitens des irischen Parlaments im Jahr 1538 zu der Annahme ermutigt, er könne seinen Sieg über die Dynastie der Geraldine auf friedlichem Weg für seine Zwecke nützen.

Das Hauptziel seiner politischen Bemühungen war, den gesamten irischen Adel in direkte Abhängigkeit von seiner Person zu bringen. Was die Anglo-Iren anbelangte, so mußten nur die bereits bestehenden Gesetze angewendet werden. Aber die rechtlichen Beziehungen zwischen den irischen Herrschern und dem Lord von Irland waren von Anfang an mißverständlich gewesen, und wenn die Iren als loyale Untertanen eingegliedert werden sollten, mußte man ihre rechtliche Stellung von Grund auf ändern.

Die Verwirklichung dieses politischen Programms wurde Sir Anthony St. Leger übertragen, der als Nachfolger von Lord Leonard Grey 1540 zum Vizekönig ernannt wurde. St. Leger war für diese Aufgabe vorzüglich geeignet. Er war Soldat, Diplomat, Verwaltungsbeamter, und er hatte schon mehrere Jahre in Irland verbracht. Als Beauftragter des Königs hatte er fast die gesamte Insel bereist, hatte sich auch außerhalb des anglo-irischen Besiedlungsbezirkes aufgehalten und an der politischen ›Beratung‹ (management) des irischen Parlaments Anteil gehabt.

St. Leger begann damit, daß er mit einflußreichen irischen Stammesfürsten eine Reihe jeweils unterschiedlicher Abkommen schloß. Derartige Übereinkünfte waren lange Zeit gewohnheitsmäßige Faktoren im politischen System Irlands gewesen. Nun aber erhöhte man die Zahl der Verträge und nahm Klauseln auf, die das Rechtsverhältnis der Stammesfürsten zur Krone auf eine neue Grundlage stellten. Der Vertrag mit Turlough O'Toole vom November 1540 war ein Modell für die nachfolgenden Abkommen: O'Toole sollte sein Herrschaftsgebiet an Heinrich abtreten, dasselbe Territorium als Ritterlehen zurückerhalten, keine eigenen Truppen besolden (eine Erlaubnis des Vizekönigs befreite von dieser Bestimmung) und sich nach englischen Gesetzen und Rechtsgewohnheiten richten. Diese Bedingungen stellten die zentralen Ziele der Politik der ›Unterwerfung und Belehnung‹ dar, die während der nächsten Jahre in fast ganz Irland verwirklicht wurde und alle irischen Herrscher in ein formalrechtliches Abhängigkeitsverhältnis zur englischen Krone brachte. Die bedeutenderen irischen Stammesfürsten erhielten englische Adelstitel. Conn O'Neill wurde Graf von Tyrone, Murrough O'Brien Graf von Thomond, MacGilpatrick Freiherr von Ober-Ossory und Donough O'Brien Freiherr von Ibrackin. Abgefallene Engländer und aufständische Anglo-Iren kehrten in den Gefolgschaftsverband der Krone zurück, und mit ihnen verfuhr man auf ähnliche Weise. MacWilliam Burke trat seinen Besitz an die Krone ab und erhielt ihn als Lehen mit dem Titel eines Grafen von Clanricard zurück; der Graf von Desmond huldigte dem Vizekönig und wurde vom König begnadigt.

Die öffentliche Verkündigung dieser neuen politischen Konzeption erfolgte 1541, als ein eigens zu diesem Zweck einberufenes Parlament Heinrich den Titel ›König von Irland‹ verlieh. Dieses Parlament war ungewöhnlich gut besucht, und neben den anglo-irischen Geistlichen, Adligen, Grafschafts- und Städteabgeordneten waren so viele irische Stammesfürsten oder ihre Vertreter anwesend, daß man es für notwendig hielt, den Gesetzesantrag auf irisch zu wiederholen; und auch die Iren brachten ihre ›freimütige Zustimmung‹ zum Ausdruck. Der ganze Vorgang stieß auf große Begeisterung. Am nächsten Tag wurde der neue Herrschaftstitel öffentlich in der St. Patricks-Kathedrale verkündet, nachdem der Erzbischof von Dublin eine feierliche Messe gelesen hatte. Auf diese Weise hatte Heinrich allen klar vor Augen geführt, daß sein Anrecht auf Irland von päpstlichen Konzessionen nicht abhängig war – in Anbetracht seiner Kirchenreformen war ja eine Berufung auf den Papst so wenig logisch wie ratsam. Die formale Änderung des Herrschaftstitels besagte nur wenig. Aber die pflichtgetreue Anwesenheit so zahlreicher anglo-irischer Adliger, der Vertreter so vieler Grafschaften, Städte und Wahlgemeinden (boroughs) – aus Gebieten innerhalb und außerhalb des englischen Bezirks – und darüber hinaus die Teilnahme der großen Zahl irischer Stammesfürsten – diese Repräsentanz irischer Herrschaftsinteressen war von Bedeutung. Es schien, als sollte die Eroberung doch noch gelingen, diesmal jedoch nicht gewaltsam, sondern auf dem Wege friedlicher Vereinbarungen.

Mit dieser Politik erwies sich Heinrich VIII. als ein klügerer Staatsmann als ein Großteil jener Engländer, die die Regierung in Irland zu führen hatten. Heinrichs Ziele richteten sich auf Versöhnung und Zusammenschluß: die Versöhnung mit den Mächtigen des Landes durch rechtliche Bestätigung ihres Besitzes, Verleihung neuer Titel und Aufteilung des ehemaligen Klosterbesitzes zwischen ihnen und der Krone; der Zusammenschluß der einheimischen und zugewanderten Bevölkerungsteile durch den vollständigen Verzicht jeglicher Rassenschranken und die Einbeziehung des ganzen Landes in das englische Rechtssystem. Eine Zeitlang schien es, als hätte Heinrich VIII. alle Schwierigkeiten überwunden. Seine Forderungen wurden widerstandslos erfüllt. Anglo-Iren und Iren erkannten ihn als König von Irland an und verwarfen ›die angemaßte Macht des Bischofs von Rom‹. Somit waren die Ausrufung des Königreichs Irland und die Verkündigung des königlichen Supremates innerhalb der Kirche von allen irischen Herrschern öffentlich anerkannt und legalisiert worden.

Trotz ihrer Verdienste und zeitweiligen Erfolge scheiterte diese Politik. Der Grund für ihr Scheitern ist vermutlich in einer Kette von Einzelfaktoren zu suchen. Das Verfahren der ›Unterwerfung und Belehnung‹ setzte sich über das irische Besitzrecht hinweg, wonach der Rechtsanspruch eines Stammesfürsten auf ein Herrschaftsgebiet weder von seiner Person noch von seinem Erbanspruch abhing, sondern aus seinem Amt hervorging und mit seinem Tod verfiel. Conn O'Neill und andere ehrgeizige Stammesfürsten waren mit der königlichen Belehnung durchaus einverstanden, da sie von der Erblichkeit ihrer Lehen territoriale Besitzansprüche ableiteten, die sie unter Verletzung irischer Rechtsvorstellungen gegen ihre Verbündeten und Stammesgenossen durchzusetzen suchten. Auf diese Weise fürchteten die Seitenlinien des irischen Landadels, von eigenen Stammesfürsten entrechtet zu werden, die mit dem König zusammen eine Allianz bildeten. St. Leger hatte gehofft, daß die neue Politik und ihre rechtliche Sanktionierung der Primogenitur das chronische Übel selbstmörderischer Rivalitätskämpfe beenden würden. Stattdessen weitete sich dieses Übel noch aus. Wenige Jahre darauf sah sich der erbberechtigte Nachfolger des Grafentums Clanricard einem Opponenten gegenüber, der auf hergebrachte irische Weise gewählt worden war. Eine ähnliche Auseinandersetzung um die Grafschaft Tyrone stürzte die Provinz Ulster in einen langjährigen Bürgerkrieg.

Die Auswirkungen dieses Aufeinanderpralls gegensätzlicher Rechtsauffassungen auf die Politik Heinrichs VIII. sind ziemlich leicht zu erkennen. Für den Mißerfolg seiner Maßnahmen kommen noch zwei weitere Gründe hinzu, deren negativer Stellenwert schwerer zu ermitteln ist. Gelegentlich wurden die Kirchenreformen, die einen wesentlichen Bestandteil von Heinrichs Irlandpolitik bildeten, als eine maßgebliche Ursache für das Mißlingen der neuen Konzeption angesehen. Aber diese Annahme ist nur insofern berechtigt, als diese Reformen der ausgeprägt protestantischen Herrschaft Eduards VI. den Weg ebneten. Die andere, ebenfalls nur schwer durchschaubare Ursache liegt in der irischen Gesellschaftsstruktur, die Heinrich auf friedlichem Wege dem englischen Modell anpassen wollte. Die irische Gesellschaft wies eine innere Organisation auf, die für den Krieg, nicht für Friedenszeiten geeignet war. Der irische Stammesführer oder der anglo-irische Lord war in erster Linie ein militärischer Anführer, und in jedem irischen Kleinstaat hatte die Führungsschicht ein geradezu angeborenes Interesse am Krieg. Unter diesen Umständen ist es nur schwer verständlich, wie ein dauerhafter Landfrieden (royal peace) ohne die vorhergegangene Eroberung für das gesamte Königreich hätte durchgesetzt werden können. Diese Fehleinschätzung ist vermutlich der Hauptgrund für das Scheitern der Irlandpolitik Heinrichs VIII. In gewisser Weise kann man diesen kausalen Zusammenhang als eine nachträgliche Verurteilung von Heinrichs Politik der friedlichen Mittel deuten, aber man kann ihm kaum mangelnden Weitblick vorwerfen, wenn sich klare Erkenntnisse erst aus dem Rückblick auf die Vergangenheit ergeben.

Die Reformation

Obwohl die Kirchenpolitik Heinrichs VIII. in Irland mit der gleichen Bereitschaft wie in England gutgeheißen wurde, waren ihre sozialen Voraussetzungen in den beiden Ländern sehr unterschiedlich. Die Reformation des 16. Jahrhunderts war für die Iren eine religiöse Bewegung, an deren Zustandekommen und Verlauf sie keinen Anteil hatten. In Irland war nur wenig von jener geistigen Unruhe und Kritik zu verspüren, die sich in anderen Teilen der westlichen Christenheit ausgebreitet hatten. Zudem war die irische Kirche weder mächtig noch reich und rief daher auch nicht so viel Mißgunst und Neid unter den Adligen hervor, wie dies anderswo der Fall war. Schwäche und Armut der Kirche waren in erster Linie Folgen der Zwietracht zwischen der englischen und irischen Geistlichkeit und der fortwährenden Kriege, die eine regelmäßige Sammlung der Kirchenabgaben fast unmöglich machten. In vielen Landesteilen waren die Pfarrkirchen und sogar die Kathedralen verfallen, und Kirchenämter blieben entweder unbesetzt oder befanden sich im Besitz zumeist in England lebender Geistlicher, so daß die Gläubigen auf die geistliche Unterstützung der ›armen Bettelmönche‹ angewiesen waren. Das Ansehen, das die Mönche auf diese Weise erwarben, spielte später eine wichtige Rolle. Nirgendwo machte sich ein allgemeines Interesse an jenen Fragen nach dem Glauben und der Kirchenordnung bemerkbar, die die theologischen Auseinandersetzungen in Deutschland, Frankreich und England bestimmten.

Obgleich Irland für die protestantische Reformation derart unzureichend vorbereitet war, galt es andererseits als sicher, daß die Iren der kirchenpolitischen Devise Heinrichs ›Katholizismus ohne Papst‹ keinen ernsthaften Widerstand entgegensetzen würden. Die irischen Herrscher hatten ohnehin keinen besonderen Grund, das Papsttum zu unterstützen, das sich zumeist auf seiten der Engländer befunden hatte, und von den Anglo-Iren durfte man erwarten, daß sie einer Politik, die in England Zustimmung gefunden hatte, ebenso Folge leisten würden. Diese Erwartungen erfüllten sich tatsächlich. Zu Beginn allerdings leistete die anglo-irische Geistlichkeit unter dem Einfluß von Cromer, dem Erzbischof von Armagh, gewissen Widerstand, und im Parlament von 1536/37 brachten die geistlichen Repräsentanten einige Einwände vor, was den endgültigen Parlamentsausschluß der niederen Geistlichkeit zur Folge hatte. Aber nachdem das Suprematsgesetz einmal verabschiedet worden war, schien sich die Mehrzahl der Bischöfe zu fügen, und die Adligen machten sich wegen der Nichtanerkennung des Papsttums kein Kopfzerbrechen. Dabei ist hinzuzufügen, daß die Anhänger der Geraldine vor und nach dem Suprematsgesetz die Religion auf ihr Kriegsbanner geschrieben hatten, um ihre Anhängerschaft zu vergrößern. Aber dazu waren sie ebenso durch ihre religiöse Überzeugung wie durch die Hoffnung auf ausländische Unterstützung bewogen worden, und nach ihrer Niederlage zögerte keiner der Rebellen, die Kirchenhoheit der Krone – eine Bedingung für ihre eigene Begnadigung – anzuerkennen. Die unbeteiligte Haltung vieler Iren dieser Frage gegenüber erweist sich deutlich in dem Mißerfolg jener Jesuiten, die 1542 als Missionare in Ulster eintrafen und Briefe vom Papst und Ignatius von Loyola mit sich führten. Die nordirischen Stammesfürsten bereiteten ihnen einen so unfreundlichen Empfang, daß sie froh waren, nach Schottland fliehen zu können. Das Verhalten der Bischöfe und Kronvasallen wirkte sich jedoch kaum auf die Vorstellungen der einfachen Gläubigen aus, die durch die Predigten der Mönche gegen den Supremat des Königs eingenommen waren. Heinrich schien fürs erste Erfolg gehabt zu haben, und die Gefahr eines Volksaufstandes zeichnete sich noch nicht ab.

Soweit war der kirchliche Umsturz in Irland mit der Entwicklung in England fast parallel verlaufen. Aber mit dem Versuch, den Supremat für eine Änderung der Kirchenlehre und der Liturgie in Anspruch zu nehmen, brach der Unterschied zwischen den beiden Ländern sofort auf. In Irland fehlte es an Fürsprechern für das Reformprogramm, die den unausweichlichen Widerstand hätten brechen können. Zudem wurden die Änderungen der Kirchenordnung proklamiert, als das Land in eine neue Phase politischer Unruhe eintrat. Auf die Schwächen in dem Regierungssystem Heinrichs VIII. ist bereits hingewiesen worden. In dem Jahrzehnt nach seinem Tod wurden diese durch häufige Umschwünge in der englischen Politik, den Kriegsausbruch mit Frankreich und die Tätigkeit französischer Agenten in Irland noch gravierender. Der Scheinfriede, der durch die Politik der ›Unterwerfung und Belehnung‹ herbeigeführt worden war, ging in einer Reihe von Aufständen verloren, und die Verteidigung des englischen Siedlungsbezirks gehörte wiederum zu einer der wichtigsten Aufgaben des Vizekönigs.

Unter diesen äußerst ungünstigen Umständen begann die Regierung Eduards VI. die kirchliche Neuordnung, die in England bereits durchgesetzt worden war, in Irland einzuführen. Weder wurde ein Parlament einberufen, noch wurde eine Synode oder eine andere Zusammenkunft der Geistlichkeit abgehalten. Stattdessen wurde eine Ausgabe des englischen Gebetbuches aus dem Jahr 1549 in Dublin gedruckt (das erste Buch, das in Irland im Druck erschien), und seine Verwendung wurde mit dem Hinweis auf königliche Prärogative befohlen. Außer in den Städten und Dörfern des englischen Siedlungsbezirks und einigen Gemeinden auf irischen Territorium hatte diese Verordnung kaum eine Wirkung. Im größten Teil des Landes verliefen die Gottesdienste auf herkömmliche Weise. Selbst innerhalb des englischen Siedlungsbezirks fand man sich mit diesen Änderungen keineswegs überall ab. Unter vielen Iren und Anglo-Iren breitete sich Widerspruchsgeist aus, und die wenigen begeisterten Reformer unter den Bischöfen fanden kaum Unterstützung. Viele der Bischöfe und weltlichen Fürsten, die den königlichen Supremat unter Heinrich VIII. anerkannt hatten, waren nun — wie auch in England — dazu bereit, die Autorität des Papstes erneut zu respektieren, um sich auf diese Weise gegen die vermeintlich frevelhafte Veränderung der Kirchenlehre zur Wehr zu setzen. Einer derjenigen, die Widerstand leisteten, war George Dowdall, der von Heinrich ernannte Erzbischof von Armagh, ein entschiedener Verfechter des Supremats in Kirchenfragen. Er ging lieber ins Exil, als das Gebetbuch anzuerkennen, denn ›er wollte niemals mehr dort Bischof sein, wo man die Heilige Messe zerstörte‹. Innerhalb kurzer Zeit hatte er sich mit dem Papsttum ausgesöhnt und nahm auf päpstliches Geheiß sein Kirchenamt wieder auf.

Der politische Richtungswechsel unmittelbar nach dem Tod Eduards VI. wurde in Irland fast ausnahmslos begrüßt. Wie in England verloren die Reformer unter den Bischöfen ihre Ämter. Jedoch strengte man keine Ketzerverfahren gegen sie an, und die Henkersfeuer von Smithfield und Oxford, die während der Anfangsphase der protestantischen Kirchenverfassung Englands aufgeflackert waren, fanden in Irland keine Nachahmung. Zweifellos ergab sich dieser Umstand aus der geringen Zahl von Protestanten. Außerdem hatte die Regierung in Dublin wichtigere Aufgaben vor sich als die Ketzerverfolgung. Weder der Versuch, den Protestantismus in Irland einzuführen, noch die Aufgabe dieses Vorhabens führten zu irgendwelchen grundlegenden Veränderungen der politischen Lage, und außer in Kirchenfragen setzte Königin Mary die Politik Eduards VI. fort. Auch die formale Anerkennung des Papsttums trug zur Aussöhnung der Iren mit der englischen Herrschaft nicht bei, und die Regierung Königin Marys war fast ununterbrochen mit militärischen Maßnahmen gegen aufständische Iren beschäftigt.

Als Elisabeth die Thronfolge antrat, war es für sie unvermeidlich, die protestantische Kirchenpolitik, zu deren Anerkennung sie durch die Machtkonstellation gezwungen worden war, auch in Irland zu verfolgen. Aber sie war ebenso um die ungestörte Fortsetzung der Regierungsführung bemüht, und sie bestätigte den von Mary ernannten Vizekönig Lord Fitzwalter mit dem Titel eines Grafen von Sussex in seinem Amt. Er erhielt den Auftrag, die englische Kirchenpolitik in Irland durchzusetzen.

Wie in England wurde die neue Kirchenordnung auf legislativem Weg eingeführt. Ihre Grundlagen waren in erster Linie das Suprematsgesetz und das Gesetz über die Einheit in der Kirche (act of uniformity). Irland sollte damit dem Vorbild Englands folgen. Das Parlament, das diese Gesetze verabschiedete, trat im Januar 1560 in Dublin zusammen und wurde schon drei Wochen später wieder aufgelöst. Die Kürze der Zeit, in der diese strittigen Vorlagen gegen sehr heftigen Widerstand durch das Parlament verabschiedet wurden, galt als ein Beweis für die Richtigkeit der These, daß diese Gesetze entweder durch eine Täuschung oder überhaupt nicht die erforderliche Mehrheit gefunden hatten, sondern einfach in die Statutensammlung eingetragen worden waren. Wahrscheinlicher aber ist die Annahme, daß die sorgsam ausgewählten Parlamentsvertreter der Regierungspolitik – wenn auch noch so widerstrebend – Folge leisteten. Die Anzahl der in diesem Parlament anwesenden Bischöfe ist ungewiß, aber im allgemeinen sprachen sich die Bischöfe öffentlich nicht gegen die Gesetze aus, und nur zwei Bischöfe weigerten sich, den Suprematseid zu leisten. Trotzdem konnte das Gesetz über die Einheit in der Kirche nicht überall Verbindlichkeit erlangen, und die Anerkennung des königlichen Supremates bedeutete noch lange nicht, daß man sich an das englische Gebetbuch hielt.

Mit den Gesetzen von 1560 war die Reformation in Irland offiziell abgeschlossen. In Wahrheit war das jedoch erst ihr Anfang, denn bislang verfügte die reformierte Kirche nur über eine geringe Zahl von Gläubigen. Selbst in dem englischen Siedlungsbezirk ging Elisabeth nicht das Wagnis ein, die königstreuen Anglo-Iren durch eine strikte Durchführung des Uniformitätsgesetzes vor den Kopf zu stoßen. In den meisten übrigen Landesteilen fehlte es der Regierung ohnehin an Machtmitteln, um dieses Gesetz zur Anwendung zu bringen, selbst wenn sie es gewollt hätte. Weder offene Gewalt noch Überredung halfen hier weiter. Die Bischöfe und die niedere Geistlichkeit legten im allgemeinen keinen überwältigenden missionarischen Eifer an den Tag, und zahlreiche Pläne, die Bibel und das Gebetbuch auf irisch zu veröffentlichen, wurden solange hinausgezögert, bis es zu spät war. Denn da die reformierte Geistlichkeit so wenig Unternehmungsgeist zeigte, traten an ihre Stelle Jesuiten und Missionspriester vom Festland, die in Zusammenarbeit mit den Bettelmönchen die religiösen Bindungen der katholischen Gläubigen so verstärkten, daß der Katholizismus seither ein wesentliches Merkmal der Bevölkerungsmehrheit in Irland darstellt.

Unter Elisabeths Herrschaft begannen sich auch die politischen Folgen der Reformation abzuzeichnen. Das Papsttum, lange Zeit ein Bündnispartner der Engländer in Irland, wurde nun ihr Feind, und religiöse Verbitterung vertiefte den Graben zwischen den sich bekämpfenden Gruppen. Die kirchlichen Veränderungen komplizierten auch die Lage der Anglo-Iren, die sich von nun an als ›Altengländer‹ bezeichneten, um sich damit von den Kolonisten der Tudorzeit abzuheben. Die meisten widersetzten sich der Reformation, und insoweit teilten sie die Entscheidung der Majorität der irischen Bevölkerung. In Munster und Connaught führte diese gemeinsame Haltung zu einem allmählichen Abschluß des ethnischen Verschmelzungsprozesses. Die Altengländer verharrten jedoch in ihrer traditionellen Bindung an die Krone, und ihre Feinde waren nach wie vor die Iren. Ihre Loyalität erlitt während der Regierungszeit Elisabeths kaum Einbußen. Außerhalb des Siedlungsgebietes identifizierte sich jedoch ein langsam erwachendes Nationalbewußtsein mit den Zielen des Papsttums, und als ihre materiellen Vorteile und ihre Religionsfreiheit von den beiden ersten Stuart-Königen bedroht wurden, lehnten sich sogar die Altengländer gegen die Krone auf.

Elisabeth und Irland

Konfessionelle Gegensätze haben während der vergangenen dreieinhalb Jahrhunderte eine so bedeutsame Rolle in der irischen Politik gespielt, daß sich zwangsläufig eine gewisse Überbewertung der unmittelbaren politischen Ergebnisse der Reformationsära einstellte. In Wirklichkeit wurde die Politik der Tudors in ihrem Kern kaum von kirchenpolitischen Neuerungen beeinflußt. Nach wie vor wollte man verhindern, daß Irland zu einem Zentrum für Verschwörungen englischer Rebellen oder ausländischer Feinde wurde. Abgesehen von der Tatsache, daß die Irlandpolitik der Tudors die militärische Eroberung der Insel herbeiführte, beschränkte sie sich in erster Linie auf die Verteidigung der Krone und ihrer Rechte.

Elisabeth trat die Thronfolge zu einem Zeitpunkt an, als die Bedrohung von Irland aus besonders gefährlich erschien. Sussex warnte sie vor der Leichtigkeit, mit der eine fremde Macht, ›unterstützt von einer einheimischen Verschwörergruppe‹, in Irland Fuß fassen könne, und sagte voraus, daß eine solche Entwicklung ›England unvorstellbaren Schaden zufügen werde‹. Aber der Mangel an finanziellen Mitteln und ihre gefährdete Lage in England zwangen Elisabeth zu zurückhaltendem Vorgehen. Es war für sie ein Glück, daß Frankreich so unlösbar in die Vorgänge in Schottland verwickelt war, so daß Irland kaum Beachtung fand, und daß Philipp II. von Spanien noch immer zur Aussöhnung bereit war. Dieses Nachlassen äußeren Drucks ließ Elisabeth Spielraum für eine abwartende Haltung. Der hauptsächliche Unruheherd war Ulster, wo die territoriale Ordnung, die Heinrich VIII. ins Leben gerufen hatte, vollkommen zusammengebrochen war. Conn O'Neill, Graf von Tyrone, war 1559 gestorben, und die Iren wählten unter Nichtbeachtung des englischen Lehns- und Erbfolgerechts seinen jüngeren Sohn Shane zum Nachfolger. Dies war ein klarer Verstoß gegen die Abmachungen mit der Krone, aber die Regierung war nicht in der Lage, militärisch vorzugehen. Verhandlungen mit Shane zogen sich über Jahre hin, und obwohl er England aufsuchte und der Königin huldigte, kehrte er als freier Mann nach Irland zurück und regierte weiterhin in ungestörter Unabhängigkeit. Fürs erste mußte ihn die Regierung in Dublin gewähren lassen.

Shane O'Neill war einer der letzten berühmten gälischen Stammesfürsten. Er war ein mutiger Kämpfer, aber kein überragender Feldherr, ein gewitzter Verhandlungspartner, aber ein Diplomat ohne Weitblick. Sein Regierungsziel folgte eigenem Gutdünken, und seine politischen Pläne gingen über die Festigung der militärischen Vormacht seiner Familie in Ulster nicht hinaus. Das ehrgeizige Verfolgen dieses Ziels führte auch zu seinem Sturz. Seine beiden Hauptgegner waren die O'Donnell, Grafen von Tyrconnell, und die MacDonnell, schottische Siedler von den Inseln im Westen, die sich seit einiger Zeit im Nordosten von Ulster festgesetzt hatten. Die Regierung nutzte dieses Rivalitätsverhältnis und stachelte O'Neill gegen die Schotten und O'Donnell gegen O'Neill auf. Einige Jahre lang blieb Shane unerwartet siegreich, bis er 1567 von den

O'Donnell vollständig geschlagen wurde. Er flüchtete zu den Schotten, die ihn jedoch ermordeten. Seinen Kopf schickten sie dem Vizekönig. Dieser plötzliche Umschwung eröffnete eine Gelegenheit zum Eingreifen, die Elisabeth jedoch nicht nutzte. Nachdem die drohende Gefahr aus Ulster vorüber war, verfolgte sie wiederum eine abwartende Politik. Man gestattete Shanes Vetter und gewähltem Nachfolger Turlough die Erbfolge und bestätigte ihn offiziell als ›Oberhaupt seines Namens und Stammes‹. Er war ein friedvoller Herrscher, der sich mit der Wahrung seines Besitzes zufriedengab. Obgleich das irische Parlament einige Jahre später eine Rechtlosigkeitserklärung gegen Shane erließ und dessen Landbesitz einzog, wurde Turlough — trotz seiner Verwandtschaft mit Shane — nicht in Mitleidenschaft gezogen. Die einzige wichtige Maßnahme der Regierung war die Einsetzung von Hugh O'Neill, Enkel von Conn und Anwärter auf die Grafschaft Tyrone, als Freiherr von Dungannon und Lehnsherr über Teile des ehemaligen Familienbesitzes (Hughs Vater Mathew war trotz seiner illegitimen Abstammung von Heinrich VIII. als Erbe von Conn anerkannt worden und wurde zum Freiherrn von Dungannon ernannt, Anm. d. Verf.). Hugh hatte zwar weit ehrgeizigere Pläne, aber das Unglück der eigenen Familie hatte ihn Vorsicht und grenzenlose Geduld gelehrt. Zwanzig Jahre lang begnügte er sich mit einer abwartenden Haltung, und als er schließlich dem Kriegsglück vertraute, handelte er eher, um seinen Besitz zu verteidigen, als um neue Gebiete zu erobern.

Ulster war durch eine natürliche Barriere aus Bergen und Seen von der Umwelt getrennt, und die Abgelegenheit dieser Provinz erschwerte die Einflußnahme europäischer Mächte. Solange sich die Stammesfürsten des Nordens ruhig verhielten, konnte man sie getrost sich selber überlassen. Aber in der Provinz Munster war mit Schwierigkeiten zu rechnen. Hier bestanden enge Beziehungen zu den Bewohnern des englischen Siedlungsbezirkes, und die mächtigen Lords der Provinz fühlten der Kirchenpolitik gegenüber ein gewisses Unbehagen, so zurückhaltend die Regierung diese Politik auch verfolgte. Darüber hinaus bestanden regelmäßige Handelsbeziehungen zwischen dem Festland und den Häfen im Süden, die den Feinden Englands einen bequemen Zugang boten. Unter diesen Umständen war es ein politisches Gebot, Munster der Regierungskontrolle zu unterwerfen. Dieses Vorhaben hätte auch gegen den wahrscheinlich nur schwachen Widerstand verwirklicht werden können, wenn nicht James FitzMaurice FitzGerald, Vetter des Grafen von Desmond und ein sehr begabter Angehöriger der Geraldine aus Munster, eine ablehnende Haltung eingenommen hätte. Die Bedeutung der Familie war durch den Sturz der Seitenlinie Kildare noch erhöht worden, wenn auch Gerald, das Oberhaupt der Familie, ein charakterschwacher, unzuverlässiger, gewaltsamer und eigennütziger Mann war, der nicht die Willensstärke aufbrachte, irgendeiner politischen Richtung konsequent zu folgen. 1567 wurde er verhaftet und nach England gebracht; James FitzMaurice ließ er als seinen Treuhänder zurück. FitzMaurice war ein überzeugter Gegner des Protestantismus und der englischen Vorherrschaft. Sein Hauptziel war daher eine katholische Allianz der Iren und Anglo-Iren aus Munster.

Ausschließlich religiöse Beweggründe hätten wohl kaum einen Aufstand herbeigeführt. Vielmehr waren die Kronvasallen in Munster zu dieser Zeit um die Sicherheit ihrer Rechtspositionen besorgt, die trotz der Verträge mit Heinrich VIII. gefährdet schienen. FitzMaurice stachelte diese Besorgnisse an, und die Gefangenhaltung des Grafen Desmond in England schien den Argwohn gegen die Regierung zu rechtfertigen. Unter diesen Umständen gewann FitzMaurice zahlreiche Verbündete, und im Sommer 1569 brach der Aufstand los. Mit seiner eigenen Begeisterung rief er eine Art Kreuzzugsstimmung hervor, und in seinen Aufrufen an den Papst und den König von Spanien betonte er die religiösen Anliegen. Zu Beginn des Jahres 1570 wurde die päpstliche Bulle ›Regnans in excelsis‹ (in dieser Bulle erklärte Pius V. Elisabeth für exkommuniziert, und ihre Untertanen wurden von ihrem Treueeid entbunden, Anm. d. Verf.) veröffentlicht, wodurch der religiöse Eifer der Aufständischen möglicherweise noch wuchs. Aber die Bulle trug ihnen keinerlei Nutzen ein, sondern komplizierte ihre politische Lage. Der König von Spanien sandte ihnen Waffen, aber keine Soldaten und nur wenig Geld. Innerhalb kurzer Zeit waren die Engländer auf Grund ihrer militärischen Erfolge in der Lage, Maßnahmen zur Wiederherstellung der Ordnung zu treffen. Der entscheidendste Schritt in dieser Richtung war die Organisation eines neuen Verwaltungssystems für Munster. Ein Präsident mit weitreichenden Regierungsvollmachten, einem eigenen Verwaltungsstab und eigenem Gerichtshof wurde ernannt. Der erste Präsident dieser Art war Sir John Perrot, der unnachgiebig kämpfte und regierte. Er raubte FitzMaurice innerhalb kurzer Zeit fast seinen ganzen Rückhalt und zwang ihn im Januar 1572, sich zu unterwerfen.

Nachdem die unmittelbare Bedrohung abgewendet war, bemühte sich die Regierung – ebenso wie vorher in Ulster – um Aussöhnung. Desmond erhielt seine Grafschaft zurück und durfte nach Irland zurückkehren; FitzMaurice wurde freigelassen. Aber dieses Entgegenkommen war kein Zugeständnis an die alte Ordnung, denn Perrot arbeitete fortgesetzt und erfolgreich an der Einführung des englischen Rechtssystems, und es lag auf der Hand, daß die herkömmliche und nur halbwegs eingeschränkte Unabhängigkeit der Lords in Munster ihrem Ende entgegenging. FitzMaurice gab seine Pläne jedoch nicht auf und erkannte, daß er auf fremde Hilfe angewiesen war. 1575 entkam er auf das Festland und begann dort ›mit päpstlichen Empfehlungen von einem katholischen Herrscher zum anderen zu laufen‹ und ein Heer für die Invasion Irlands aufzustellen. Schließlich landete er 1579 mit insgesamt 300 Italienern und Spaniern, die vom Papst und dem König von Spanien besoldet wurden, in Dingle (im äußersten Südwesten Irlands, Anm. d. Übers.). Mit ihm kam der Engländer Nicholas Sanders als päpstlicher Nuntius nach Irland, dessen Anwesenheit den religiösen Charakter des Unternehmens unterstrich, auf den FitzMaurice von Anfang an so viel Wert gelegt hatte.

Der daraufhin ausbrechende Krieg zeichnete sich nicht durch Schlachten, sondern durch Scharmützel, Überfälle und Belagerungen aus. Weder wollte Elisabeth Truppen einsetzen oder Geld aufwenden, um diesen Kampf schnell zu beenden, noch war der Kriegsschauplatz für größere Unternehmungen geeignet. Trotz ihrer Rückschläge hielten die Rebellen im Vertrauen auf Hilfe aus Spanien aus. Aber als im November 1580 diese Unterstützung endlich eintraf, erwies sie sich als ziemlich nutzlos. Eine Truppe von 600 Spaniern landete in Smerwick, befestigte die Stadt und wartete auf weitere Ereignisse. Die Aufständischen verhielten sich ebenso abwartend, aber der Vizekönig, Lord Grey de Wilton, handelte sofort. Er bot jeden verfügbaren Soldaten auf, marschierte gegen Smerwick, zwang die Spanier zur bedingungslosen Übergabe und ließ sie alle töten. Gerade dieser Sieg aber verzögerte das Ende des Krieges, denn da Elisabeth davon überzeugt war, daß keine weiteren spanischen Truppen in Irland eintreffen würden, kürzte sie den Nachschub und überließ es dem Vizekönig, den Krieg mit reduzierten Truppen zu einem allmählichen Ende zu bringen. Die Kämpfe zogen sich über weitere drei Jahre hin, und in ihrem Verlauf wurde fast die gesamte Provinz Munster verwüstet. Die Grausamkeiten auf beiden Seiten waren ›natürliche‹ Erscheinungsformen der Kriegsführung zwischen einer regulären Armee und Freischärlern, die von der Bevölkerung unterstützt werden und Feldschlachten vermeiden müssen oder wollen. Beide Seiten erhielten nicht genügend Nachschub, aber den Aufständischen fehlte auch ein geeigneter Befehlshaber. FitzMaurice war einen Monat nach seiner Landung während eines Gefechtes mit Soldaten der Burke gefallen. Sein Nachfolger wurde Sir John von Desmond, der Bruder des Grafen, der 1581 getötet wurde. Ebenfalls in diesem Jahr starb Sanders, der päpstliche Nuntius, an Hunger und Ruhr. Ohne militärische Planung und politische Zielsetzung konnte der Graf von Desmond nur wenig unternehmen, um seine Anhänger zusammenzuhalten, wenn das Ansehen seiner sozialen Stellung auch mancherlei aufwog. Sein Tod im November 1583 war jedoch das Signal für seine Verbündeten, sich der Krone zu unterwerfen. Der Aufstand von Munster war vorüber.

Die religiösen Anliegen der Rebellen waren von Wichtigkeit, denn sie kennzeichneten die Anfangsphase einer Annäherung zwischen Iren und Altengländern, die die gemeinsame Religion zur Grundlage hatte und auf gemeinsamen Widerstand gegen die Regierung hinauslief. Eine vollständige Vereinigung der Altengländer mit den Iren wurden niemals erreicht, war doch zu diesem Zeitpunkt das Rivalitätsverhältnis zwischen den Rassen und Dynastien häufig ausschlaggebender als das religiöse Zusammengehörigkeitsgefühl. In Munster verhielten sich die Butler und zahlreiche irische Herrscher der Königin gegenüber loyal. Im englischen Siedlungsbezirk und den anglo-irischen Städten brachte man den Aufständischen eine gewisse Sympathie entgegen, im allgemeinen blieb man der Krone treu. Die bedeutsamsten Folgen des Krieges bestanden in der Verschärfung der politischen Gegensätze zwischen Protestanten und Katholiken, in der neuerlichen Bestätigung der von der Regierung gehegten Überzeugung, daß Katholizismus mit Landesverrat identisch sei, und folglich in der ideellen Vorbereitung für eine systematische, politisch-religiöse Verfolgung.

Obgleich Elisabeth durch die notwendige Vorsorge für den Invasionsfall zu dem Krieg in Munster gezwungen worden war, ließ ihre eigene Politik eine Auseinandersetzung mit der bisherigen Gesellschaftsordnung fast unvermeidlich erscheinen. Unter dem Druck der Feindseligkeiten in England und seiner Kriege mit europäischen Mächten hatte Heinrich VIII. einen Prozeß der Anglisierung Irlands eingeleitet, und seine Nachfolger hatten keine andere Wahl, als seinem Beispiel zu folgen. Aber die Stärkung königlicher Macht und die Ausweitung englischen Rechtes — so sehr die Sicherheit der Krone davon abhing — waren bedrohliche Maßnahmen gegen die Unabhängigkeit der irischen und anglo-irischen Gutsbesitzer, die diesen Einschränkungen Widerstand geradezu entgegenbringen mußten. Unter diesen Voraussetzungen brach Heinrichs System der ›Unterwerfung und Belehnung‹ zusammen, und während der Regierungszeit der Königin Mary stellte man die ersten Versuche mit Ansiedlungen (plantations) an. Die Ansiedlungsgebiete der Königin Mary befanden sich in Leix und Offaly, die in ›Queen's County‹ und ›King's County‹ umbenannt wurden, und obwohl diese ersten Versuche mißlangen, gab man die Idee nicht auf. Ein neuer Anlauf in Ulster, der nach der Einziehung des Landbesitzes von Shane O'Neill unternommen wurde, war aufwendig, aber ebenso erfolglos. Trotzdem entschloß sich die Regierung, die Situation in Munster nach der Niederwerfung der Rebellion für einen noch sorgfältiger ausgearbeiteten Ansiedlungsplan zu nutzen. In England spürte man allmählich die Notwendigkeit einer Verringerung der Bevölkerungszahlen, und die Idee einer organisierten Ansiedlung, bei deren Verwirklichung staatliche Weisungen mit privaten Nützlichkeitserwägungen verschmolzen, schien die Tudors zu verlocken. Die zahlreichen Irlandprojekte dieses und des folgenden Jahrhunderts stehen in Zusammenhang mit einer lange wirksamen überseeischen Expansionsbewegung. Der Plan, den Burghley und Walsingham für Munster entwickelten, ging zum Teil von den Vorschlägen Raleighs für Virginia aus, und Raleigh, sein Halbbruder Sir Humphrey Gilbert und einige andere waren an Ansiedlungsvorhaben in Irland und Amerika beteiligt.

Hauptzweck der Ansiedlungen in Irland war der Austausch loyaler englischer Siedler gegen rebellische Iren oder Anglo-Iren. Rund 160 000 Hektar Land, die nach dem Aufstand in Munster von der Krone eingezogen worden waren, sollten in Herrenlehen von 1600–4800 Hektar Gesamtbesitz aufgeteilt werden. Diese Besitzungen sollten an englische Spekulanten (undertakers) abgetreten werden, die auf ihrem Land englische Familien ansiedeln sollten.

Die Abwicklung des Geschäfts verlief umsachgemäß und schleppend, die notwendige Überwachung war nachlässig, und Jahre vergingen zwischen der Ausfertigung der Besitzurkunden und der Übernahme des zugeteilten Landes. Eine Untersuchungskommission ermittelte 1592, daß von 85 Großgrundbesitzern nur 13 auf ihrem Besitz lebten und nur 245 englische Familien angesiedelt worden waren. Dieser Fehlschlag beruhte zum Teil auf mangelnder Organisationsfähigkeit, zu einem anderen Teil auf der Bereitschaft der Großgrundbesitzer, irische Pächter mit hohen Zinsverpflichtungen aufzunehmen, um möglichst rasch Pachterträge zu erlangen, wobei sie die gegen die Vereinbarung verstießen, ausschließlich Engländer anzusiedeln. Eine noch entscheidendere Ursache war die Verwüstung, die drei oder vier Jahre erbitterter Kämpfe in Munster angerichtet hatten. Hungersnöte, Krankheiten und andere Kriegsfolgen hatten das Land entvölkert. Kaum erbrachte die Ansiedlung einen gewissen Profit, als sie in dem großen Aufstand von 1598 nahezu weggefegt wurde. Als Raleigh vier Jahre später sein Landgut in Munster von rund 17 000 Hektar verkaufte, erzählte man, daß ihn die Unterhaltung des Gutes jährlich 200 Pfund gekostet habe.

Obgleich Elisabeth bereit war, die Eroberungs- und Ansiedlungspolitik von Königin Mary bei Gelegenheit zu wiederholen, neigte sie ebenso zur Fortsetzung der von ihrem Vater angewandten friedlicheren Methoden. Beide Wege nutzte sie, um die königliche Macht in Connaught zu erweitern. 1585 wurde eine Kommission ernannt, die über die Besitzrechte und Besitzungen aller irischen und anglo-irischen Lords sowie aller irischen Stammesfürsten der Provinz Bericht erstatten sollte, und auf der Grundlage dieses Berichtes erfolgte eine neue Festlegung der Besitz- und Rechtsverhältnisse. Jeder Landbesitzer wurde nunmehr mit einem rechtsgültigen Titel in seinem Besitz bestätigt und mußte dafür einen Ablösungsbetrag entrichten. Bestehende Frondienste wurden abgeschafft und durch Pachtzins ersetzt. Alte irische Familiennamen wie ›O'Connor Don‹ und ›O'Connor Sligo‹ wurden verboten. Die

Erbfolge nach dem Prinzip der Primogenitur wurde rechtskräftig. Connaught entging somit den Ansiedlungen, die im übrigen Irland so viele Veränderungen nach sich zogen, und obwohl die Bevölkerung von diesen Veränderungen nicht unmittelbar betroffen war, wurde die gälische Gesellschaft, die so stark auf persönliche Gefolgschaft und mehr auf den Familienverband als auf territoriale Rechtsordnungen angewiesen war, in ihren Wurzeln untergraben. Diese ›Besitzordnung von Connaught‹ hätte eigentlich vom Parlament bestätigt werden sollen, aber ein Parlament wurde nicht einberufen. Daher war es Sir Thomas Wentworth unter Karl I. auch möglich, die Legalität dieser eigentumsrechtlichen Neuordnung in Frage zu stellen.

Unter Zuhilfenahme militärischer Gewalt und diplomatischer Vertragswerke, eher aus Furcht als aus Ehrgeiz dehnte Elisabeth ihr Einflußgebiet in Irland weiter aus als jemals ein englischer Herrscher vor ihr. Das mittelalterliche Verwaltungssystem wurde ergänzt und differenziert, um seinen Zweck unter veränderten Voraussetzungen zu erfüllen. Alte Grafschaften wurden reorganisiert, neue Grafschaften festgelegt. Gegen 1585 war fast die ganze Insel — außer Ulster — in Grafschaften unterteilt, und selbst für Ulster lag eine Verwaltungsorganisation vor. Die Präsidialämter in Munster und Connaught erfüllten ähnliche Funktionen wie der ›Rat des Nordens‹ in England und der ›Rat von Wales‹. Die ›Schloßkammer‹ in Dublin behandelte ähnliche Rechtsfälle wie die ›Sternkammer‹ in England. Aber die Ähnlichkeiten zwischen dem englischen und irischen Regierungssystem waren nicht so stark, wie dieser Vergleich vielleicht nahelegt. Die englische Regierung hatte sich kontinuierlich entwickelt und beruhte auf dem unausgesprochenen Einverständnis der Bevölkerung. In Irland waren die Ansätze zu einer funktionsfähigen Zentralmacht von England aus und gegen innere Widerstände eingeführt worden, mit der Unabhängigkeit der Magnaten war noch immer zu rechnen, und die Regierung war auf die Unterstützung des Militärs angewiesen.

Das unterschiedliche Selbstverständnis des englischen

und des irischen Regierungsapparats spiegelt sich besonders deutlich in der politischen Rolle des Parlaments. Während der Regierungszeit Elisabeths trat es insgesamt nur dreimal zusammen. Die erste Zusammenkunft im Jahr 1560 diente fast ausschließlich der Festsetzung der Kirchenorganisation und dauerte weniger als vier Wochen. Im zweiten Parlament von 1569 wurde Shane O'Neill für rechtlos erklärt. Im Verlauf der Beratungen traten zum zweitenmal zwei ziemlich klar zu trennende Gruppen in Erscheinung: die Regierungs- oder ›Hofpartei‹, die sich größtenteils aus Kronbeamten und den vom Vizekönig benannten Abgeordneten zusammensetzte, welche die unter Regierungseinfluß stehenden Grafschaften, Städte und Wahlgemeinden repräsentierten; zum anderen eine Oppositionsgruppe aus Vertretern des anglo-irischen Landadels. Die Tagungsdauer dieses Parlamentes war ebenfalls kurz, und die Streitigkeiten zwischen den beiden Parteigruppen spitzten sich bei keiner der Debatten zu. Aber die Regierung war über eine so geschlossene Oppositionsgruppe beunruhigt und rief erst 1585 ein Parlament ein, als sie die Verabschiedung von Rechtlosigkeitserklärungen gegen die Rebellenführer aus Munster für wünschenswert erachtete. Die personelle Zusammensetzung des Unterhauses ist in diesem Parlament ein mittelbarer Beweis für die Ausdehnung der königlichen Macht: Abgeordnete aus 27 Grafschaften sowie 36 Städten und Wahlgemeinden waren versammelt, so daß fast das ganze Königreich – zumindest nahezu jeder Landesteil – repräsentiert war. Aber die Rassenschranke blieb bestehen, denn die Abgeordneten waren fast ausnahmslos englischer Geburt oder Abstammung, entweder kürzlich eingewanderte Siedler oder alteingesessene Kolonisten. Wiederum entstanden zwei Parteiformationen, und diesmal gab eindeutig die Religion den Ausschlag für die politische Gruppierung. Die opponierende Seite setzte sich aus ›Rekusanten‹ (d. h. Verweigerern des Suprematseides, Anm. d. Verf.) zusammen und war in der Lage, Gesetzesvorlagen der Regierung gegen die Jesuiten abzulehnen. Aber die meisten anderen Regierungsvorlagen, unter anderem auch die Rechtlosigkeitserklärungen, wurden verabschiedet. Trotz dieser Erfolge berief Elisabeth kein neues Parlament in Irland ein.

Aus dieser kurzen Analyse des irischen Parlaments unter Elisabeth geht dreierlei hervor: Erstens: das Parlament wurde nur dann einberufen, wenn über eine Reihe ganz bestimmter Anträge zu entscheiden war. Das Parlament war kein integraler Teil des Regierungssystems. Zweitens: die Grundeinstellung der Abgeordneten war von der Loyalität gegenüber der Krone geprägt. Die Oppositionsgruppe wandte sich gegen einzelne Regierungsmaßnahmen, aber ihre Mitglieder standen treu zur Krone und waren im allgemeinen dazu bereit, Aufständische anzuzeigen. Drittens: der institutionell verankerte politische Einspruch erwies sich als ein Fortschritt auf dem Weg zu einer friedlichen Beilegung von Kontroversen, obwohl die Regierungsautonomie dadurch eingeschränkt wurde. Wenn alle oppositionellen Kräfte des Landes dazu veranlaßt werden könnten, das Parlament als ihren Rechtsbeistand anzusehen, würden sie Ruhe und Ordnung nicht mehr länger gefährden. Aber die Zukunft zeigte, daß diese Aussichten unerfüllbar bleiben mußten, solange man die militärische Eroberung nicht fortsetzte.

Hugh O'Neill und das Ende des gälischen Widerstandes

Während der zehn Jahre nach Beendigung des Munsterkrieges erfreute sich Irland einer ungewohnt langen Friedenszeit. Macht und Ansehen der Regierung stiegen. Die Gefahr einer spanischen Intervention war — bedingt durch die Niederlage der Armada im Jahre 1588 — fürs erste gebannt. Die Staatskirche gab Anzeichen einer erwachenden geistigen Selbständigkeit, und die Gründung einer Universität (Trinity College) in Dublin 1591 sicherte die Ausbildung einer größeren Zahl gebildeter und eifriger Geistlicher. Niemals war die allmähliche Anglisierung des ganzen Landes so wahrscheinlich erschienen. Im Rückblick erst erkennt man, daß diese Entwicklung eine mögliche Auseinandersetzung mit Ulster, dem letzten bedeutsamen Zentrum der gälischen Tradition, in sich barg, aber die Lage in Ulster schien nicht gefahrdrohend. Der von der Regierung eingesetzte und unterstützte Hugh O'Neill, der seinen Einfluß beständig auf- und ausbaute, verhielt sich loyal. Er hatte persönlich an den Kämpfen gegen die Rebellen in Munster und an dem Parlament von 1585 teilgenommen; dieses Parlament hatte auch seine Ansprüche auf die Grafschaft Tyrone anerkannt. Einige Jahre später übereignete ihm die Königin weiteren Landbesitz. Und dennoch ging die Widerstandsbewegung in Ulster und in fast ganz Irland gerade von Hugh O'Neill aus.

Hugh war klüger und weitsichitger als sein Onkel Shane, aber ihre Ansichten waren nicht grundlegend verschieden. Er fühlte sich als ein O'Neill: Seine Hauptziele waren die Anerkennung seiner Macht als Familien- und Stammesoberhaupt sowie die Absicherung seiner Vorherrschaft in Ulster. Aber er erkannte, was Shane ferngelegen hatte, daß Vorsicht geboten war. Statt seinem Vetter Turlough, dem Nachfolger Shanes, in den Rücken zu fallen, überredete er ihn, seine Vorrechte freiwillig abzutreten, und 1593 wurde er selber ›Der O'Neill‹. Er versuchte auch nicht, die Gegnermächte im Norden gewaltsam zu unterdrücken, sondern schloß stattdessen mit dem Führer der O'Donnell, Hugh Roe, ein festes Bündnis ab. Diese Handlungsweise löste bei der Regierung Besorgnis aus, denn der altirische Titel ›Der O'Neill‹ war genaugenommen illegal, und Hugh Roe O'Donnell war ein erbitterter Feind der Engländer. Dennoch wäre die Annahme falsch, daß die vorangegangenen Loyalitätsbekundungen O'Neills völlig unaufrichtig gewesen wären. Er war durchaus zur Treue bereit, solange sie nicht in Widerspruch zu seinen persönlichen Absichten geriet. Wenn er also von seinen Landsleuten als Stammesoberhaupt respektiert werden wollte, mußte er den herkömmlichen Herrschertitel annehmen. In Ulster hatte ein Graf von Tyrone wenig Bedeutung; ›Der O'Neill‹ zu sein, bedeutete hingegen nahezu unbeschränkt alles. Ebenso mußte er Hugh Roe entweder als Freund oder als Feind behandeln, und seine Entscheidung konnte nicht klüger sein. Er bereitete sich nicht auf einen Angriff, sondern vielmehr auf die Verteidigung seiner vermeintlichen Rechte vor. Die Notwendigkeit für Verteidigungsmaßnahmen erschien ihm auch immer dringender. Obwohl die Regierung von sich aus nicht die vollständige Eroberung Irlands anstrebte, stellte sich heraus, das die Anglisierung nicht an den Grenzen von Ulster haltmachen konnte. Schon 1591 hatte eine rechtliche Neuregelung der Besitzverhältnisse in Monaghan nach ähnlichem Muster wie in Connaught die dortigen Lebensverhältnisse stark verändert. Die Errichtung von Garnisonen an strategisch wichtigen Punkten legte die Vermutung nahe, daß Vorbereitungen für einen Generalangriff auf den Norden getroffen würden.

In Wahrheit handelten beide Seiten aus Furcht. Die Regierung war über die wachsende Macht und Unabhängigkeit von O'Neill beunruhigt und konnte die Möglichkeit einer erneuten Landung der Spanier – diesmal in Ulster – aus ihren Überlegungen nicht ausklammern. O'Neill und O'Donnell sahen, wie die gälische Tradition im übrigen Irland schrittweise unterhöhlt wurde, und stellten sich mit Entsetzen vor, daß das englische Recht und die reformierte Kirche auch in Ulster ihren Einzug halten würden. Die Klage, die ein höfischer Dichter aus dem Süden über den Sturz der O'Byrnes zum Ausdruck brachte, spiegelt die intuitive Abwehr einer aristokratischen Gesellschaft gegen die egalisierenden Auswirkungen des englischen Rechtssystems. ›Mich quält es zu sehen, daß in den Stammesversammlungen Fremde die Männer ächten, die Irlands königliche Oberhäupter sind und deren eigenes Erbland ihnen nun keinen höheren Titel einträgt als den eines verächtlichen Waldbauern.‹ In dieser gespannten Atmosphäre führten bewaffnete Zusammenstöße zum Krieg. 1594 fanden einige planlose Kämpfe statt, an denen O'Donnel und einige andere Stammesführer beteiligt waren. In dem darauffolgenden Frühjahr griff Hugh O'Neill selber ein. Der nun ausbrechende Krieg nahm so etwas wie nationale Ausmaße an, aber ausgelöst wurde er durch O'Neills Befürchtung, daß seine Macht in Ulster gefährdet sei.

Die Regierung beging gleich zu Anfang einen Fehler, indem sie annahm, daß Hugh ebenso mühelos zu unterwerfen wäre wie sein Onkel Shane, und daß sich das Bündnis der Nordstämme bald auflösen würde. Die Regierungsvertreter waren daher zu Unterhandlungen bereit und folgten einer Verzögerungstaktik in der Vermutung, die Zeit würde für sie arbeiten. Aber Hughs Macht vergrößerte sich, statt zu schwinden, und im August 1598 veränderte sich die Situation vollends, als Hugh dem englischen Befehlshaber Sir Henry Bagenal in der ›Schlacht an der gelben Bucht‹ eine vernichtende Niederlage bereitete. Diesen Sieg verspürte man in ganz Irland. In Connaught schlossen sich die Burke den Aufständischen an, in Munster wurde im Verlauf einer allgemeinen Empörung fast die gesamte Ansiedlung zerstört, in Leinster revoltierten überall die Iren, die O'Connor, O'More und O'Byrne sowie alle übrigen Familien – selbst an den Grenzen des englischen Siedlungsbezirkes. Die Schlacht an der gelben Bucht drohte den Aufstand von Ulster in einen nationalen Krieg auszuweiten, in dem sich Iren und Anglo-Iren auf der Grundlage ihrer gemeinsamen Religion und unter Führung des gewählten Oberhauptes eines der berühmtesten Könighäuser von Irland vereinigten.

Aber die Lage war für O'Neill weder so überschaubar noch so günstig, wie es auf den ersten Blick scheint. Einige der irischen Herrscher hielten auch jetzt noch zur Krone. In Munster erwies sich die Grafschaft Ormonde als königstreu, obwohl in dieser Provinz einer der Grafen von Desmond die alten Besitzansprüche und Bündnisse seiner Familie erneuern wollte. Die Städte im englischen Siedlungsbezirk, im Süden und im Westen der Insel wurden weiterhin von der Regierung kontrolliert. Sobald sich O'Neill aus Ulster herauswagte, stellten sie eine Bedrohung seiner Nachrichtenverbindungen dar und hinderten ihn und seine Verbündeten daran, festen Fuß zu fassen. Zudem unterstützten die Lords des englischen Siedlungsbezirks auch weiterhin die Krone, obwohl sie zum größten Teil Rekusanten waren. Aber die Nachteile O'Neills traten nicht sofort zum Vorschein, und vorerst war die Regierung durch das Ausmaß der Gefahr aus ihrer sonst üblichen Beschaulichkeit aufgerüttelt worden. Ein unabhängiges, mit Spanien verbündetes Irland würde die Grundlage der englischen Macht bedrohen, die auf der maritimen Vormacht beruhte. Von diesem Zeitpunkt an wurden in einem noch nie erreichten Umfang Truppen und Hilfsgelder nach Irland geschickt, und die Politik kleinlicher Kostenersparnis und dürftigen Taktierens wurde aufgegeben.

Fast unmittelbar nachdem die Nachrichten vom Sieg O'Neills und seiner Folgen England erreicht hatten, begann man dort, ein neues Heer aufzustellen. Der Oberbefehl wurde dem Grafen von Essex übertragen. Im April 1599 landete dieser mit fast 20 000 Soldaten. Aber obwohl Essex ein ausgezeichneter Soldat war, besaß er nicht die Fähigkeiten für eine Kriegsführung in Irland. Er vergeudete seine Möglichkeiten, denn statt O'Neill sofort anzugreifen, räumte er ihm Verhandlungen ein. Das Versagen von Essex führte unmittelbar zu seinem politischen Sturz. Er wurde von einem Befehlshaber ganz anderer Art abgelöst. Charles Blount, Lord Mountjoy, kam mit einem sorgsam ausgearbeiteten Feldzugsplan in Irland an, der ihm schließlich zum Erfolg über O'Neill verhalf. Er wollte reguläre Schlachten vermeiden, die bestehenden Garnisonen verstärken, neue Garnisonen errichten, Vieh und Ernten vernichten und O'Neills Proviantierungsmöglichkeiten unterbinden, um ihn auf diese Weise seiner Kraftreserven zu berauben. Mit dieser Art der Kriegsführung ist es gut ausgerüsteten und ausreichend versorgten Heeren fast immer gelungen, feindliche Freischärlerverbände zu schlagen — so tapfer diese auch sein mochten — und in diesem Fall war mit einem Sieg zu rechnen, wenn er auch Zeit kostete. Der erste Schlag für O'Neill war der Bau einer Befestigungsanlage in Derry, die von See aus versorgt werden konnte und von der aus seine Rückendekkung ständig bedroht wurde. Von Derry aus wurden im Norden weitere Garnisonen angelegt, die seine Verbindungswege selbst in seinem eigenen Herrschaftsgebiet gefährdeten.

O'Neills Lage war nun ungewiß. Er hatte aus seinem überwältigenden Sieg von 1598 keine dauerhaften Vorteile ziehen können, denn die Aufstände in Munster und Connaught waren allmählich versandet. Er konnte sich nicht unbegrenzt lange in Ulster halten, Verhandlungen waren nicht mehr möglich, und nun war das Eintreffen möglichst zahlreicher Hilfstruppen seine einzige Hoffnung. Aber als er Unterstützung erhielt, erwies sie sich als nutzlos. Im September 1601 traf eine spanische Flotte mit 4000 Mann an Bord in Kinsale (südlich von Cork, Anm. d. Übers.) ein. Die Spanier erhielten kaum Verstärkung aus der irischen Bevölkerung, versuchten auch nicht, in das Binnenland vorzudringen, und wurden schon bald von einem englischen Heer belagert. Drei Jahre zuvor, während des Jubels über den Sieg O'Neills an der gelben Bucht, hätte die Ankunft eines derartigen Kontingents den Ausgang des Krieges möglicherweise verändern können; nun aber weckten die Spanier nur verzweifelte Hoffnungen. O'Neill und O'Donnell marschierten mit allen verfügbaren Truppen nach Süden. Sie errichteten in der Nähe von Kinsale ein Lager und stellten Kontakte zu den Spaniern her. Der Versuch eines gemeinsamen Vorgehens, mit dem man die Engländer überraschen wollte, schlug völlig fehl, und die Iren erlitten eine schwere Niederlage. O'Neill trat den Rückzug nach Norden an, O'Donnell schiffte sich nach Spanien ein, und die Spanier ergaben sich unter Bedingungen, die ihnen das ungehinderte Verlassen der Insel ermöglichten. Der Krieg zog sich noch ein Jahr hin, aber O'Neill, der nach Ulster zurückgeworfen worden war und keine Verbündeten mehr besaß, kämpfte nun für günstige Friedensbedingungen, nicht um den Sieg.

Elisabeth konnte das Ende des Krieges nicht mehr erleben. Sechs Tage nach ihrem Tod ergab sich O'Neill im

März 1603, und James I. legte die Bedingungen fest, unter denen die besiegten Stammesführer fortan leben sollten. Diese Friedensregelung war überaus großzügig. Bei seiner Unterwerfung hatte O'Neill seinen irischen Herrschertitel abgelegt und Bündnissen mit fremden Mächten abgeschworen. James beließ ihm die Grafschaft Tyrone und bestätigte ihn im Besitz der meisten Gebiete, die seinem Großvater Conn 1542 übereignet worden waren. Rory, ein jüngerer Bruder Hugh O'Donnells, wurde zum Grafen von Tyrconnell ernannt. Die anderen Stammesfürsten, die an dem Aufstand teilgenommen hatten, wurden ähnlich ihrem Rang entsprechend behandelt. Klauseln über konfessionelle Fragen waren ausgeklammert worden. Formal unterschied sich diese neuerliche Festlegung territorialer Besitzverhältnisse kaum von den vielen anderen Übereinkommen, die im wechselhaften Verlauf der Auseinandersetzungen zwischen den Tudors und den irischen Königen geplant oder getroffen worden waren. Daher klagten viele der in Mitleidenschaft gezogenen Regierungsanhänger, O'Neill habe durch Rebellion mehr gewonnen als sie durch Loyalität. In Wahrheit aber war O'Neill entmachtet. Man hatte ihm günstige Bedingungen einräumen können, weil er nicht mehr gefährlich war, und die Zurückhaltung, die er während der folgenden Jahre wahrte, beweist deutlich genug, daß er seine Machtlosigkeit kannte. Seinen Besitz verdankte er nur der Gnade des Königs, nicht seiner eigenen Stärke.

Mit der Unterwerfung O'Neills war die Eroberung Irlands abgeschlossen. Das soziale und politische Gefüge des gälischen Irland hatte sich aufgelöst. An die Stelle der überlieferten Herrschaftsgewalt der Stammesführer und der Verbindlichkeit des Brehonenrechts waren die Zentralregierung in Dublin und das Common Law getreten. Die gälische Gesellschaft war aristokratisch ausgerichtet. Daher erlitten die Stammesoberhäupter und ihre Angehörigen bei diesem gesellschaftlichen Wandel die schwersten Verluste; ihr Ende erfüllte die Klagelieder der höfischen Dichter. Für die arbeitende Bevölkerung mag die neue Sozial-

und Rechtsordnung durchaus gewisse Vorteile gebracht haben; dennoch war kaum anzunehmen, daß sie sich mit ihr abfinden würde. Die gälische Sprache überdauerte die Zerstörung der gälischen Gesellschaft auf lange Zeit, in ihr lebte die Vergangenheit fort, und sie vertiefte den Graben zwischen den Iren und ihren neuen Herren. Noch folgenreicher war es, daß sich der konfessionelle Gegensatz inzwischen gänzlich verhärtet hatte, denn obwohl sich die Staatskirche im Anschluß an die militärischen Siege Mountjoys auch im Norden Irlands festsetzen konnte, veränderten sich die religiösen Bindungen der Bevölkerung nicht oder nur geringfügig. Trotz ihrer Erfolge hinterließen die Tudors eine Reihe ungelöster Probleme, an denen sich der Widerstand gegen die englische Macht fortgesetzt entzündete.

Im Verlauf der langwierigen Eroberungskämpfe war das Land von allen Beteiligten förmlich ausgesogen worden, und die zeitgenössischen Berichte vermitteln ein sehr düsteres Bild von den Verhältnissen in Irland gegen Ende der Regierungszeit Elisabeths. Aber die irische Landwirtschaft erholte sich rasch, möglicherweise aufgrund ihrer wenig entwickelten Anbaumethoden, und während der Friedenszeit unter James I. stellte sich eine wachsende Prosperität ein. Die politischen Folgen der Eroberung wirkten auch einschneidend auf die Wirtschaft des Landes. Bis zur Mitte des 16. Jahrhunderts waren die Häfen an der Süd- und Westküste, die mit dem Festland, insbesondere mit Spanien, Handel trieben, begüterte Sammelpunkte kaufmännischer Unternehmungen gewesen. Einige dieser Hafenstädte – Galway an ihrer Spitze – bewahrten ihre fast vollständige Unabhängigkeit gegenüber der Krone, obwohl ihre Bevölkerung englischer oder anglonormannischer Herkunft und Kulturzugehörigkeit war. Angesichts der Ausbreitung königlicher Macht über das ganze Land ging ihre einstige Selbstverwaltung einem schnellen Ende entgegen, und wenn ihr Überseehandel auch nicht gänzlich bedeutungslos wurde, so verlagerte sich doch infolge der engeren politisch-rechtlichen Beziehungen der merkantile Schwerpunkt auf den Handel mit England, wovon Dublin, Drogheda und die anderen geographisch begünstigten Häfen an der Ostküste profitierten. Dieser zunehmende Warenaustausch war eine der Hauptstützen für die gerade aufgenommenen Handelsbeziehungen der Engländer mit Irland, die den Bürgerkrieg im 17. Jahrhundert so entscheidend beeinflussen sollten.

—

IRLAND IM SIEBZEHNTEN JAHRHUNDERT

Die frühen Stuarts

Mit der Thronbesteigung James' I. trat die irische Geschichte in eine neue Entwicklungsphase ein. Das letzte Zentrum gälischer Eigenstaatlichkeit war zerstört worden, und das ganze Land stand der Institutionalisierung königlicher Macht offen. Das ›Königreich Irland‹ war schließlich doch noch Wirklichkeit geworden. Verschiedene Umstände schienen Frieden und Zufriedenheit zu garantieren. Die Zugehörigkeit von England, Schottland und Irland zu einem Herrscherhaus sicherte den politischen Zusammenhalt der britischen Inseln. James bewies, daß er die englische Machtstellung nur zum Zweck der internen Konsolidierung ins Spiel bringen wollte. O'Neill und O'Donnell waren in ihrem Besitzstand bestätigt worden; darüberhinaus widerlegte ein Gnadenerlaß die Befürchtung, daß die rechtliche Verfolgung von ehemaligen Rebellen fortgesetzt werden könnte. Der Friedensschluß mit Spanien im Jahr 1604 förderte die Ausweitung des Überseehandels, und die im steigenden Maß erfolgreiche Innenpolitik schuf eine der notwendigen Voraussetzungen für die Vermehrung des nationalen Reichtums. Chancen für die englische Herrschaft in Irland und die allgemeine Verbesserung der Wirtschaftslage schienen 1603 aussichtsreicher als je zuvor. Aber eine Generation später wurden diese Hoffnungen durch den Aufstand von 1641 zerstört.

Das Versagen der ersten Stuart-Könige in Irland ist gelegentlich der rücksichtslosen Herrschaft oder den Fehlentscheidungen von Lord Wentworth, aber auch den Verwicklungen der englischen Innenpolitik zugeschrieben worden. In Wahrheit sind die Gründe in der Vergangenheit zu suchen, und der Bruch zwischen Karl I. und dem englischen Parlament war eine Folge des irischen Aufstandes, nicht seine Ursache. Genaugenommen hatte sich die Problematik der Regierung Irlands und der anglo-irischen Beziehungen nach Abschluß der Eroberung von der Ebene der militärischen Bewältigung in die politische Sphäre verlagert, und da in Anbetracht der Umstände mit einer politischen Lösung der bestehenden Schwierigkeiten zu Beginn des 17. Jahrhunderts kaum zu rechnen war, schien eine kriegerische Auseinandersetzung unvermeidlich. Der Widerstand, mit dem Karl I. in England zu kämpfen hatte, und die Regierungsführung von Wentworth in Irland hingen ohne Zweifel mit dem Ausbruch und Verlauf des Bürgerkrieges zusammen, betrafen aber nicht seine Grundvoraussetzungen, die zur Hauptsache in internen Interessenkonflikten begründet lagen und zum anderen mit Konfessionsstreitereien und Problemen der Landverteilung in kausalem Zusammenhang standen. In dieser oder jener Erscheinungsform lebten diese Grundprobleme noch jahrhundertelang fort und störten und verhinderten einen geradlinigen Verlauf der politischen Geschichte Irlands.

Zu Beginn des 17. Jahrhunderts gab es noch eine Vielzahl irischer Stammesfürsten, die zwar ihre politische Selbständigkeit eingebüßt hatten, aber als Gutsbesitzer nach englischem Recht weite Teile des Landes besaßen. Die Altengländer spielten eine führende Rolle unter den Aristokraten und Landadligen von Leinster und Munster sowie in den meisten der Städte und Wahlgemeinden. Diese beiden Gruppen bestanden zum größten Teil aus Katholiken und umfaßten die Mehrzahl der Landbesitzer und Kaufleute. Es bestand aber auch eine englische Gruppe, deren Mitglieder noch nicht lange in Irland beheimatet waren und die sich größtenteils aus Regierungsbeamten sowie deren Angehörigen und Bediensteten zusammensetzte. Diese Neuankömmlinge hatten schon beträchtlich viel Land erworben und waren ständig an der Vergrößerung ihres Grundbesitzes interessiert. Sie waren zumeist, wenn nicht ausschließlich, Protestanten und verkörperten das Rückgrat der Staatskirche. Die Regierung war aus naheliegenden Gründen um die besondere Förderung dieser Bevölkerungsschicht bemüht und griff daher die Ansiedlungspolitik des 16. Jahrhunderts wieder auf.

Die umfassendste und bei weitem erfolgreichste Unternehmung dieser Art war die Besiedlung von Ulster. Die Gelegenheit zu dieser Maßnahme ergab sich auf Grund eines Vorfalls, der in der irischen Geschichtsschreibung als ›Flucht der Grafen‹ bekannt ist. Dabei handelte es sich um die Grafen Tyrone und Tyrconnell, die sich mit ihrer Lage nach dem verlorenen Krieg mit Elisabeth niemals abgefunden hatten. Obgleich mit unermeßlichem Landbesitz begütert, konnten sie ihren Machtverlust durch die Aufgabe ihrer irischen Herrschertitel und ihrer Unabhängigkeit nicht verwinden. Mit gewisser Berechtigung hegten sie den Verdacht, daß sie eine große Zahl einflußreicher Regierungsbeamter zu Feinden hatten, die den beiden Grafen das mißgönnten, was ihnen James I. im Rahmen der Friedensabkommen an Besitz belassen hatte. Aber ob sie die Folgen dieser Feindseligkeit fürchteten oder die Unterstützung fremder Mächte für eine mögliche Wiederaufnahme des Kampfes erreichen wollten, läßt sich nicht feststellen. Sicher ist nur, daß sie sich insgeheim ein Schiff verschafften und im September 1607 mit vielen ihrer Verbündeten und Bediensteten Irland verließen. Auf dem Festland bereitete man ihnen einen unfreundlichen Empfang, und außer in Rom erhielten sie nirgendwo Unterstützung. Sie wollten sich jedoch auch nicht auf militärische Abenteuer einlassen. Ihr Verschwinden bot der Regierung willkommene Gelegenheit, den größten Teil von Ulster zu konfiszieren. Die geheimgehaltene Abreise der Grafen wurde als Beweis eines landesverräterischen Tatbestandes angesehen, und das ganze Gebiet, in dem sie geherrscht oder Herrschaftsrechte beansprucht hatten, fiel an die Krone zurück. Dieses Gebiet bestand aus den Grafschaften Armagh, Cavan, Coleraine (das heutige Londonderry), Donegal, Fermanagh und Tyrone. Die meisten irischen Grundherren – aber nicht alle – büßten ihre Ländereien ein, die sie unter den beiden Grafen rechtmäßig besessen hatten. Umfangreiche Besitzungen wurden englischen und schottischen ›Unternehmern‹ übereignet, die sich zur Ansiedlung von Engländern verpflichten mußten. Weiteres Land wurde an sogenannte ›verdienstvolle Männer‹ vergeben, die der Krone in Irland Vorteile erbracht hatten. Ihnen war es gestattet, irische statt englische Pächter anzunehmen. Auf diese Weise vollzog sich eine radikale Veränderung der Besitzverhältnisse, aber die dran geknüpften Erwartungen der Regierung, die einheimische Bevölkerung würde abwandern, wurden enttäuscht. Laut Siedlungsplan waren in jeder Grafschaft bestimmte Gebiete für eine vollständige Aussiedlung der Iren vorgesehen, aber dieser Bestimmung wurde in Wirklichkeit nie Folge geleistet. Die Schwierigkeiten bei der Einwanderung von Engländern und Schotten veranlaßten die neuen Grundherren, sich über die Regierungsvorschriften hinwegzusetzen und mit Iren, die zum Teil selbst ehemalige Grundherren gewesen waren, Pachtverträge abzuschließen. Ein beträchtlicher Anteil am Ansiedlungsgebiet wurde von Londoner Handelskompanien übernommen, wonach Grafschaft und Stadt Londonderry benannt wurden. London gewann auf diese Weise eine direkte Einflußsphäre in Irland, und diese Interessenverflechtung trug dazu bei, das Verhältnis Irlands zu Karl I. zu belasten. Die Ansiedlung machte nur langsame Fortschritte, aber ihre Grundlagen waren unerschütterlicher als die der Siedlung in Munster unter Elisabeth, und die ständige Einwanderung von Kolonisten — besonders aus dem schottischen Tiefland — führte zu einem allmählichen Anwachsen der englisch-protestantischen Bevölkerungsgruppe im Norden Irlands. Gegen 1628 befanden sich jedoch nur rund 2000 englische Familien in den sechs Grafschaften des Siedlungsgebietes.

Die Grafschaften Antrim und Down waren von der allgemeinen Beschlagnahme des Landbesitzes nicht betroffen worden, aber weite Landesteile hatte der König auf Grund anderer Rechtsverfahren in die Kronländer aufgenommen und einer Reihe von englischen und schottischen Siedlern übereignet, bevor die systematische Ansiedlung überhaupt begonnen hatte. Auf diesem Weg setzten sich die Familien der Hill, Montgomery, Hamilton und viele andere im nordöstlichen Ulster fest und führten dabei einen ausgeprägten anglo-schottischen Protestantismus ein, der noch heute für dieses Gebiet kennzeichnend ist. Die MacDonnells, die ebenfalls schottischer Herkunft waren, aber schon viel länger in Irland siedelten, verblieben im Besitz ihrer im nördlichen Antrim liegenden Ländereien. Sie fühlten sich den katholischen und altirischen Traditionen des Landes verpflichtet und waren daher nur widerwillig zu einer Verständigung mit ihren neuen Nachbarn bereit.

Diese Siedlungen sollten auch in Zukunft einen dauerhaften Einfluß auf die politische Entwicklung von Ulster ausüben. Während ihrer Entstehungszeit führten sie fast schlagartig zu störender Unruhe in dieser Provinz, die der Rebellion von 1641 weitgehend zum Ausbruch verhalf. Die irischen Stammesführer, die entweder emigriert waren oder nach der Flucht der Grafen enteignet worden waren, hatten Leibwachen, sogenannte ›Schwertmänner‹, besoldet, für die nun keine Verwendung mehr bestand. Der damalige Vizekönig, Sir Arthur Chichester, erkannte die von ihnen ausgehende Gefahr und ließ einige Hundert dieser Söldner nach Schweden bringen, wo sie in den Heeren Karls IX. dienen sollten. Aber die meisten entgingen der Gefangennahme und flüchteten zusammen mit einigen der enteigneten Landbesitzer, denen es verächtlich vorkam, auf dem eigenen Boden als Pächter zu leben, in Wälder und abgelegene Gebiete. Sie lebten von Plünderungen der Landbevölkerung und hielten die Erinnerung an die Vergangenheit so lange wach, bis der Tag käme, an dem sie von neuem gegen England losschlagen würden. Die Altengländer waren von den Enteignungen in Ulster nicht betroffen. Ihre Hauptklage richtete sich zu Beginn der Herrschaft James' I. gegen die Staatskirche, und dank der allgemeinen Wirkungslosigkeit dieser Institution hofften sie auf eine Verbesserung ihrer Lage. Während der elisabethanischen Eroberungskämpfe hatte man gewisse Anstrengungen unternommen, die Supremats- und Uniformitätsgesetze zur Anwendung zu bringen. So waren für die Ansiedlung in Munster Gemeinden mit protestantischen Pfarrern vorgesehen. Aber in Wirklichkeit zeichnen die zeitgenössischen Berichte ein äußerst düsteres Bild von den Zuständen in der Kirche: Die Kirchengebäude waren verfallen, geistliche Ämter wurden gekauft und verkauft, die Gemeindepfarrer waren abwesend oder im höchsten Grade unfähig, die Bischöfe häuften Pfründen, und die Gläubigen waren entweder zum Heidentum zurückgekehrt und ›ebenso wenig gläubig wie Tartaren oder Kannibalen‹, oder sie vertrauten den vielen katholischen Priestern, die ohne Furcht vor Gefahren und Armut aus den Seminaren des Festlands nach Irland kamen. Selbst im englischen Regierungsbezirk fanden häufig keine Gottesdienste statt, so daß die zum Übertritt in die Staatskirche entschlossenen Gläubigen gar keine Möglichkeiten zum Konfessionswechsel hatten. Solange die Staatskirche so wenig Verantwortungsbewußtsein bewies und ihre Vorteile kaum nutzte, war es nur zu verständlich, daß sich die Katholiken – in dem überzeugenden Bewußtsein, einer konfessionellen Mehrheit anzugehören, und ermutigt durch den Eifer ihrer Priester – nicht mit einer Kirchenorganisation zufriedengeben konnten, die die Vorrechte und Einkünfte der Kirche in den Besitz ihrer Feinde übertrug. Die Thronbesteigung James' I. schien gerade die Gelegenheit zu sein, auf die sie gewartet hatten. Als König von Schottland hatte James I. Verbindungen zu O'Neill und O'Donnell gehabt; man vermutete, daß er zum Glauben seiner Mutter neige, und ganz allgemein gab man sich in Irland der Annahme hin, daß er zumindest ein Toleranzgesetz erlassen werde. Im Vertrauen auf diese Hoffnungen bemächtigten sich die Magistrate der Städte Waterford, Kilkenny, Cork, Limerick und weiterer Orte im Süden Irlands der Kirchen und übergaben sie katholischen Geistlichen. Obgleich Gewaltandrohung seitens des Vizekönigs zur Wiederherstellung der alten Ordnung führte, warf dieser Vorfall ein Schlaglicht auf die Probleme, mit denen James zu rechnen hatte. Tatsächlich wollten James I. und Karl I. diese verwickelten Zusammenhänge keineswegs einseitig lösen. Weder wollten sie die bestehenden Gesetze gewaltsam anwenden, noch eine legale Duldung einführen. Wiederholte, aber trotzdem erfolglose Aufrufe gegen die Katholiken und gelegentliche Gewaltmaßnahmen versetzten die irischen Katholiken in einen Zustand der Unsicherheit und Ablehnung, und die Staatskirche kam trotz einer gewissen Besserung der kirchlichen Disziplin nicht gegen die eifrigen und gutausgebildeten Priester an, die die Regierung weder zu vertreiben noch zu überwachen vermochte.

Nach Ansicht der Regierung bestand die Hauptgefahr darin, daß das religiöse Einverständnis zwischen Iren und Altengländern zu einem politischen Bündnis führen würde. Seit der Zeit Elisabeths galt die Bezeichnung ›Rekusant‹ für alle, die den Eid auf den Supremat des Königs verweigerten — unabhängig von ihrer ethnischen Zugehörigkeit. Hingegen hatten Iren und Altengländer noch immer konträre Vorstellungen über ihre Treuepflicht der Krone gegenüber, und ebenso waren die sozialen Gegensätze zwischen ihnen noch lange nicht ausgeglichen. Die altenglischen Rekusanten übten im Gegensatz zu den Iren bedeutenden konstitutionellen Einfluß aus, wie sich am Beispiel jenes Parlaments zeigt, das James I. 1613 berief, um die Ansiedlungen in Ulster ratifizieren zu lassen und eine Steuererhöhung durchzusetzen. Die Regierung hatte die Tagung von langer Hand vorbereitet und unter anderem 40 neue Wahlbezirke eingerichtet, so daß eine beträchtliche protestantische Majorität vorhanden war, als das Parlament in Dublin zusammentrat. Die Rekusanten, die Reichtum und Besitz der Altengländer repräsentierten, zogen unter Protest aus dem Parlament aus und übten durch dieses Vorgehen einen derartigen moralischen Druck aus, daß die Regierung das Parlament vertagte, um in der Zwischenzeit eine Untersuchung ihrer Beschwerden durchzuführen. Viele Wahlen wurden für ungültig erklärt, und als sich das Parlament im Oktober 1614 wiederum versammelte, hatte sich die Mehrheit der Protestanten auf ganz wenige Stimmen verringert. Auf Grund dieser veränderten Situation sah sich die Regierung genötigt, gesetzliche Vorlagen gegen die in Irland tätigen Jesuiten fallen zu lassen. Aber die anderen Regierungsmaßnahmen – zu denen die Anerkennung des königlichen Titels und Rechtlosigkeitserklärungen gegen Tyrone und Tyrconnell gehörten – wurden vom Parlament gebilligt, womit die Rekusanten ihre weiterhin uneingeschränkte Loyalität in Fragen nichtkonfessioneller Art bewiesen. Dennoch war die Regierung mit dem Gesamtergebnis der Parlamentstagung unzufrieden. Die Rekusanten hatten nicht nur einen moralischen Sieg davongetragen, es war darüberhinaus nur wenig für eine Erhöhung des Steueraufkommens unternommen worden, so daß die Stuarts in Irland wie in England in einer ununterbrochenen Finanzkrise steckten. Um seine beiden politischen Hauptziele – die Garantie für eine ausreichende protestantische Mehrheit in zukünftigen Parlamenten und die Erhöhung der Kroneinkünfte – zu verwirklichen, entschloß sich James, die Ansiedlungspolitik energischer voranzutreiben.

In der nun einsetzenden Entwicklung erlitten Iren und Altengländer gleichermaßen Verluste, und ihre gemeinsame Furcht vor einer Enteignung ließ sie alte Gegensätze vergessen. Somit geriet ihre konfessionelle Benachteiligung, die ohnehin den potentiellen Zwang zu einer gegenseitigen Annäherung in sich barg, in einen unmittelbaren Zusammenhang mit der Frage der Landverteilung, denn die eingewanderten Siedler waren Protestanten, während die ehemaligen Besitzer ihres Siedlungslandes Katholiken waren. Diese doppelte Bedrohung zwang Iren und Altengländer zu einem Bündnis, das den beiden Gruppen allerdings nicht immer behagte.

Der Ansatz zu der neuerlichen Siedlungspolitik ging von einer Wiederaufnahme längst vergessener Rechtsansprüche der Krone aus. 1615 begannen Juristen der Krone mit einer Untersuchung der Besitzrechte in der Grafschaft Wexford, und während der nächsten Jahre folgten ähnliche Überprüfungen in Longford, King's County und Leitrim. Es war eine Kleinigkeit, formalrechtliche Fehler in den Urkunden eines irischen Landgutes zu entdecken, und ebenso leicht war es, Richter zu einem Urteil zugunsten der Krone zu überreden oder zu zwingen. Eine vollständige Enteignung war jedoch nicht beabsichtigt. Waren die Ansprüche der Krone für rechtmäßig erklärt worden, wurde ein Teil des Landes, meist ein Viertel des gesamten Besitzes, für die Ansiedlung abgezweigt; der Rest wurde dem ehemaligen Landeigentümer von neuem übereignet. Dieser Vorgang brachte der Krone ganz sicher finanzielle Gewinne ein, denn erstens mußte die Beurkundung des neuen Rechtstitels bezahlt und zweitens eine Ablösungssumme an die Krone entrichtet werden. Die Ansiedlung hingegen als ein wesentlicher Bestandteil dieses Systems machte nur geringe Fortschritte. Ländereien wurden an Unternehmer übertragen, die zum Teil niemals nach Irland kamen und sich im allgemeinen damit zufriedengaben, die größtmöglichen Profite von den eingesessenen Pächtern einzuziehen.

Dieses Vorgehen erregte während der letzten Regierungsjahre James' I. in ganz Irland Besorgnis. Niemand fühlte sich sicher, und selbst die neuen Grundherren in Ulster waren gefährdet, weil sie ihre Ansiedlungen nicht vorschriftsmäßig durchgeführt hatten. Es gab aber auch weitere Anlässe zu Besorgnis. James hatte feststellen müssen, daß das reguläre Steueraufkommen Irlands — selbst wenn es durch Zuwendungen aus den neuerschlossenen Pachteinkünften aufgestockt wurde — die Regierungskosten nicht deckte. Da James nicht ein zweites Mal das Risiko eingehen wollte, ein Parlament zu berufen, rief er 1622 ein Vormundschaftsgericht ins Leben, um die Einnahmen der Krone zu vergrößern. Nebenher diente dieser Gerichtshof einer indirekten Förderung des Protestantismus, indem man die Erziehung minderjähriger katholischer Mündel protestantischen Hauslehrern anvertraute, was verständlicherweise die Empörung der Rekusanten hervorrief.

Die Lage in Irland, die sich auf Grund der innenpolitischen Unruhe und finanziellen Schwäche der Regierung als bedrohlich erwies, verschärfte sich 1624 durch den

Bruch Englands mit Spanien. Daraus ergab sich eindeutig die Notwendigkeit, Irland vor einem Angriff zu schützen und die Gefahr eines Aufstandes zugunsten Spaniens auszuschalten. Englands Befürchtungen waren so groß, daß das englische Parlament eine hohe Summe für die Verteidigung Irlands bewilligte. Der Krieg mit Spanien war vorüber, als zu Beginn der Herrschaft Karls I. der Krieg mit Frankreich ausbrach. Nun zeigte das englische Parlament nicht mehr die gleiche Bereitschaft, dem König zu helfen, und eine Erhöhung der irischen Steuerabgaben war notwendiger als je zuvor. Aus diesen Gegebenheiten entstand die Idee eines Abkommens zwischen dem König und den irischen Landbesitzern. Der König bot gegen sofortige finanzielle Hilfsmaßnahmen gewisse Konzessionen an. Nach mehrmonatigen Verhandlungen wurden im Mai 1628 die Bedingungen festgelegt: Landbesitzer sollten fortan vor königlichen Besitzansprüchen sicher sein, wenn diese eine Geltungsdauer von 60 Jahren überschritten haben; die Besitzurkunden der Grundherren in Ulster und Connaught sollten eine besondere Rechtsverbindlichkeit erhalten; der Zwang, den Suprematseid zu leisten, sollte in bestimmten Fällen gelockert werden; der König erhielt als Gegenleistung 120 000 Pfund in einem Zeitraum von drei Jahren. Es hatte die Absicht bestanden, ein Parlament zu berufen, um diese königlichen Konzessionen, ›Gnadenerweise‹ genannt, zu sanktionieren. Zudem sollten die ausgehandelten Zahlungen an den König von allen parlamentarischen Subsidiengeldern abgezogen werden. Das Parlament wurde jedoch nicht einberufen, und daher beruhten die ›Gnadenerweise‹ ausschließlich auf dem Willen des Königs.

Lord Falkland, der als Vizekönig an dem Zustandekommen dieses Vertrages beteiligt gewesen war, wurde im nächsten Jahr abberufen. Er war ein unbeliebter und nicht sonderlich erfolgreicher Stellvertreter der Krone gewesen, aber seine beiden Amtsnachfolger fanden noch weit weniger Sympathien. Karl ernannte nicht sofort einen neuen Vizekönig, sondern übertrug die Regierung an zwei Lordrichter, und zwar an Richard Boyle, den Grafen von Cork, und Adam Loftus, den Lordkanzler. Beide waren Repräsentanten jener neuen englischen Interessengruppen, die sich unter Elisabeth in Irland festgesetzt hatten. Sie selbst waren durchaus fähige, wenn auch profitgierige Männer, aber ihre Feindschaft untereinander sowie andere Schwierigkeiten verhinderten eine wirksame Regierungspolitik. In Kirchenfragen fühlten sie sich durch Zweifel an den wahren Absichten des Königs gehemmt. Eine wortgetreue und rigorose Durchführung der neuen Kirchengesetze war nicht zu erwarten, aber die Protestanten in beiden Ländern waren über die öffentliche Tätigkeit der Jesuiten und die Errichtung von Klöstern — sogar in Dublin — erschreckt. Gelegentliche Verfolgungen der katholischen Geistlichen riefen nur die Verärgerung der Rekusanten hervor und blieben ansonsten wirkungslos. Um möglichen Gefahren zu begegnen, hatten die Lordrichter die Truppenstärke des Heeres erhöht, besaßen aber nicht die finanziellen Mittel, die Einheiten zu besolden, so daß die Soldaten in kostenfreien Quartieren auf dem Land lebten. Der Krieg mit Spanien hatte einen Teil des irischen Überseehandels lahmgelegt, der darüber hinaus durch die Piraten schwere Verluste erlitt. Unter ihnen taten sich die Algerier besonders hervor, die es 1630 sogar fertigbrachten, den Hafen von Baltimore zu plündern. Irland schien ausgerechnet dann einem allgemeinen Chaos entgegenzutreiben, als Karl I. gerade auf Hilfe besonders angewiesen war, da er England ohne Parlament zu regieren versuchte. In dieser Lage entschloß sich der König, Sir Thomas Wentworth zum Vizekönig zu ernennen, der ihm schon als Vorsitzender der nordenglischen Ratsversammlung große Dienste erwiesen hatte. Wentworth kam 1633 nach Dublin, und von diesem Zeitpunkt an regierte er Irland unnachgiebig, in mancher Hinsicht rücksichtslos, aber im großen und ganzen erfolgreicher als irgendeiner seiner Vorgänger.

Wentworths Politik wies kaum neue Züge auf, sieht man von seiner Gründlichkeit ab, mit der er sie betrieb.

Um 1636 hatte er große Fortschritte bei der Behebung der gröbsten Mißbräuche und der Disziplinlosigkeit in Kirche und Staat erzielt. Ehemaliger Landbesitz und frühere Einnahmequellen wurden der Kirche wieder zugänglich gemacht, er ließ die Kirchengebäude erneuern, erzwang in gewissem Umfang die Residenzpflicht der Geistlichen und veranlaßte die auf nationale Unabhängigkeit bedachte Konvokation (Ratsversammlung der irischen Geistlichkeit, die meist gleichzeitig mit dem Parlament tagte, Anm. d. Übers.) zur Annahme der 39 Artikel der englischen Staatskirche. Das Parlament hatte ohne weitere Schwierigkeiten getagt, einen Teil der Schulden durch großzügige Geldbewilligungen beseitigt und dazu beigetragen, das Steuerwesen auf einer tragfähigen Grundlage zu reorganisieren. Erstaunlicherweise wurden diese Erfolge für die Regierung ohne eine rechtliche Bestätigung der Gnadenerweise Karls I. herbeigeführt. Die Küste war von den Piraten befreit worden, der Handel nahm einen neuen Aufschwung, und die Einkünfte aus Zollgebühren erhöhten sich ständig. Für Wentworth waren dies aber nur Mittel zu einem höheren Zweck. Seine Herrschaft in Irland muß unter dem Aspekt seiner politischen Grundanschauung beurteilt werden. Ein Ziel stand für ihn im Vordergrund: alle Machtgruppen in England und Irland zu zerstören, die sich gegen die absolute Autorität der Krone auflehnten. Daher war er auch dazu entschlossen, die Finanzreserven Irlands für eine Stärkung der Monarchie in England auszuschöpfen. Aus diesem Grund verwendete er einen Großteil des erweiterten Steueraufkommens für das Heerwesen. Er besoldete die Truppen regelmäßig, hob ihre Disziplin und verbesserte ihre Ausrüstung. 1639 hatte er sich damit einverstanden erklärt, das irische Heer in Schottland einzusetzen, und der Verdacht, er habe dem König geraten, irische Soldaten in England ins Feld zu führen, veranlaßte das englische Unterhaus in späteren Jahren dazu, noch unerbittlicher seinen Tod zu fordern.

Die gleiche Unterordnung Irlands unter höhere Ziele läßt sich auch in Wentworths Wirtschaftspolitik nachweisen. Seiner Ansicht nach mußte sich das Zentrum königlicher Macht immer in England befinden. Aus diesem Grund war es eine politische Notwendigkeit, Irland in Abhängigkeit von England zu halten. Zu diesem Zweck legte er den irischen Wollmanufakturen drückende Bestimmungen auf, nicht nur, weil ansonsten der Reichtum Englands gefährdet wäre, sondern auch, um Irland in ein wirtschaftliches Abhängigkeitsverhältnis zu England und englischen Waren zu zwingen.

›Politische Klugheit gebietet, das Königreich Irland in einer möglichst abhängigen und untergeordneten Stellung gegenüber England zu halten. Und wenn wir die Iren an der Herstellung von Wolle hindern und sie auf diese Weise dazu zwingen, ihre Kleidung aus England zu beziehen ..., wie können sie sich dann von uns trennen, ohne dabei zu nackten Bettlern zu werden?‹ Zur gleichen Zeit förderte Wentworth die Leinenmanufaktur, die Irland einst berühmt gemacht hatte, und keine englischen Handelsinteressen verletzte.

Als Wentworth Irland im April 1640 endgültig verließ, erklärte er, daß ›die Iren so zufrieden und der Person und der Regierung Ihrer Majestät so zugeneigt sind, wie es sich nur wünschen läßt‹. Das mag, oberflächlich betrachtet, durchaus richtig gewesen sein, aber Wentworths Regierung hatte nichts dafür getan, einen dauerhaften innenpolitischen Ausgleich in Irland herbeizuführen. Obgleich die Annahme falsch ist, Wentworth sei der Hauptschuldige für den Ausbruch des Aufstandes von 1641, trug seine Politik doch eindeutig zu jener allgemeinen Spannung bei, die sich kurz nach seiner Abreise ausbreitete. Seine Weigerung, die Konzessionen Karls I. im Parlament bestätigen zu lassen, ermöglichte erneute Überprüfungen territorialer Besitzrechte, wovon rücksichtslos Gebrauch gemacht wurde. Das ›Schloßkammergericht‹, die irische ›Sternkammer‹, pflegte sich über Gerichte hinwegzusetzen, die nicht zugunsten der Krone urteilten. Auf diese Weise wurden Ländereien eingezogen, Strafgebühren erhoben und Pachtzinsen beansprucht. Die Londoner Handelskompanien in

Ulster, die gesamte Provinz Connaught, Siedler aus der Zeit Elisabeths wie der Graf von Cork, alle mußten sie sich fügen, und das daraus entstehende Unbehagen war mehr als ausreichend, den günstigen Eindruck infolge des wirtschaftlichen Aufschwungs zu verwischen. Die Rekusanten erfreuten sich einer weitgehenden Duldung, wenn auch ohne Gewähr einer Sicherheit für die Zukunft, und man durfte von ihnen nicht erwarten, sie würden sich auf die Dauer mit ihrer Lage als einer zweitrangigen Konfessionsgruppe abfinden. Andererseits waren die Protestanten verärgert und beunruhigt, weil alle gesetzlichen Schritte gegen die Rekusanten erfolglos blieben. Wentworths Kirchenreformen, großenteils unter Lauds Einfluß durchgeführt, trugen dazu bei, daß sich die radikalen Geistlichen zurückgesetzt fühlten, da die calvinistische Theologie allmählich aus der englischen Staatskirche verbannt wurde. Die irische Staatskirche war hingegen noch immer stark von der calvinistischen Lehre geprägt. Somit waren fast alle Interessengruppen in Irland bereit – wenn sie sich auch fürs erste fügen mußten – gegen Wentworth Stellung zu beziehen, sobald sich eine Gelegenheit anböte. Die Kaufleute verzeichneten zwar steigende Gewinne, die ländliche Bevölkerung war von der drückenden Last gewalttätiger Soldaten befreit worden und wurde gegen Übergriffe von Straßenräubern und Piraten einigermaßen geschützt, die Gerichte hielten sich derart streng an die Gesetze, wie es zuvor kaum jemals üblich gewesen war; dies galt jedoch nur für die Fälle, die die Interessen der Krone nicht berührten. Aber dieser Fortschritt besaß in einem Land, das von Gutsbesitzern beherrscht wurde und durch konfessionelle Gegensätze gespalten war, keinen allzu hohen Stellenwert.

Die Lage in Irland wurde sehr stark durch die Ereignisse in England beeinflußt. Das galt vor allem für den Nordosten, wo direkte Verbindungen zu Schottland bestanden. Im nordöstlichen Ulster hatte Wentworths eifriges Eintreten für Lauds Kirchenpolitik zu weiterer Zwietracht Anlaß gegeben. Die schottischen Siedler waren als Presbyterianer nach Irland gekommen, hatten es aber seither fertiggebracht, im Verband der Staatskirche zu verbleiben. Einige der nordirischen Bischöfe waren Schotten und hatten schottischen Geistlichen Kirchenämter anvertraut, ohne sie zuvor allzu eindringlich nach ihren Ansichten zur Kirchenlehre befragt und ohne auf dem Supremats- und Uniformitätsgesetz bestanden zu haben. Für Laud und Wentworth waren dies skandalöse Zustände. John Bramhall, der als Wentworths Kaplan nach Irland gekommen war, wurde zum Bischof von Derry ernannt und beauftragt, die Disziplin innerhalb der Kirche strengeren Maßstäben zu unterwerfen. Seinem Beispiel folgten weitere Bischöfe. Viele Geistliche, die sich weigerten, den Suprematseid zu leisten, kehrten nach Schottland zurück und spielten bei den Unruhen vor dem nationalen Bund (covenant) von 1638 eine führende Rolle. Doch obwohl eine gewisse äußerliche Geschlossenheit der Kirche in Ulster erreicht wurde, zeigte sich 1639, wie brüchig sie in ihrem Inneren war. Als in diesem Jahr der Ausbruch eines Krieges zwischen England und Schottland drohte, versuchte sich Wentworth der Loyalität der Einwohner von Ulster dadurch zu vergewissern, daß er den schottischen Siedlern einen Eid auf bedingungslosen Gehorsam gegenüber königlichen Weisungen aufzwang. Der ›Schwarze Eid‹, wie seine volkstümliche Bezeichnung lautete, wurde von Hunderten von Schotten aus allen sozialen Schichten verweigert. Einige wurden ins Gefängnis geworfen, aber viele versteckten sich in den Wäldern oder flohen zurück nach Schottland. Auf diese Weise schuf sich Wentworth nicht nur neue Feinde, er schwächte und spaltete zudem die britische und protestantische Bevölkerungsgruppe in Ulster kurz vor einem bedrohlichen Angriff.

Ausbruch und Verlauf des Aufstandes in Ulster von 1641 waren maßgeblich geprägt von den gleichzeitig stattfindenden Ereignissen in England. Die Beweggründe der Aufständischen wurzelten jedoch in den noch immer ungelösten Problemen, die aus den elisabethanischen Eroberungskriegen und den Ansiedlungen des frühen 17. Jahrhunderts resultierten. Einige der alteingesessenen irischen Grundherren besaßen noch ihr Land oder Teil dieses Landes, viele enteignete Iren lebten als Pächter auf ihren ehemaligen Besitzungen, andere hingegen wurden Straßenräuber und scharten eine verhältnismäßig große Zahl früherer Söldner um sich. Auf diese Weise wurde die Erinnerung an vergangenes Unrecht wachgehalten, und es entstand eine Kerntruppe, die sich auf einen erneuten Ausbruch der Kämpfe mit den Engländern vorbereitete. In der Zwischenzeit blieben die vielen irischen Emigranten, die in die Heere europäischer Mächte eingetreten waren, in Verbindung mit Irland und weckten in den Iren Hoffnungen auf fremde Hilfe. Der erfolgreiche Widerstand der schottischen Rebellen gegen Karl I. in den Jahren 1639 und 1640 hatte überdies die unzufriedene Bevölkerung von Ulster ermutigt, und als die Einberufung des ›Langen Parlamentes‹ zum Sturz von Wentworth führte, der zuvor zum Grafen von Strafford ernannt worden war, und die irische Regierung infolgedessen in eine schwächere Position geriet, hielt man die Zeit zum Handeln für gekommen. Zu Beginn des Jahres 1641 wurden Vorbereitungen für einen Aufstand in ganz Irland getroffen, der mit der Einnahme der Burg von Dublin losbrechen sollte. Das vereinbarte Datum war der 23. Oktober, aber im letzten Augenblick wurde der Plan verraten, die Dubliner Burg konnte gehalten werden, und obwohl der Aufstand wie verabredet ausbrach, beschränkte er sich zuerst auf den Norden. In ganz Ulster rebellierten die alteingesessenen Bewohner gegen die Kolonisten, töteten Tausende von ihnen und besetzten einige der wichtigsten Städte und militärischen

Stützpunkte. Die Anhänger der Krone hielten jedoch Londonderry, Enniskillen, Carrickfergus und einige andere Orte. Daneben kontrollierten sie einige wichtige, aber verstreut liegende Gebiete im Osten und Nordwesten. Ansonsten aber beherrschten die irischen Verbände unter dem Oberbefehl von Sir Phelim O'Neill die Provinz.

Der Erfolg des Aufstands hing im höchsten Maß vom Verhalten der Altengländer und der katholischen Aristokraten und Landadligen des englischen Siedlungsbezirks ab. Einige von ihnen hatten ohne Zweifel von der Verschwörung gewußt, aber im allgemeinen waren sie an den Vorbereitungen nicht aktiv beteiligt. Ihre Lage war weniger drückend als die der Einwohner von Ulster, und infolge ihrer traditionellen Bindungen neigten sie dazu, die Krone zu unterstützen und den Iren zu mißtrauen, mit denen sie sich allerdings durch die gemeinsame Religion verbunden fühlten. Andererseits waren die Altengländer schon seit langer Zeit toleriert worden, und wenn ihnen diese konfessionelle Duldung weiterhin als sicher erschienen wäre, hätten sie sich wahrscheinlich loyal, auf jeden Fall aber neutral verhalten. Das Lange Parlament erwies sich jedoch als Hochburg eines radikalen Protestantismus, der sich sowohl in der irischen wie in der englischen Politik auswirkte; so sympathisierten die Lordrichter, die die Regierung von Strafford übernommen hatten, eindeutig mit den Puritanern. Die stark übertriebenen Berichte über Massaker in Ulster erregten Zorn in London, kopflosen Schrecken in Dublin, und in beiden Städten wurden die allerstrengsten Maßnahmen gegen alle Rekusanten verlangt — ungeachtet ihrer ethnischen Zugehörigkeit. Unter diesen Umständen war nichts naheliegender, als daß sich die Altengländer den Rebellen anschlossen; die meisten wechselten schon vor Jahresende die Front. Die vereinigten Streitkräfte der Iren und Altengländer belagerten Drogheda, ein Generalangriff auf den Regierungsbezirk begann, und der Aufstand breitete sich auch nach Munster aus.

Die Berichte über den irischen Aufstand lösten in England Bestürzung und Furcht aus, woraufhin sich eigentlich eine augenblickliche Bereitschaft zur Unterdrückung des Aufstandes hätte einstellen müssen. Aber der König war bei der Gewährung von Hilfsgeldern auf die Zustimmung des Parlaments angewiesen, und das Parlament mißtraute ihm, weil es den Verdacht hegte, Karl I. habe auf irgendeine Weise mit den Führern der Aufständischen eine Übereinkunft getroffen. Die einsatzbereiten irischen Truppen wurden dem Oberbefehl des Grafen Ormonde, des Familienoberhaupts der Butler, unterstellt. Er war ein ergebener Anhänger der Krone, und zwischen ihm und den Lordrichtern, die das englische Parlament und die Puritaner unterstützten, bestand wenig Zuneigung. In der ersten Panik war es den Lordrichtern jedoch nur darauf angekommen, Hilfe zu finden, und Ormonde genoß als Soldat hohes Ansehen. Seinen Maßnahmen war die Sicherheit Dublins zu verdanken, und er wollte sofort zum Angriff übergehen, bevor die Rebellen sich vereinigen und Waffen sammeln konnten. Aus Furcht, die Verteidigung Dublins sei dann nicht mehr gewährleistet, und aus Argwohn gegen Ormondes Vollmachten verweigerten ihm die Lordrichter ihre Zustimmung. Gegen Ende des Jahres traf endlich Verstärkung aus England ein, und im Frühjahr erhielt Ormonde Marscherlaubnis nach Drogheda, das er im März befreite. Im April traf Generalmajor Robert Monro mit 2500 schottischen Soldaten in Ulster ein, wodurch sich die Lage der Protestanten erheblich verbesserte. Monro war durch die Schule des Dreißigjährigen Krieges gegangen, seine Soldaten waren auf Grund der Gerüchte über die grausamen Iren im höchsten Maß gereizt, und daher griff Monro im Verlauf seines ersten Feldzuges in der Grafschaft Down so hart durch, daß sich sogar ein derart alter und nicht gerade weichlicher Soldat wie Sir James Turner darüber empörte. Aber Monro errang militärische Erfolge und erzwang die Beilegung der Kämpfe in einem ziemlich großen Teil von Ulster.

Die Lage in Irland komplizierte sich durch den Ausbruch des englischen Bürgerkrieges im August 1642. Im Verlauf der folgenden sieben Jahre – bis zur Ankunft

Cromwells im Jahre 1649 – stellte Irland die Bühne für die militärischen und diplomatischen Zusammenstöße in dem ›Krieg der drei Königreiche‹ dar. Die einzelnen Gruppen waren dabei nicht eindeutig voneinander zu trennen. Auf Anweisung der katholischen Bischöfe gründeten die Aufständischen eine Regierung mit Sitz in Kilkenny und beriefen eine ›Generalversammlung für das Königreich Irland‹, eine Art Parlament, in dem sich die Interessenvertreter der Iren und Altengländer zusammenfanden. Sie ernannten einen Obersten Rat für die Weiterführung des Krieges und erließen Bestimmungen für die Ortsverwaltung und Rechtsprechung. Aber obgleich dieser ›Bund von Kilkenny‹ gegen die Regierung in Irland Krieg führte, bekannten sich seine Mitglieder zur Treue gegenüber der Krone und beriefen sich auf die Magna Charta. Die Iren und Altengländer hatten sich in erster Linie auf Grund ihrer Konfessionsgleichheit in diesem Bund zusammengeschlossen, und in ihrem religiösen Zusammengehörigkeitsgefühl wurden sie bestärkt durch die einleuchtende Überzeugung, daß sie gleichermaßen als Verlierer dastehen würden, wenn die Puritaner diesen Kampf für sich entscheiden könnten. Während es den Altengländern kaum erträglich war, als Rebellen zu gelten, und sie bereit waren, in den königlichen Gefolgschaftsverband zurückzukehren, ohne dabei auf religiösen Konzessionen zu bestehen, deren Gewährung der König möglicherweise für gefährlich hielt, fügten sich die Iren trotz der Anerkennung ihrer Pflichten gegenüber der Krone weit mehr den Anweisungen der Geistlichkeit und wichen nicht von ihrer ursprünglichen Forderung nach der uneingeschränkten Anerkennung der katholischen Kirche in Irland ab. Unter den Protestanten herrschte die gleiche Meinungsverschiedenheit. Bis zu einem gewissen Grad hielten alle Gruppen aus Furcht vor den Rebellen zusammen, was an ihren unterschiedlichen Vorstellungen grundsätzlich jedoch nichts änderte. Einige meinten, die englischen Rebellen würden der Krone genauso gefährlich werden wie die aufständischen Iren, andere mißtrauten dem König und verließen sich auf das Parlament, und wiederum andere kümmerten sich weder um den König noch um das Parlament, wenn das Ergebnis der Auseinandersetzung nur günstig für sie war.

Das Verhalten jeder dieser Gruppen hing ursächlich mit den Problemen der Landverteilung zusammen. Die meisten Iren besaßen bei Kriegsbeginn wenig oder kein Land. Sie kämpften um die Rückgewinnung jener Besitzungen, die sie oder ihre Vorfahren eingebüßt hatten, und da sie wenig zu verlieren hatten, waren sie entschlossen, bis zum bitteren Ende durchzuhalten. Die Altengländer hingegen waren fast ausnahmslos Gutsbesitzer; im Falle eines Sieges würden sie ihr Eigentum vergrößern können, aber eine Niederlage hätte unweigerlich ihren Ruin und den ihrer Familie zur Folge, und daher waren sie zu jeder einigermaßen günstigen Regelung bereit, die ihren Besitzstand nicht antastete. Die Mehrheit auf protestantischer Seite stellten die Neusiedler, vor allem Kronbeamte und reiche Offiziere, obgleich sich darunter einige Iren wie Lord Inchiquin und einige Altengländer wie Ormonde befanden. Viele Protestanten sehnten die Niederlage der Rebellen herbei, weil sie dadurch Gelegenheit erhielten, sich an den enteigneten Ländereien ehemaliger Rebellen zu bereichern. Sie wandten sich gegen eine Kompromißlösung, und ihnen war es gleichgültig, ob nun der König oder das Parlament den Aufstand niederwarf. Dir irische Landfrage beeinflußte zudem die englische Politik, denn das Parlament hatte in Erwartung der Konfiskationen irischen Landes hohe Kredite aufgenommen, und die Spekulanten, die dieses Geld vorgestreckt hatten, ließen keine Möglichkeit ungenutzt, um diejenigen politischen Maßnahmen in die Wege zu leiten, die ihnen am ehesten Profit versprachen.

Diese Verflechtung religiöser, politischer und wirtschaftlicher Interessen, konnte nur durch einen klaren militärischen Sieg auf einer der beiden Seiten entwirrt werden. Der Krieg jedoch zog sich lange Zeit hin, ohne zu klaren Entscheidungen zu führen. Obgleich die verbündeten Iren und Altengländer in der Übermacht waren und den größten Teil der Insel beherrschten, waren sie dadurch benachteiligt, daß sie ohne gemeinsamen Oberbefehlshaber kämpften. Owen Roe O'Neill, der Neffe des Grafen von Tyrone, befehligte die Truppen im Norden, und Thomas Preston, der einer adligen Familie aus dem englischen Regierungsbezirk angehörte, war Befehlshaber in Leinster. Beide hatten in den Spanischen Niederlanden gekämpft und waren dort zu Gegnern geworden, so daß von ihnen keine Zusammenarbeit zu erwarten war. Die Protestanten kämpften ebenfalls in getrennten Verbänden: die Schotten im Norden unter Monro, die Anhänger des Königs aus dem Regierungsbezirk unter Ormonde, und Inchiquin führte das Kommando in Munster. Diese einzelnen Gruppen unterstützten einander kaum, erlitten aber in den planlosen Kämpfen von 1642 und 1643 weniger Verluste als Iren und Altengländer. In dieser Zeit erhielten die protestantischen Streitkräfte weitere Unterstützung aus England und Schottland, dort jedoch verfolgte man in erster Linie den Kampf zwischen König und Parlament. Das Hauptziel Karls I. war ein Vertragsschluß mit den Aufständischen, der es ihm ermöglichte, Truppen aus Irland abzuziehen und diese in England einzusetzen. Ormonde gelang es nach großen Mühen, einen Waffenstillstand zu schließen. Dieser berechtigte zu keinen großen Hoffnungen, weil der König es nicht wagte, den verbündeten Iren und Altengländern mit zufriedenstellenden Friedensbedingungen entgegenzukommen. Außerdem konnte Ormonde nur für die drei Heeresverbände Absprachen treffen, die seinem direkten Oberbefehl unterstanden. Die schottische Armee im Norden setzte sich über den Waffenstillstand hinweg und unterzeichnete das ›Feierliche Bündnisversprechen‹ (Solemn League and Covenant) der schottischen Protestanten. Die irischen Protestanten aus Munster widersetzten sich Ormonde und kämpften für das englische Parlament, das den Waffenstillstand verurteilt hatte, bevor die Vertragsartikel überhaupt bekannt waren.

Die Schwierigkeiten, mit denen Ormonde zu kämpfen

hatte, wuchsen infolge der unentschiedenen Haltung des Königs. Da sich nämlich der Kampf Karls I. in England als zunehmend aussichtslos erwies, war der König eher zu Konzessionen an die irischen Rekusanten bereit. Er nahm über den Grafen von Glamorgan, einen englischen Katholiken, Geheimverhandlungen auf, und Glamorgan schloß ein Abkommen, von dem sich Karl sofort distanzieren mußte, als der Vertragstext veröffentlicht wurde. Ermutigt durch die Ankunft des päpstlichen Nuntius Rinuccini, bestanden die Iren und die katholischen Geistlichen darauf, Ormondes Friedensplan abzulehnen und stattdessen das weit günstigere Angebot Glamorgans bestätigen zu lassen. Eine Zeitlang besaßen die Altengländer jedoch eine Vormachtstellung im Obersten Rat, und im März 1646 schloß der Rat ohne Rinuccinis Wissen einen Geheimvertrag mit Ormonde. Kaum drei Monate später, noch vor Inkrafttreten des Vertrags, fand die erste große Schlacht dieses Krieges statt, deren Ausgang das politische Kräfteverhältnis unter den Verbündeten zeitweilig veränderte und Rinuccini an die Macht brachte. Am 5. Juni hatte Owen Roe O'Neill mit seinen Truppen aus Ulster Monro eine verlustreiche Niederlage bei Benburb beigebracht. Monros Heer wurde nicht vollständig vernichtet, verlor aber seine gesamte Artillerie sowie den größten Teil seiner Waffen und war somit militärisch vorerst ausgeschaltet. Trotzdem ergaben sich daraus nur geringfügige strategische Verschiebungen, weil O'Neill seinen Sieg nicht ausnutzte; wesentlicher waren die politischen Auswirkungen dieses Erfolges. Unter den Verbündeten errang O'Neill weitaus stärkeren Einfluß, und mit seiner Hilfe gelang es Rinuccini, sich an die Spitze des Obersten Rates zu setzen, eine absolute Kontrolle auszuüben und die Ablehnung des von Ormonde ausgearbeiteten Friedensplans zu erwirken. Die gegensätzlichen Ansichten der Verbündeten jedoch ließen sich so leicht nicht ausräumen, und obwohl sich Preston bei einem Angriff auf Dublin mit O'Neill zusammenschloß, scheiterte dieses Vorhaben an ihrem Mißtrauen gegeneinander.

Obgleich Dublin noch einmal gerettet worden war, befand sich Ormonde in äußerster Bedrängnis. Ohne Hilfe konnte er die Verteidigung nicht mehr lange aufrechterhalten. Aber vom König, der sein letztes Heer verloren hatte und zu diesem Zeitpunkt fast ein Gefangener war, war keine Hilfe zu erwarten. Nur vom englischen Parlament hätte man Unterstützung empfangen können — allerdings unter der Voraussetzung, daß man die Oberhoheit des Parlaments anerkannte. Ormonde befand sich folglich in der Zwangslage, sich entweder irischen oder englischen Rebellen ergeben zu müssen. Er entschloß sich zu dem zweiten Weg, in der Hoffnung, daß sich König und Parlament doch noch einigen und Irland für den Protestantismus und die englischen Interessen retten würden. Am 18. Juni 1647 übergab er Dublin und die anderen Garnisonen, die er hatte verteidigen können, an einen Befehlshaber des Parlaments, und einen Monat später reiste er nach England.

In den verwickelten Verhandlungen, die während der nächsten zwei Jahre die englische und schottische Politik so undurchschaubar erscheinen ließen, wurde natürlich auch auf Irland Bezug genommen. Als die Anhänger des Königs von neuem an Einfluß gewannen, entschieden sich sowohl Inchinquin als auch die Schotten in Ulster für die Krone. Ormonde kehrte nach Irland zurück und setzte seine Zusammenkünfte mit den Verbündeten fort, um eine neue royalistische Allianz in die Wege zu leiten. Owen Roe O'Neill, der nach wie vor ein sehr großes Heer in Nordirland befehligte, hielt sich zuerst von allen Verhandlungen fern, versuchte sich darauf mit den Heerführern des Parlaments zu arrangieren und versprach erst dann, auf Ormondes Seite zu kämpfen, als es für Verhandlungen zu spät war, denn über die Zukunft sollten nur noch die Waffen entscheiden. Im August 1649 landete Cromwell mit einem Heer von 12 000 Mann in Dublin. Er betrat Irland als vom Parlament ernannter Lord-Leutnant für Irland.

Insgesamt hielt sich Cromwell nur neun Monate lang

in Irland auf, und als er im Mai 1650 die Insel verließ, war die Rückeroberung des Landes noch lange nicht abgeschlossen. Aber die Erinnerung an die Grausamkeit seiner Feldzüge und an die Rücksichtslosigkeit, mit der er die Besiedlung Irlands nach dem Krieg durchführen ließ, hat alle Jahrhunderte überdauert. Er war nicht nur als Befehlshaber der Parlamentstruppen nach Irland gekommen, um die königstreuen Feinde zu vernichten, sondern auch als Rächer für vergossenes Blut, als Vollstrecker (wie er glaubte) göttlicher Gerechtigkeit gegen diejenigen, die 1641 für das Gemetzel in Ulster verantwortlich waren. Nur aus dieser Überzeugung heraus lassen sich die Einnahme und Zerstörung von Drogheda und Wexford, vor allem aber die Zufriedenheit Cromwells erklären, die in seinen Lageberichten zum Ausdruck kommt. ›Ich bin davon überzeugt‹, schreibt er aus Drogheda, nach einer Schilderung der Hinrichtung von 200 Menschen, ›daß dies ein gerechter Urteilsspruch Gottes für jene barbarischen Lumpen ist, die ihre Hände mit dem Blut so vieler Unschuldiger befleckt haben‹. In diesem Geist setzten Ireton und Ludlow die Eroberung Irlands fort, die mit der Kapitulation von Galway im Mai 1652 praktisch abgeschlossen wurde. Zu diesem Zeitpunkt gab es keine Widerstandsgruppe mehr in Irland, die sich den Truppen des Parlaments hätte widersetzen können. Owen Roe O'Neill war tot, Rinuccini nach Italien zurückgekehrt, der Bund von Kilkenny aufgelöst, und Ormonde war mit Karl II. ins Exil gegangen. Einzelne Garnisonen und militärische Befehlshaber schlossen für sich und ihre Truppen so günstige Verträge wie nur möglich, aber insgesamt war Irland bedingungslos der Gnade der Sieger ausgeliefert.

Die Besiedlung Irlands, die der Eroberung folgte, diente politischen wie wirtschaftlichen Zielen. 1652 überwog der wirtschaftliche Aspekt, denn die Ansprüche auf die noch ausstehenden Landenteignungen erhöhten sich ständig. Zuerst brachten die Spekulanten ihre Forderungen vor. Sie hatten seit 1642 auf legale Weise Kredite vorgestreckt, deren Höhe durch weitere Parlamentsverordnungen um ein Vielfaches gesteigert worden war. Auch Nachzahlungen an die Soldaten und die Schulden bei den Heereslieferanten mußten aus dem Fundus der eingezogenen Ländereien beglichen werden. Um 1653 beliefen sich diese Zahlungsverpflichtungen auf insgesamt dreieinhalb Millionen Pfund. Die Regierung hoffte dennoch auf einen finanziellen Überschuß, der für allgemeine Staatszwecke Verwendung finden sollte.

Der politische Beweggrund für die Besiedlung erhellt sich an der Art und Weise ihrer Durchführung. Auf Grund des vom Langen Parlament 1652 verabschiedeten ›Gesetzes für die Besiedelung von Irland‹ mußte jeder irische Landbesitzer, der zu irgendeinem Zeitpunkt während des Krieges in Irland gelebt hatte und nicht seine ›beständige und ergebene Achtung vor den Interessen des englischen Staates‹ nachweisen konnte, einen Teil seines Landes abgeben. Infolge dieser radikalen Maßnahme wurde fast jeder irische Gutsherr, sei er Protestant oder Katholik, Ire oder Altengländer, Royalist oder Anhänger des Bundes von Kilkenny, zum Rechtsbrecher erklärt. Um den Weg für eine durchgreifende Besiedlung freizumachen, wurde allen straffälligen Landbesitzern befohlen, nach Connaught oder Clare überzusiedeln. Hier sollten sie mit so viel Land abgefunden werden, wie ihnen zustand. Ihre Plätze nahm eine große Zahl von Neusiedlern ein, darunter viele Offiziere aus den Heeren der englischen Republikaner. Dieser Besitzerwechsel betraf nur die Gutsherren und einige ihrer vermögenderen Pächter; die Mehrheit der Bevölkerung wie Händler, Bauern und Landarbeiter blieb zurück. Demnach vollzog sich eine Umwandlung der Besitzverhältnisse, keine Umschichtung der Bevölkerung. In ihren Auswirkungen sollte diese gesellschaftliche Verschiebung jedoch eine einschneidende Veränderung der politischen Machtkonstellation herbeiführen. 1641 bestand die Mehrheit der irischen Landbesitzer aus Katholiken, nach der von Cromwell vollendeten Besiedlung waren es Protestanten, die von Cromwells Regierung als Garanten für die Wahrnehmung englischer Interessen in Irland betrachtet wurden. Die gleiche chauvinistische Einstellung zeigt sich in dem Vorgehen gegen die Katholiken – besonders in dem Versuch, sie aus Städten und Gemeinden auszuschließen. Stärker noch als die bestehenden religiösen Gegensätze wirkte sich die grundsätzliche Auffassung aus, von Katholiken wäre keine Loyalität gegenüber England zu erwarten.

Die vorangegangenen langwierigen Kämpfe hatten verheerende Folgen für die irische Wirtschaft. Die unter Wentworth erreichte Prosperität schwand dahin. Der Handel war nahezu lahmgelegt, das Land lag brach, Krieg, Hungersnot und Krankheiten hatten der Bevölkerung bedrohlich zugesetzt. Auch der Abschluß der Kämpfe brachte keine sofortige Verbesserung dieser Lage. Die Ungewißheit über die ländlichen Besitzverhältnisse verhinderte eine sorgfältige Verwaltung der Güter, und durch Auswanderung verringerten sich die Bevölkerungszahlen noch mehr. 30 000 bis 40 000 Soldaten der aufgelösten irischen Heere traten auf Anraten von Cromwells Regierung in ausländische Dienste; die meisten Iren nahm Spanien auf. Außerdem wurden angebliche Landstreicher als vertraglich gebundene Dienstboten auf die westindischen Inseln abgeschoben. Andererseits gab es unter den Neusiedlern durchaus befähigte, wagemutige Männer, und der wirtschaftliche Aufschwung des späten 17. Jahrhunderts nahm schon in der Restaurationszeit seinen Anfang.

Die Eroberung und Besiedlung Irlands unter Cromwell rief gesellschaftliche Wandlungen hervor, die lange Zeit wirksam blieben. Die verfassungsrechtlichen Änderungen waren hingegen ebenso drastisch wie kurzlebig. 1641 verfügte Irland noch über ein eigenes Parlament, das zwar durch Poynings' Gesetz und englische Weisungen in seinen Kompetenzen eingeschränkt war, das aber dennoch irische Interessen in gewissem Umfang vertreten und verteidigen konnte. Unter Cromwells Regierung wurde das irische Parlament in seiner alten Form abgeschafft, und Irland sowie Schottland waren in einem Zentralparlament vertreten, das Gesetze für alle britischen Inseln erließ. Infolge der nach Cromwells Tod einsetzenden Ungewißheit und infolge des Zusammenbruchs seiner Protektoratsregierung löste sich dieses vereinigte Parlament auf. Im Februar 1660 kamen in Dublin Vertreter der einzelnen Wahlkreise zusammen und bekräftigten das Recht Irlands auf eigene Gesetzgebung; zugleich verwarfen sie alle Pläne zur Loslösung Irlands von England. Diese Betonung nationaler Unabhängigkeit aus dem Munde der von Cromwell eingesetzten Siedler, die die Mehrheit in dieser Versammlung stellten, entbehrt nicht eines gewissen Widerspruchs. Er erklärt sich daraus, daß diese Männer in erster Linie an die Sicherung ihres vor kurzem erworbenen Landbesitzes dachten und ihnen nationale Unabhängigkeit daher als der geeignetste Schutz erschien. Der gleiche Eigennutz bewog sie auch zum Einverständnis mit der Erneuerung der Monarchie. Zu diesem Zeitpunkt lag die monarchische Restauration in greifbarer Nähe, und einige weitblickende Mitglieder der Wahlkreisversammlung hatten schon Verbindung mit dem König aufgenommen. Es wurde kein politischer Tauschhandel abgeschlossen, aber Karl ließ keine Zweifel darüber aufkommen, daß er die bestehenden Eigentumsverhältnisse unangetastet lassen würde. Auf der Grundlage dieser Rücksicherung war die Versammlung bereit, für den Monarchen zu entscheiden. Es gehörte jedoch zur Politik des Königs, den Anschein zu erwecken, als sei England tonangebend; die Anhänger der Krone hielten sich daher zurück, und Karl II. wurde erst am 14. Mai in Dublin zum König von Irland ausgerufen – sechs Tage nach seiner Proklamation in London. Dennoch vergaß er nicht, daß ihm die irischen Neusiedler während einer kritischen Phase Beistand geleistet hatten und erkannte, wie ausschlaggebend die Erhaltung ihrer Unterstützung war.

Für Irland erwies sich der Zeitraum zwischen der Restauration und der Glorreichen Revolution als eine Epoche permanenter Krisen. Oberflächlich schien sich das Land einigermaßen beruhigt zu haben. Die wirtschaftliche Wachstumsrate stieg, das Steueraufkommen wuchs, und mit Ausnahme örtlich begrenzter Unruhen erwuchsen der Regierung keine Schwierigkeiten. Irland war friedlicher als Schottland während der Bündniskriege und weit ruhiger als England zur Zeit der hysterischen Furcht vor einer katholischen Verschwörung. Hinter dieser Ruhe verbarg sich aber in Irland eine allgemeine Unsicherheit, denn alle Probleme der Landverteilung und Religionszugehörigkeit, die Cromwell auf gewaltsame Weise hatte lösen wollen, stellten sich während der Restaurationszeit von neuem. Ihre neuerliche Bewältigung brachte dem katholischen Landadel wenig Gewinn, denn er erhielt nur einen Bruchteil seines früheren Landbesitzes zurück, doch wurde ihm eine günstigere Regelung in Aussicht gestellt. Solange dieses Versprechen galt, konnten sich die protestantischen Landbesitzer nicht sicher fühlen. Zwar entlud sich der daraus entstandene Parteienstreit erst im Verlauf der Glorreichen Revolution, aber er schwelte auch in der Zwischenzeit weiter.

Die Bewältigung der Landfrage während der Restaurationszeit scheiterte an der Unmöglichkeit, allen widerstreitenden Ansprüchen gerecht zu werden. Die Siedler der Cromwellzeit hatten bei der Restauration der Monarchie eine führende Rolle gespielt, und Karl hatte sich zur Anerkennung ihrer Eigentumsrechte verpflichtet. Es waren aber auch andere Gruppen zu berücksichtigen: überzeugte Royalisten, die ihren ehemaligen Besitz so schnell wie möglich zurückerhalten sollten, und auch jene weniger überzeugten Gefolgsleute der Krone, die sich in einer Phase der vergangenen 20 Jahre verworrener Machtverhältnisse eher überrascht auf der Seite des Königs kämpfen sahen; auch sie hofften jetzt, das zurückzugewinnen, was sie unter Cromwell verloren hatten. Zudem erhoben einige der früheren Rebellen Ansprüche, die sie aus den mit dem Bund von Kilkenny geschlossenen Verträgen ableiteten, Offiziere der königlichen Truppen forderten ihre Soldnachzahlungen, und die Exilroyalisten, die Karl im Ausland gedient hatten, kehrten in Scharen nach England zurück, um sich in dieser unübersichtlichen Lage ihren Anteil zu sichern – auch wenn sie gegen Karls Vater gekämpft hatten.

Die Siedler der Cromwellzeit hatten den großen Vorteil, die augenblicklichen Landbesitzer zu sein, und in England sprachen sich die an dieser Besitzregelung finanziell interessierten Gruppen für ihren Fortbestand aus. Die Unterhändler der irischen Wahlkreisvertreter versicherten Karl, daß es genügend Land gäbe, um jeden Anspruch zufriedenzustellen, und in diesem Glauben erließ der König im November 1660 eine Deklaration, in der er die Unantastbarkeit der ländlichen Besitzordnung garantierte und allen, die für eine Wiedergutmachung in Frage kamen, versicherte, daß sie nicht benachteiligt werden sollten. In dem folgenden Kommentar des Grafen Ormonde wird die Unvereinbarkeit dieser beiden Ziele besonders deutlich: ›Es muß ein ganz neues Irland entdeckt werden, denn das alte Irland ist für diese Verpflichtungen zu klein.‹ Trotzdem wurde ein Parlament einberufen, um diese Deklaration in ein Gesetz umzuwandeln. Wiederum waren die Siedler der Cromwellzeit begünstigt, denn als Landbesitzer waren sie in der Lage, die Wähler zu beeinflussen, und das neugewählte Unterhaus hatten sie nahezu vollständig in ihrer Hand. Das läßt sich beispielsweise daran nachweisen, daß unter den Abgeordneten ausschließlich Protestanten zu finden waren; die Opposition der Rekusanten, die sich in früheren Parlamenten bemerkbar gemacht hatte, war unterdrückt worden.

Wäre es vollständig ungebunden gewesen, hätte dieses Parlament die bestehende Besitzordnung nur zu bestätigen brauchen, aber die Abhängigkeit des irischen Parlaments von der Krone bot eine Möglichkeit, auch die Ansprüche anderer Gruppen durchzusetzen. Die Details der Besitzregelung wurden in England ausgearbeitet, wobei die Unterhändler der verschiedenen Interessenkreise ihre Ansprüche vortragen durften. Die schließlich in der ›Ausführungsakte‹ (act of explanation) von 1665 erzielte Einigung schlug zum Vorteil der Neusiedler aus (das Ziel dieses Gesetzes war eine ›Erläuterung‹ der Ausführungsbestimmungen des gesetzlichen Übereinkommens von 1662, das seinerseits die königliche Deklaration vom November 1660 legalisierte, die sich als undurchführbar erwiesen hatte, Anm. d. Verf.); zugleich aber mußten sie einige Einbußen hinnehmen. Sie sollten ein Drittel ihres Landbesitzes abtreten, und zusammen mit dem Land, das unter Cromwell zwar eingezogen, aber nicht verteilt worden war, sollte eine Art Grundbesitzfond eingerichtet werden, aus dessen Mitteln die verschiedenen Forderungen erfüllt werden sollten. Diese Mittel reichten jedoch bei weitem nicht aus, und selbst einigen der Antragsteller, deren Ansprüche in der Ausführungsakte namentlich sanktioniert worden waren, gelang es nicht, ihre Besitzungen zurückzugewinnen.

Insgesamt wurden jedoch beträchtliche Ländereien an die ehemaligen Besitzer oder an ihre Erben zurückerstattet. Dieser Vorgang entbehrte allerdings weitgehend einer geregelten Abwicklung und gerechten Verteilung, denn königliche Gnadenerweise hatten den Vorrang vor Rechtsansprüchen. Die vielen unberücksichtigt gebliebenen Vorbesitzer – meistens Katholiken – gaben weder sofort die Hoffnung auf, noch fügten sie sich ergeben ihrem Schicksal. Diejenigen, die auf Grund ihres Vermögens oder ihres Einflusses in die Politik eingreifen konnten, gingen an den königlichen Hof und sahen sich nach Verbündeten für einen Generalangriff auf die besiedelten Gebiete um; andere mit weniger Macht blieben in Irland und wurden – wie nach der Besiedlung von Ulster – Wegelagerer. Auf diese Weise war die Landverteilung der Restaurationszeit ständigen Angriffen ausgesetzt. Die Gutsbesitzer, die unter Cromwell nach Irland gekommen waren und die ›neuenglische‹ Interessengruppe verkörperten, waren über die

Gnadenerweise, mit denen Karl II. katholische homines novi wie Richard Talbot begünstigte, äußerst beunruhigt, und das Übergewicht der ›Tories‹ (abgeleitet aus dem gälischen ›toiridhe‹, d. h. Verfolger, Räuber. Die englische Form dieses Wortes erscheint schon um 1650 in englischen Regierungsakten als Synonym für Straßenräuber oder Geächteter, Anm. d. Verf.) faßten sie als beständige Androhung einer möglichen Wiederholung des irischen Angriffs auf die protestantischen Siedler in Ulster (1641) auf. Daher war es verständlich, daß sich die meisten Gutsherren der Gefährdung ihrer Besitzrechte bewußt waren, obwohl ihre Ansprüche vom Parlament gesetzlich bestätigt worden waren.

Der Großteil der alteingesessenen protestantischen Gutsbesitzer hatte entweder auf Seiten des Parlaments gekämpft und auf diese Weise seine Besitzrechte unter der Regierung Cromwells gesichert, oder sie hatten als überzeugte Anhänger der Krone ihre Besitzungen unmittelbar nach der Restauration zurückerhalten. Die Forderungen der irischen Protestanten waren somit vollständig erfüllt worden, während viele Katholiken einen Umsturz mit nachfolgender Umverteilung des Landes befürworteten. Die Protestanten verfolgten daher die Toleranz, die Karl II. den Katholiken entgegenzubringen schien, mit äußerstem Mißfallen. Die katholischen Geistlichen, Priester und Mönche hielten sich unbelästigt in Irland auf, Schulen und Konvente wurden eingerichtet und Synoden der Bischöfe abgehalten, denen zumindest das stillschweigende Einverständnis der Regierung gewiß war. Natürlich schützte diese praktizierte Toleranz nicht vor Verfolgungen, wie sich während der unruhigen Zeit der ›Katholischen Verschwörung‹ zeigte, doch läßt sich das Ausmaß religiöser Duldung unter Karl II. daran ermessen, daß die in Limerick versammelten Befehlshaber der aufständischen Iren während der Friedensverhandlungen von 1691 als eine besonders vorteilhafte Lösung die Bedingung stellten, daß ›die Katholiken dieses Königreiches bei der Ausübung ihrer Religion jener Vorrechte teilhaftig werden sollen ..., die sie während der Herrschaft Karls II. genossen hatten.‹

Die Besorgnis der Protestanten angesichts dieser toleranten Behandlung der Katholiken griff nach England über, wo die Vorgänge in Irland einen ungewöhnlich starken Einfluß auf die politische Gruppenbildung unter Karl II. ausübten. Falls der König mit der Verwirklichung seiner ›katholischen Absichten‹ fortfahren würde, konnte er nicht nur auf Grund seiner toleranten Haltung auf weitreichende Unterstützung in Irland zählen, sondern konnte auch mit jenen enteigneten Iren rechnen, die bei der Rückgewinnung ihres ehemaligen Landbesitzes auf die Unterstützung des Königs hofften. Das war auch der Grund für die argwöhnische Haltung der englischen Oppositionsgruppen gegenüber Irland, das eine vermeintlich gefahrbringende Waffe in Händen des Königs war, um den Protestantismus und die Macht des Parlaments in England zu brechen. In einigen der heftigsten Debatten des englischen Parlaments wurde die Irlandpolitik des Königs angegriffen, und die von den Whigs eifrig genährte, haßerfüllte Furcht vor den ›irischen Papisten‹ wirkte sich bei dem Sturz der Stuart-Monarchie schwerwiegend aus.

Das Toleranzproblem wurde noch kompliziert durch das Hervortreten der protestantischen Nonkonformisten. Die vielen verschiedenen Sekten, die während der Cromwellzeit in Irland Fuß gefaßt hatten, lösten sich zu Beginn der Restauration wieder auf, und nur die Quäker hielten sich als geschlossene Gemeinde bis ins 18. Jahrhundert. Aber die Lage der schon seit langem in Ulster ansässigen schottischen Presbyterianer war ungewiß. Nachdem sie über 30 Jahre lang mehr oder weniger widerstrebend als Mitglieder der Staatskirche gegolten hatten, gründeten sie um 1640 eine eigene Kirche, und gegen Ende der Restaurationszeit hatten sie nach presbyterianischem Vorbild in ganz Ulster Gemeinden begründet. Verständlicherweise wehrten sie sich gegen die Wiedereinführung der Episkopalkirche und gaben auch nicht auf, als ihr Widerstand keine Erfolge brachte. Während der Cromwellzeit war eine große Zahl ihrer Geistlichen, besonders in den Grafschaften Antrim und Down in den Besitz von Kirchenämtern gelangt, und sie sahen keine Veranlassung, ihre Positionen aufzugeben. Ohne eine Entscheidung des Parlaments abzuwarten, beschlossen die irischen Bischöfe darauf die Anwendung der bestehenden Gesetze und entheben diejenigen Geistlichen ihrer Ämter, die ihre Berufung nicht von einem Bischof erhalten hatten: Jeremy Taylor, in dessen Diözesen Down, Connor und Dromore die bedeutendsten Gemeinden der Presbyterianer lagen, ließ an einem Tag 36 Pfarrstellen für vakant erklären. Zu Beginn wurden die presbyterianischen Kongregationen kaum ernsthaft verfolgt, und die abgesetzten Geistlichen lebten und predigten weiterhin in ihren Gemeinden.

Die Lage verschlechterte sich, als 1663 ein Aufstand ausbrach, der allerdings scheiterte, und obwohl zur Hauptsache fanatische Anhänger des verstorbenen Cromwell für die Rebellen verantwortlich waren, hatten sich auch einige Presbyterianer daran beteiligt. Ein Teil der Geistlichen wurde gefangengesetzt, ein anderer Teil mußte das Land verlassen. Aber selbst jetzt bemühte man sich nicht konsequent, die Einheit in der protestantischen Kirche zu erzwingen, und nach einigen Jahren stellte sich der alte Zustand allmählich wieder ein. Die Geistlichen kehrten in ihre Gemeinden zurück, und jetzt predigten sie nicht mehr in den Pfarrkirchen, die ihre Gemeindemitglieder dennoch wieder aufbauen mußten, sondern in den neu errichteten Versammlungshäusern. 1672 führte Karl II. eine jährliche Zahlung von 600 Pfund an die presbyterianischen Geistlichen von Ulster ein, die allerdings zeitweise ausfiel. Dieses sogenannte ›regium donum‹ war weniger ein Gnadenerweis als ein zweckgebundenes Bestechungsmittel, um Empörungen der Presbyterianer zu verhindern, und die irische Regierung kontrollierte die nordirischen Nonkonformisten mit ihren engen Beziehungen zu Schottland noch lange Zeit nach der Glorreichen Revolution.

Die energische Behauptung bischöflicher Macht gegen

die protestantischen Dissidenten war typisch für die in ihrem hierarchischen Aufbau gestärkte Staatskirche Irlands, die in eine Phase dynamischer Entwicklung eintrat. Die Konvokation tagte erneut und beschloß die allgemein verbindliche Einführung des englischen Gebetbuches von 1662, ohne das Einverständnis des Parlaments abzuwarten. Das Eigenbesteuerungsrecht der Geistlichkeit wurde bekräftigt, und im Trinity College in Dublin, das die meisten irischen Geistlichen ausbildete, wurde unter Jeremy Taylor, dem Vizekanzler des College, eine Reform durchgeführt. In den achtziger Jahren des 17. Jahrhunderts ließ man doch noch den vollständigen Text der Bibel auf irisch veröffentlichen, aber die auf diese Maßnahme gesetzten Hoffnungen, daß die ›papistischen Einheimischen‹ konvertieren würden, blieben nahezu unerfüllt. Die Kirche hatte noch immer gegen innere Mißstände anzukämpfen, aber Frömmigkeit und Gelehrsamkeit waren weiter verbreitet, als es jahrhundertelang üblich gewesen war. Das Wissen der Geistlichen beschränkte sich nicht auf die Theologie, denn die Kirche war in der ›Philosophichen Gesellschaft‹ in Dublin, dem irischen Pendant zur ›Königlichen Gesellschaft‹ in England, zahlreich vertreten. Doch obgleich die Staatskirche in ihren organisatorischen Grundlagen gefestigter war als vor dem Bürgerkrieg, hatte sich noch klarer herausgestellt, daß sie nicht die Kirche des Volkes war. Vielmehr hatten sich seit Beginn der Restauration die Konfessionen in Irland selbständig entwickelt, und nun war die eindeutige Trennung von Anglikanismus, Katholizismus und protestantischem Nonkonformismus erreicht.

Trotz des instabilen Sozialgefüges infolge der nach wie vor bestehenden religiösen und eigentumsrechtlichen Probleme verzeichnete die irische Wirtschaft während der Restaurationszeit einen raschen Aufschwung, der unter Cromwell eingesetzt hatte. Der wachsende Reichtum war größtenteils der Viehzucht zu verdanken, die auf Grund verschiedener Bedingungen zum wichtigsten Wirtschaftszweig Irlands wurde. Der Boden war besonders geeignet, der Arbeitsaufwand gering, und die meisten Landbesitzer verfügten über wenig Kapital. Die wirklich vermögenden Gutsherren waren nicht bereit, ihre Ländereien intensiv zu bewirtschaften, weil sie Enteignungen fürchteten und folglich ihr Kapital nicht riskieren wollten. Um 1660 war lebendes Vieh der wichtigste Exportartikel Irlands. Zehntausende von Rindern wurden jährlich nach England ausgeführt und dort auf den fruchtbaren Weiden Westenglands für den Weiterverkauf gemästet. Aber dieser schwunghafte Handel erregte den Konkurrenzneid des englischen Parlaments, das 1663 und 1666 restriktive Gesetze verabschiedete, die zur völligen Verdrängung irischen Viehs von englischen Märkten führten. Dieser Ausschluß schadete Irland indes nur wenig, denn die irischen Zwischenhändler sahen sich auf dem Kontinent nach Ersatz um und fanden für ihr Rindfleisch und andere Viehprodukte gewinnbringende Märkte in Flandern, Frankreich, Spanien und Portugal. Die englische Gesetzgebung jedoch gibt einen wichtigen Hinweis auf die veränderte englische Politik gegenüber dem irischen Handel; der Reichtum Irlands sollte zum Vorteil englischer Handelsinteressen in Schranken gehalten werden. Diese Zielsetzung läßt sich auch an anderen Maßnahmen der Regierung Karls II. nachweisen: Dazu gehören in besonderem Maß die Beschränkung des Amerikahandels und der Wollausfuhr nach dem Festland. Obwohl diese Restriktionspolitik zu katastrophenähnlichen Folgen führen sollte, waren ihre unmittelbaren Auswirkungen auf die irische Wirtschaft noch verhältnismäßig harmlos. Die ständig steigenden Zolleinnahmen und die Wertsteigerung des landwirtschaftlich nutzbaren Landes zeigten den wachsenden Reichtum des Landes an. Diese Prosperität hatte sich dank des Aufblühens eines einzigen Wirtschaftszweiges eingestellt, und die Bemühungen um eine Ausweitung der wirtschaftlichen Basis durch die Förderung der Textilmanufaktur blieben zu diesem Zeitpunkt noch ohne sichtbare Erfolge.

Die Volkswirtschaft Irlands erlitt infolge des Transfers

irischen Kapitals nach England weitere Verluste. Obwohl die Zahl der in England lebenden irischen Gutsbesitzer noch nicht so groß war wie im 18. Jahrhundert, entzogen sie mit ihren Pachteinkünften dem irischen Geldumlauf beträchtliches Kapital, und der steigende Überschuß am Steueraufkommen wurde ebenfalls an England abgeführt. Dieser Überschuß (surplus revenue) stand ausschließlich dem König zur Verfügung, denn das irische Parlament hatte sich durch die äußerst großzügige Finanzregelung zu Beginn der Restauration selbst jeglicher wirksamen Kontrolle der Steuern beraubt. Die alte Erbvertragssteuer (hereditary revenue) brachte — so wie sie 1661 bestand, als das Parlament zusammentrat — jährlich rund 40 000 Pfund ein. Das irische Parlament erweiterte die Steuergesetzgebung um einige wichtigte Ergänzungen (u. a. mit einer Herdsteuer, die die armen Bevölkerungsteile besonders belastete, Anm. d. Verf.), wodurch sich die jährlichen Einnahmen aus der alten sowie der neuen Steuer auf 240 000 Pfund erhöhten. Infolge der Vergrößerung des Wirtschaftsvolumens wurde diese Summe beträchtlich überschritten, und 1678 ging die irische Steuer für 300 000 Pfund in den Besitz von Steuerpächtern über. Die Gesamtkosten für die Zivil- und Militärverwaltung wurden auf weniger als 200 000 Pfund jährlich geschätzt, so daß eigentlich ein hoher Überschuß zu erwarten gewesen wäre. Infolge von Unterschlagungen und Fehlplanungen war das irische Heer jedoch meist mangelhaft ausgerüstet, und die Regierung war mit den Soldzahlungen im Rückstand. Dennoch gelang es dem König und seinen Günstlingen, dem irischen Steueraufkommen hohe Beträge zu entziehen, die in England ausgegeben wurden. Die Finanzregelung der Restaurationszeit machte die Regierung unabhängig von Geldbewilligungen des Parlaments. Daher konnte das Parlament 1666 auch aufgelöst werden, und da es ja die vordringlichen Fragen der Landverteilung und Steuerordnung auf entgegenkommende Weise gelöst hatte, wurde es vor der Thronbesteigung James' II. nicht mehr einberufen.

Die Besoldung und Ausrüstung der in Irland stationierten Streitkräfte belastete den irischen Finanzhaushalt am schwersten. Abgesehen von der Miliz, standen 1666 etwa 1600 Mann Kavallerie und 5000 Mann Infanterie in Irland unter Sold. Die jährlichen Kosten für diese Truppen betrugen 168 000 Pfund; das sind 70 Prozent des geschätzten Staatshaushalts. Das war ein großes und kostspieliges Heer im Vergleich zu den finanziellen Möglichkeiten des kleinen Irland. Aber dieses Heer sollte nicht nur im Invasionsfall eingesetzt werden, es war in erster Linie ein Exekutivorgan mit Polizeifunktionen. Die einzelnen Truppenteile waren in kleinen Garnisonen über die ganze Insel verteilt und hatten fast ununterbrochen mit der Bekämpfung von Straßenräubern zu tun. Die Soldaten waren schlecht besoldet, häufig untauglich, und widersetzten sich gelegentlich ihren Befehlshabern, aber ohne sie wäre die Verwaltung des Landes kaum durchführbar gewesen. Obwohl die Armee aus diesem Grund in Irland benötigt wurde, war der König um ihren Einsatz in anderen Gebieten bemüht. Ein stehendes Heer, das mit Hilfe von vertraglich festgelegten Steuergeldern finanziert wurde und daher keiner parlamentarischen Kontrolle unterlag, war ein potentielles Machtinstrument, dessen Bedeutung nicht unterschätzt wurde. Karl war vorsichtiger als sein Vater und sein Bruder und lehnte es ab, irische Truppen nach England zu verlegen. 1674 und 1679 wurden jedoch jeweils eine irische Einheit für den Einsatz in Schottland bereitgestellt, um in die Kämpfe gegen die schottischen Bundestruppen einzugreifen. Dieses Vorhaben wurde zwar nie verwirklicht, aber allein der Plan diente der schottischen Regierung als bedeutsamer Präzedenzfall. Irische Soldaten taten auch in der Garnison von Tanger Dienst, womit dem König auf zweierlei Weise gedient war: Einerseits sparte man englisches Geld, und andererseits brauchte der König keine englischen Truppen außerhalb Englands einzusetzen.

Obgleich sich das englische Parlament nicht dagegen wenden konnte, daß die Krone irische Steuergelder in Anspruch nahm, um ihre Interessen zu verfolgen, wurde die königliche Politik in Irland argwöhnisch beobachtet. Hier besaß der König viel mehr Handlungsfreiheit als in England, und daher befürchtete das Parlament, Karl II. könne diese Möglichkeiten zu einer Stärkung seiner finanziellen und militärischen Machtmittel nutzen, um den politischen Einfluß des Parlaments in England zu zerstören. Diese Befürchtungen waren nicht gänzlich unbegründet. Es kann kein Zweifel darüber bestehen, daß Irland in dem ›katholischen Plan‹ eine wichtige Rolle spielen sollte; am Hof wurden irischen Katholiken auffällige Gunsterweise zuteil, und man stärkte sogar ihre Hoffnung auf eine für sie günstige Änderung der ländlichen Besitzverhältnisse. Diese diplomatische Taktik rief den energischen Einspruch des englischen Unterhauses hervor, der König war damit zur Vorsicht gezwungen, und infolge des Angstausbruches vor der ›papistischen Verschwörung‹ (1678) wurden ihm weitere Schranken auferlegt.

Die protestantischen Demagogen, die die Enthüllungen des ehemaligen Jesuiten Titus Oates zu politischen Zwekken ausnutzten, bezogen sich besonders auf Irland, denn es leuchtete jedermann ein, daß die vielen irischen Katholiken an einer ›papistischen Verschwörung‹ beteiligt sein mußten. Diese Wortführer eines militanten Protestantismus gaben vor, einen Mordanschlag auf Ormonde, den damaligen Stellvertreter des Königs, aufgedeckt zu haben, und Ormonde wurde entsprechend angewiesen, die Katholiken zu entwaffnen, die Garnisonen zu verstärken und Irland in Verteidigungsbereitschaft zu versetzen. Aber Ormonde ließ sich nicht schrecken. Er traf nur die ihm notwendig erscheinenden Vorsichtsmaßregeln und bemühte sich ansonsten darum, die Protestanten davon zu überzeugen, daß jedes Anzeichen von Panik ihre Feinde nur ermutigen würde. Dank seiner ausgeglichenen Regierungsführung blieben Aufstände in Irland aus. Aber die Politik der praktizierten Toleranz konnte nicht fortgesetzt werden, und aus Irland stammte eines der bekanntesten Opfer jener religiösen Massenhysterie. Dieses Opfer war

Oliver Plunkett, der als Erzbischof von Armagh ein friedliches Leben führte und der Krone aufrichtig ergeben war. Er gehörte zu den letzten unschuldigen Opfern der ›Verschwörung‹. Während der bald folgenden monarchischen Reaktion gewannen die irischen Katholiken jedoch ihre frühere Freiheit zurück.

Diese Reaktion der Krone, verbunden mit der finanziellen Unterstützung durch Ludwig XIV., verhalf Karl II. dazu, die Kontrolle des Parlaments auszuschalten, und während seiner letzten Regierungsjahre bewegte er sich unablässig auf das Ziel einer absoluten, katholischen Herrschaft zu. Aber bevor Irland bei der Verwirklichung dieses Vorhabens eine wesentliche Rolle spielen konnte, mußte man die irische Regierung durch die Zulassung von Katholiken in zivile und militärische Ämter von Grund auf verändern. Eine derart radikale Machtverschiebung blieb aber undurchführbar, solange Ormonde königlicher Stellvertreter war, denn obwohl er sich als Gegner der Glaubensverfolgung erwiesen hatte, war er überzeugter Anhänger der Staatskirche und hätte sich niemals an diesem Umsturz der protestantischen Verfassungen in England, Schottland und Irland beteiligt. Karl II. entschloß sich daher, Ormonde seines Amtes zu entheben, starb aber bevor er diesen Entschluß durchführen konnte. Ormonde blieb solange im Amt, bis er James II. als König von Irland proklamiert hatte. Kurz darauf verließ er das Land, um nie mehr nach Irland zurückzukehren.

Dieses Ereignis verdient einen kurzen Rückblick, denn Ormonde war der hervorragende Anwalt der Restauration in Irland. Von 1661 bis 1669 und von 1677 bis 1685 hatte er die Krone repräsentiert, und sein Einfluß war auch dann sehr stark, wenn er nicht im Amt war. Als Abkömmling eines alten Geschlechtes, Großgrundbesitzer, Großhofmeister von England, Kanzler der Universität Oxford, Freund von Clarendon und als anerkannter Führer der alten Kavalierspartei war Ormonde, ungeachtet seiner Stellung als Stellvertreter der Krone, einer der bedeutendsten Untertanen des Königs. Sein Einfluß beruhte jedoch nicht nur auf seiner Abstammung und Erziehung, sondern auch auf seinem Charakter. Er zeichnete sich mehr durch ausgewogene Beständigkeit als durch einige überragende Wesensmerkmale aus. Er war arbeitssam und zuverlässig, klug bei der Einschätzung von Menschen und Ereignissen, und vor allem verfolgte er seine Ziele mit einer Aufrichtigkeit, die in seiner tiefen, aber verschlossenen Gläubigkeit wurzelte. Seine Amtsenthebung kennzeichnete einen Wendepunkt in der Geschichte der britischen Inseln, denn damit war zum erstenmal jener Bruch zwischen Kirche und Krone vollzogen worden, der für James II. zum Verhängnis werden sollte.

Der Tod Karls II. und Ormondes Abreise lösten unter den irischen Protestanten Bestürzung aus. Als die politischen Ziele des neuen Herrschers deutlich wurden, verwandelte sich die Bestürzung in Furcht. Die späteren Auseinandersetzungen, die ihren Höhepunkt am Boyne fanden und in Limerick endeten, nahmen ihren Anfang ganz fraglos mit der Thronbesteigung James' II. Ihr Ablauf beweist darüber hinaus, wie unlösbar religiöse und politische Anschauungen in Irland miteinander verflochten waren. Bei Beginn der Kämpfe wurden sogar die Protestanten entwaffnet und gefangengesetzt, die ihre Loyalität James gegenüber bekundet hatten. Zugleich setzten sich die Anglikaner und Presbyterianer über ihre alten Streitigkeiten hinweg, um diese Gefahr gemeinsam abzuwehren. Die herkömmliche Unterscheidung zwischen Iren und Altengländern fiel fort; ›Ire‹ und ›Katholik‹ waren nahezu auswechselbare Bezeichnungen. Aber die gälische Aristokratie mit ihrer kulturellen Tradition existierte nicht mehr; daraus erklärt sich die Tatsache, daß die meisten militärischen Führer der Iren englischer Abstammung waren.

James wußte, daß die Engländer ein überaus starkes Interesse an der Aufrechterhaltung der protestantischen Vormacht in Irland hatten. Ihm aber kam es auf die Unterstützung der Iren an, die er nur gewinnen konnte, wenn Iren die Regierung übernahmen. Der Mann, den er für dieses Ziel aussuchte, besaß keineswegs das Vertrauen der

Protestanten. Oberst Richard Talbot war der Bruder des katholischen Erzbischofs von Dublin. Während der Herrschaft Karls II. war er an verschiedenen Plänen für die gewaltsame Aufhebung der ländlichen Besitzregelung beteiligt gewesen, und das englische Unterhaus hatte den König dringend ersucht, Talbot vom Hof zu entfernen. Er war ein tapferer Mann, aber unzuverlässig und ziemlich prahlerisch; selbst in seiner eigenen Partei genoß er kein allzu großes Ansehen. 1685 wurde er von James zum Grafen von Tyrconnell ernannt und nach Irland beordert, um die neue politische Richtung durchzusetzen. Innerhalb kurzer Zeit wurden alle Protestanten aus dem Heer ausgeschlossen, Katholiken als Richter eingesetzt und in den Kronrat (privy council) aufgenommen. Die Gemeindeverwaltungen wurden so reorganisiert, daß sichere Mehrheitsverhältnisse zugunsten der Katholiken entstanden. Nach Tyrconnells Vorstellung sollte ein Parlament, das die Landverteilungsgesetze aufhob und die Rückgabe des Landes an die ehemaligen Besitzer legalisierte, den krönenden Abschluß dieses Umwandlungsprozesses darstellen. Solange James König von England war, konnte man von ihm keine Zustimmung dafür erwarten, daß eine der Hauptstützen englischer Macht in Irland zerstört werden sollte. Aber die Glorreiche Revolution und seine Flucht nach Frankreich im Dezember 1688 veränderten die Lage von Grund auf. Irland hatte mittelbar zum Sturz von James beigetragen, denn große Scharen irischer Protestanten waren nach England geflüchtet, wo sie durch ihre Berichte, die von Entsetzen über Tyrconnells Maßnahmen erfüllt waren, die weitverbreitete Unzufriedenheit und Furcht verstärkten. Am allermeisten verbittert aber war die Bevölkerung Englands über den Einsatz irischer Truppen in ihrem Land.

Die Entwicklung in England wirkte sich nicht sofort auf Tyrconnells Macht aus. Er regierte weiterhin im Namen des Königs, und die Mehrheit der Iren erkannte ihn nach wie vor an. Das einzige Widerstandszentrum lag im Norden, wo die Protestanten einen vermögenden und zahlenmäßig großen Bevölkerungsanteil stellten. Sie riefen auch im März 1689 Wilhelm und Maria als König und Königin von Irland aus. Aber ihre Truppen waren schlecht organisiert, und nach einem kurzen Gefecht flüchteten sie entmutigt hinter die Festungswälle von Enniskillen und Londonderry.

In dieser Situation landete James im März 1689 in Kinsale. Sein Hauptziel war die Rückeroberung Englands von Irland aus. Da er aber mittlerweile auf die Unterstützung der Iren angewiesen war, konnte die rechtliche Regelung ihrer Besitzansprüche nicht länger verzögert werden. Im Mai trat in Dublin ein Parlament zusammen, das später für ungültig erklärt wurde, denn – abgesehen von dem umstrittenen Rechtstitel des Herrschers – wurde aus naheliegenden Gründen das von Poynings' Gesetz vorgeschriebene Einberufungsverfahren umgangen. Infolge der von Tyrconnell durchgeführten Umbildung der Gemeinde- und Stadtverwaltungen, der Flucht vieler Protestanten und der Lage in Ulster war das Unterhaus fast ausnahmslos mit Katholiken besetzt; im Oberhaus stellten sie die Mehrheit. Diese gesetzgebende Versammlung beschloß einen Umsturz der bestehenden sozialen und politischen Verhältnisse. James brachte wenig Verständnis dafür auf, denn er war noch immer englischer König und daher verpflichtet, die Interessen Englands in Irland zu unterstützen. Er widersetzte sich erfolgreich der Forderung, Poynings' Gesetz für ungültig zu erklären, konnte aber nicht verhindern, daß in einer ›Deklarationsakte‹ dem englischen Parlament das Recht abgesprochen wurde, Irland in englische Gesetzesvorlagen einzubeziehen. Außerdem wurden Berufungen von irischen Gerichten an das englische Oberhaus verboten. Diese Akte trug dem Parlament in besonderem Maß den Ruf des ›patriotischen Parlaments‹ ein. Weitere Gesetze garantierten die formale Anerkennung der Gewissensfreiheit und entzogen der irischen Staatskirche eine Vielzahl ihrer Pfründen. Die größte Aufgabe für dieses Parlament war die Neuregelung der ländlichen Besitzverhältnisse. Hierfür wurden zwei Akten vom Parlament verabschiedet. In der ersten erklärte man die von Karl II. vorgenommene Landverteilung für ungültig und stellte damit die Rechtslage vor Ausbruch des Aufstandes von 1641 wieder her. In der zweiten erging eine Rechtlosigkeitserklärung, die zur Einziehung des Landbesitzes von über 2000 Gutsbesitzern ermächtigte. James wandte sich gegen diese zweite Akte, weil er wußte, wie nachteilig sie auf seine Anhänger in England wirken würde. Aber das Parlament erzwang die Verabschiedung dieses Gesetzes und schränkte vorsichtshalber das königliche Vorrecht der Begnadigung ein. Trotz aller Gegenargumente ist festzustellen, daß diese gesetzliche Lösung genauso gerecht oder ungerecht war wie die vorangegangenen. In Wirklichkeit war sie eine Kampfmaßnahme, und Menschen, die um ihr Leben, ihr Land und ihre Religion kämpfen – oder dafür zu kämpfen glauben – haben bestimmte Ziele vor Augen, weniger die Mittel, die sie dafür einsetzen, und machen sich selten Gedanken über so nebensächliche Fragen wie Gesetzlichkeit oder Gerechtigkeit ihres Handelns.

Während das irische Parlament die Beute solcherart bereits verteilte, machte ihre Gewinnung nur langsame Fortschritte. Im April marschierte James in den Norden Irlands, um seine Macht in Ulster wiederherzustellen, und nach einiger Verzögerung zog er seine Truppen um Londonderry, das stärkste Widerstandszentrum, zusammen. 15 Wochen lang wurde die Stadt belagert, aber ihre Einwohner hielten trotz harter Entbehrungen so lange stand, bis die Ankunft eines englischen Geschwaders mit Nachschub und Truppen an Bord die Belagerer zum Rückzug zwang. Die so gewonnene Kampfpause war für Wilhelm sehr wichtig, denn sie ermöglichte ihm die Aufstellung einer englischen Expeditionstruppe. Diese landete im August 1689 in Ulster und hielt einen Brückenkopf, bis Wilhelm im Juni 1690 mit einem gut ausgerüsteten und schlagkräftigen Heer eintraf. In der Zwischenzeit hatte James französische Verstärkung in Höhe von 7000 Mann erhalten. Am 1. Juni trafen die beiden Heere am Boyne etwa drei Meilen westlich von Drogheda aufeinander, und

James wurde entscheidend geschlagen. Der Ausgang dieser Schlacht war sowohl für England und Frankreich als auch für Irland wichtig. Wäre die Niederlage von James nicht durch den Sieg der französischen Marine bei Beachy Head am vorangegangenen Tag aufgewogen worden, hätte Ludwig XIV. unter Umständen sofort einen Frieden schließen müssen. Dank seines Sieges war Wilhelms Macht in England gesichert, und obwohl sich der Krieg in Irland noch über ein Jahr lang hinzog, trug James der Endgültigkeit seiner Niederlage dadurch Rechnung, daß er fast unmittelbar danach das Land verließ. Die Ergebnisse des Kampfes waren sowohl für die ausschließlich irischen Belange wie auch für die internationale Machtkonstellation bedeutsam. Das politische Bewußtsein, das die Erinnerung an die Schlacht am Boyne bis heute wach gehalten hat, ist durchaus gerechtfertigt, denn mit dieser Schlacht war die Entscheidung in der lange währenden Auseinandersetzung zwischen Protestanten und Katholiken gefallen. Der Umstand, daß die Protestanten mit England verbündet waren und von einem niederländischen Prinzen angeführt wurden, die Katholiken dagegen Frankreich zum Verbündeten und einen englischen König als Feldherrn hatten, mag eine gewisse Verwirrung stiften. An der klaren Gegensätzlichkeit der Fronten hatte sich jedoch nichts geändert. Die ›protestantische Nation‹, die Irland während des 18. Jahrhunderts beherrschen sollte, verankerte mit diesem militärischen Sieg die Grundlage ihrer Vormacht. Die irischen Protestanten fuhren auch dann noch fort, die ›glorreiche und unvergängliche Erinnerung‹ an Wilhelm III. feierlich zu ehren, als sie sich im Verlauf einer erbitterten Auseinandersetzung mit England ihre eigene Unabhängigkeit erkämpften.

Nach seinem Sieg am Boyne zog Wilhelm kampflos in Dublin ein, und damit hätte der Krieg eigentlich zu Ende sein müssen. Die Iren hatten alle Hoffnungen auf militärische Erfolge aufgegeben und kämpften nur noch für günstige Friedensbedingungen, die Wilhelm bereitwillig gewähren wollte, da ihm an einem schnellen Friedensschluß sehr gelegen war. Er entschloß sich, eine Generalamnestie für diejenigen zu erlassen, die sich freiwillig unterwarfen; aber – nach den Worten des Bischofs Burnet – ›die Engländer in Irland widersetzten sich diesem Vorhaben. Sie waren der Meinung, daß man diese günstige Gelegenheit zu einer Entmachtung der hochgestellten irischen Familien nicht ungenutzt lassen sollte.‹ Eine Proklamation, in der die Verschonung vor der Todesstrafe und das Recht auf persönlichen Besitz zugesichert wurden, blieb ergebnislos, und der Krieg zog sich bis zum Oktober 1691 hin, als sich das letzte irische Aufgebot in Limerick ergab. Sarsfield, der Held der Iren in diesem Krieg, hatte die Stadt so lange tapfer verteidigt, wie noch Aussichten auf französische Waffenhilfe bestanden. Als diese nicht eintraf, konnte er die verhältnismäßig günstigen Friedensbedingungen durchsetzen, die in dem berühmten Vertrag von Limerick niedergelegt sind. Die kriegsrechtlichen Artikel sahen die Verschiffung derjenigen irischen Soldaten nach dem Festland vor, die in fremde Heere eintreten wollten. Die zivilrechtlichen Bestimmungen enthielten das generelle Versprechen, den Katholiken die gleiche Toleranz wie unter Karl II. einzuräumen, und einige weitere Klauseln regelten die Eigentumsrechte der noch unter Waffen stehenden irischen Gutsbesitzer, ihrer Angehörigen und Anhänger. Unter diesen Bedingungen erfolgte die Übergabe von Limerick, und Tausende irischer Soldaten traten in die Dienste kontinentaler Mächte. Das war der Beginn jener ›Flucht der Wildgänse‹, die in Zukunft den irischen und altenglischen Landadel seiner besten Kräfte berauben sollte. Die kriegsrechtlichen Vereinbarungen wurden sofort ausgeführt; die zivilrechtlichen Vertragsartikel mußten zuvor noch vom Parlament bestätigt werden, wofür der König seine volle Unterstützung zugesagt hatte. Aber das irische Parlament war hartnäckig, Wilhelm mußte in vielen Punkten nachgeben, und als der Vertrag nach langen Unterhandlungen 1697 vom Parlament verabschiedet wurde, war von der anfangs entgegenkommenden Vereinbarung mit den betroffenen Iren nicht mehr viel übrig.

DIE PROTESTANTISCHE NATION, 1691–1800

Irland nach der Glorreichen Revolution

In gewisser Weise war nach Abschluß des Vertrages von Limerick eine ähnliche Situation wie im Jahr 1603 eingetreten, als sich Hugh O'Neill der Krone unterwerfen mußte. Wiederum war ein Eroberungskrieg für England erfolgreich abgeschlossen worden, und wiederum war Irland den Eroberern widerstandslos ausgeliefert. Diese scheinbare Parallelität der Fälle schloß jedoch einen ganz wesentlichen Unterschied ein, der aus den in der Zwischenzeit vollzogenen Landkonfiskationen und Ansiedlungen resultierte. 1603 wurde die ganze Insel zum erstenmal in ihrer Geschichte der englischen Zentralmacht unterstellt, und man mußte ein gänzlich neuartiges Verwaltungs- und Legislativsystem ins Leben rufen. Im Jahr 1691 bestand dieses System bereits, und ein loyaler Teil der Bevölkerung war bereit und in der Lage, dieses System zu übernehmen. Irland war nicht nur für die englische Krone, sondern auch für die ›Engländer in Irland‹ zurückerobert worden, die zum größten Teil von den Siedlern der Tudor- und Stuartzeit abstammten; eine kleine Gruppe setzte sich aus den Nachfahren der Altengländer und Iren zusammen. Ihr wesentliches Kennzeichen betraf keineswegs ihre ethnische Herkunft, sondern lag in ihrer konfessionellen Zugehörigkeit zum Protestantismus begründet. Die auf diese Weise verankerte protestantische Vorherrschaft hielt sich das gesamte 18. Jahrhundert hindurch und wurde erst allmählich im 19. Jahrhundert gebrochen.

Diese elitäre Klasse war ihrem Ursprung und ihrer Zweckbestimmung nach eine Art kolonialer Schutztruppe. Auf Grund der konfessionellen Gegensätze verschmolz sie nicht mit der katholischen Bevölkerung, und in manchen Zügen verleugnete sie auch niemals ihre Zugehörigkeit zu England; zugleich bildete diese Großgruppe innerhalb sehr kurzer Zeit ein Bewußtsein der eigenen Unabhängigkeit aus. Je ungefährdeter sie sich in Irland fühlte, desto erbitterter reagierte sie auf die von England oktroyierten Beschränkungen ihres Parlaments und ihres Handels, und desto hartnäckiger verfocht sie die nationalen Ansprüche Irlands. In einem Zeitalter, in dem politische Macht und Besitz eine kaum zu trennende Einheit darstellten, betrachteten sich die Mitglieder der Protestantischen Minderheit fraglos als die legitime politische Nation Irlands. Sir Jonah Barrington (Zeitgenosse von Grattan und Verfasser einer Geschichte des irischen Parlaments in der zweiten Hälfte des 18. Jahrhunderts, Anm. d. Verf.) brachte es sogar fertig, die Ziele der protestantisch-irischen Emanzipationsbewegung auf die Unabhängigkeit der altirischen Könige in vornormannischer Zeit zurückzuführen. Somit entstand im Verlauf des 18. Jahrhunderts ein gänzlich neuartiger Nationalismus, der überhaupt nicht oder nur am Rande an die Tradition gälischen Widerstandes, an den Bund von Kilkenny und an Patrick Sarsfield, Graf von Lucan, anknüpfte; stattdesen feierten die Nationalisten den Sieg am Boyne, waren entschlossene Verfechter der protestantischen Thronfolge und gleichermaßen entschlossen, ihre Rechte gegen englische Eingriffe zu schützen.

Dieses nationalistische Bewußtsein der irischen Protestanten wies in bestimmter Hinsicht eine verhängnisvolle Schwäche auf, denn da die religiöse Trennmauer nach wie vor unüberwindbar war, gelang es den Protestanten niemals, ein ernstgemeintes Bündnis mit der katholischen Bevölkerung einzugehen. Zudem durften die Protestanten ihre Auseinandersetzungen mit England nicht auf die Spitze treiben, da ihre Vormacht auf militärischer Stärke beruhte, die im Notfall von England aus unterstützt werden mußte. Das war das Dilemma der irischen Protestanten. Dem gleichen Grundproblem sah sich der Graf von Ormonde ausgesetzt, als er 1647 Dublin an den Befehlshaber der Parlamentstruppen und nicht an den Bund von

Kilkenny übergab. Und ebenso wählte 1800 das irische Parlament die legislative Union mit England als Ausweg aus dieser Zwangslage und als Schutz gegenüber dem Versuch zum Umsturz der bestehenden sozialen und politischen Verhältnisse.

Derart problematische Entscheidungen mußten unmittelbar nach der Glorreichen Revolution noch nicht getroffen werden. Im Gegenteil, die Aufgaben der Protestanten waren klar vorgezeichnet. Sie hatten die drohende Vernichtung überlebt, waren sich der überstandenen Gefahren noch unmittelbar bewußt und wandten daher alle Kräfte auf, um ihre Zukunft zu sichern. Hierbei verfochten sie den Anspruch, die eigenen Probleme selbständig zu bewältigen. Die Enteignungen nach dem Krieg hatten das Land der katholischen Gutsbesitzer auf ungefähr ein Fünfzehntel der gesamten Fläche Irlands reduziert. Trotzdem beargwöhnten die Protestanten die vermeintliche politische Macht der Katholiken und waren eifrig darum bemüht, auch noch die wenigen verbliebenen Möglichkeiten für eine Behauptung des katholischen Einflusses zu zerstören. Aus diesem Grund übten sie an der toleranten Regierungspraxis König Wilhelms bittere Kritik. Als das irische Parlament zusammentrat, bekräftigte es seine eindeutig protestantischen Ziele durch einen Eid, den man den Mitgliedern beider Häuser vorlegte. Darin wurden der Anspruch des Papsttums, weltliche Herrscher absetzen zu können, und die katholische Abendmahlslehre in Abrede gestellt. Zugleich weigerte sich das Parlament, die zivilrechtlichen Artikel des Vertrags von Limerick anzuerkennen, die Wilhelm seinem Versprechen gemäß dem Parlament vorgelegt hatte. Ein später einberufenes Parlament bestätigte zwar diese Artikel; inzwischen aber waren sie in Form und Inhalt stark verändert worden. Darüber hinaus widersetzte sich das Parlament der Verständigung mit den Katholiken, die ein Grundanliegen des Vertragswerks darstellte, und verabschiedete gegen den Willen des Königs eine Reihe zivilrechtlicher Bestimmungen gegen die irischen Katholiken (penal code), die von Zeit zu Zeit ergänzt und erst im späten 18. Jahrhundert außer Kraft gesetzt wurden.

Diese Zivilgesetze sind mit den fast gleichzeitig in Frankreich erlassenen Gesetzen gegen die Hugenotten verglichen worden, auf die sie möglicherweise Bezug nahmen. Aber gegenüber dem französischen Beispiel weisen sie im Hinblick auf die politischen Umstände und die späteren Folgen große Unterschiede auf. Die irischen Strafgesetze zielten gegen die Religion der Bevölkerungsmehrheit, nicht gegen eine konfessionelle Minderheit; ihr Anlaß war Furcht vor Unterdrückung, nicht so sehr missionarischer Eifer oder autokratisches Uniformitätsstreben; ihr Zweck war Unterdrückung, weniger Bekehrung. Das irische Strafrechtssystem kann im Gegensatz zu den französischen Religionsgesetzen nicht als ein Rechtsinstrument für eine — im strengen Sinn — religiöse Verfolgung gelten, denn eine gezielte Unterdrückung katholischer Gottesdienste gab es nicht. In einer Parlamentsakte von 1703 war die amtliche Registrierung ›papistischer Priester‹ vorgesehen, und obwohl einige Gesetze die Vertreibung katholischer Würdenträger und Mönche ermöglichten, kamen diese Gesetze nicht zur Anwendung. Zwar sollten katholische Gottesdienste geduldet werden, zugleich aber wollte man die Katholiken aller politischen Einflußnahme berauben. Sie wurden aus dem Parlament, dem Heer, der Miliz, der Zivilverwaltung, den Gemeinderäten und aus der Juristenlaufbahn ausgeschlossen. Sie durften ihre Kinder nicht mehr im Ausland erziehen lassen, und viele Protestanten bemühten sich darum, Schulwesen und Erziehung in Irland der Aufsicht der Staatskirche zu unterstellen.

Diese Beschränkungen lasteten in erster Linie auf dem Landadel, und gegen diese Gruppe waren die Strafgesetze auch in Wahrheit gerichtet. Die Bauern und Landarbeiter hielt man nicht für gefährlich, wohl aber die wenigen übriggebliebenen katholischen Landbesitzer. Aus diesem Grund hatte sich das Parlament zum Hauptziel gesetzt, keinen Katholiken in den Besitz von Land, den Schlüssel zu politischer Macht, gelangen zu lassen. Es wurde ihnen verboten, Land in Besitz zu nehmen, das ihnen von einem Protestanten verkauft, vererbt oder geschenkt worden war, und sie durften Pachtverträge nur über eine Laufzeit von 31 Jahren abschließen. Ein katholischer Landbesitzer hatte nicht das Recht, über sein Land testamentarisch zu verfügen. Im Todesfall mußte der gesamte Besitz unter seinen Söhnen aufgeteilt werden. Wenn der älteste Sohn jedoch zum Protestantismus übertrat, war er der Alleinerbe. Wenn der älteste erbberechtigte Sohn schon zu Lebzeiten seines Vaters zum Protestantismus überwechselte, sank der Vater zum Pächter auf Lebenszeit ab, und er besaß dann nicht mehr das Recht, Teile des Besitzes zu veräußern. Heiratete eine protestantische Gutsbesitzerin einen Katholiken, so ging ihr Land in den Besitz des nächstfolgenden protestantischen Erbberechtigten in direkter Erbfolge über. Konvertierte eine katholische Ehefrau, dann entzog sie damit ihrem Mann das Kontrollrecht über ihre Liegenschaften. Auf diese Weise konnten Katholiken ihren Landbesitz nie vergrößern; mit der Zeit mußte er sich stattdessen verringern.

Alle Einzelbestimmungen dieses juristischen Systems wurden nicht zwangsweise vollstreckt, was auch gar nicht möglich gewesen wäre. Kinder von Katholiken wurden des öfteren zur Erziehung ins Ausland geschickt, auch katholische Schulen wurden gegründet. Bischöfe und Ordensgeistliche konnten sich zwar nur heimlich, aber weitgehend gefahrlos in Irland aufhalten. Selbst die gesetzlichen Bestimmungen über die Weitergabe von Land konnte man umgehen, und einige katholische Familien erhielten ihren Landbesitz in vollem Umfang bis zur Aufhebung der repressiven Katholikengesetze im letzten Viertel des 18. Jahrhunderts, wobei ihnen im allgemeinen protestantische Nachbarn oder Freunde halfen. Der Hauptzweck dieser Gesetzgebung wurde jedoch erreicht. Die Katholiken büßten ihren politischen Einfluß rasch ein, die jakobitischen Aufstände von 1715 und 1745 riefen in Irland keine Unruhen hervor, und bis die systematischen Pläne für den Ankauf von Land zu grundlegenden Veränderungen der Sozialstruktur im 19. Jahrhundert führten, blieben die Protestanten mit wenigen Ausnahmen die alleinigen Besitzer des Landes. Dieser Erfolg hatte eine unerwartete Wirkung. Die begabtesten Repräsentanten des katholischen Landadels traten in fremde Dienste. Die in Irland Verbleibenden lebten isoliert. Daher übernahmen zwangsläufig Geistliche die politische Führung, solange es unter den Katholiken keine bürgerliche Mittelschicht gab. Die politische Macht der katholischen Kirche im heutigen Irland läßt sich in direkter Folge auf die Auswirkungen des Besitzrechtssystems im 18. Jahrhundert zurückführen.

Gegenüber den protestantischen Nonkonformisten war das irische Parlament von der gleichen Entschlossenheit beseelt. Es verwarf die Vorschläge Wilhelms III. für eine Toleranzakte, beklagte sich erbittert über die Zahlung des regium donum, die er wieder aufgenommen und erhöht hatte, und brachte es sogar fertig, diese Zuwendungen gegen Ende der Herrschaft von Königin Anna zeitweilig einzustellen. Unter Anna wurde zwangsweise auch ein Eid auf die protestantischen Sakramente eingeführt, wodurch die protestantischen Nonkonformisten wie die Katholiken von allen öffentlichen Ämtern und – was weitaus schwerwiegender für sie war – aus den Gemeinderäten ausgeschlossen wurden. Obwohl nicht das irische Parlament dieses Gesetz eingebracht hatte, übernahm es doch den Sakramentseid und widersetzte sich unablässig allen Bemühungen englischer Whig-Regierungen um die Abschaffung des Eides.

Diese autokratische Politik der Mitglieder der Staatskirche wurde häufig von den Presbyterianern und den mit ihnen verbündeten englischen Whigs als undankbar und unklug verdammt. In Anbetracht der Rolle der Presbyterianer beim Widerstand gegen James II. und im Hinblick auf die Notwendigkeit, alle in Irland lebenden Protestanten zu vereinigen, um eine ausreichende Gegenkraft gegen die katholische Mehrheit zu bilden, mag dieses Verdammungsurteil gerechtfertigt erscheinen. Die Motive der Staatskirchler lassen sich jedoch leicht erklären. Obwohl die Presbyterianer in Ulster nur wenige Gutsbesitzer in den eigenen Reihen hatten, stellten sie eine verhältnismäßig große und straff organisierte konfessionelle Gruppe dar; ihre wirtschaftliche Bedeutung lag im Handel, den sie in einigen Gebieten monopolartig beherrschten. Sie gaben sich keine Mühe, ihre feindselige Haltung gegenüber der Episkopalkirche zu verbergen, und ihre engen Beziehungen zu Schottland hielten das Bewußtsein presbyterianischer Erfolge wach. Bischöfe und Landbesitzer empfanden diese große und feindlich eingesetellte Gruppe als Bedrohung und dachten weitaus stärker in der Kategorie des gegenwärtigen Rivalitätsverhältnisses als in der ehemaliger Eintracht. Vor allem waren die Mitglieder der Staatskirche zu Recht davon überzeugt, daß sich die Presbyterianer ihnen ganz zwangsläufig anschließen würden, falls die Gefahr einer katholischen Vorherrschaft erneut auftauchen sollte, und daß sie in diesem Fall die geltende Rechts- und Besitzordnung selbstverständlich und mit allen Kräften unterstützen würden – auch wenn sie sich in mancher Hinsicht ungerecht behandelt fühlten.

Im Verlauf des 18. Jahrhunderts entwickelte sich eine tolerantere Geisteshaltung. Die Auswirkungen des Sakramentseides wurden dadurch gemildert, daß die Krone in vielen Fällen von einer strafrechtlichen Verfolgung nonkonformistischer Amtsträger absah, und 1780 wurde die Eidespflicht für Presbyterianer aufgehoben, für Katholiken galt sie weiterhin. Zu diesem Zeitpunkt hatte sich die Situation jedoch geändert. Die Furcht vor einer politischen Herrschaft der Katholiken war fast vollständig erloschen, und eine große Anzahl liberaler Presbyterianer verbündete sich mit den politischen Vertretern der Katholiken, um gegen jene Vorrechte vorzugehen, die die Stützen der protestantischen Vorherrschaft bildeten. Diese Allianz war dann auch an der Vorbereitung jener revolutionären Erhebung beteiligt, in deren Folge Irland seine legislative Unabhängigkeit einbüßte.

Die soziale und moralische Erniedrigung der irischen Katholiken und der Ausschluß der protestantischen Nonkonformisten von allen öffentlichen Ämtern stärkte die politische Basis der irischen Staatskirche, die im Verlauf des 18. Jahrhunderts eine so unangefochtene Stellung innehatte wie niemals zuvor seit der Reformation. Dieser Umstand läßt hingegen nicht den Schluß zu, daß die Zahl der Kirchenmitglieder angestiegen wäre. Die Regierung gab sich damit zufrieden, die Rechtsgrundlagen der Kirche zu sichern, ohne dabei die Uniformität mit den nonkonformistischen Gemeinden zu erzwingen, und die Staatskirche bewies nur geringen missionarischen Eifer. Es gab zwar einige katholische Landbesitzer, die unter dem Druck der Rechtsverordnungen zur Staatskirche übertraten, und einige politisch ehrgeizige Presbyterianer konvertierten ebenfalls, aber die Masse der Bevölkerung blieb bei ihrem Glauben. Zu Beginn des Jahrhunderts setzte sich die Kirche energisch für das Recht auf eigene Ratsversammlungen (Konvokationen) und für innere Reformen ein. Die von der Regierung betriebene Personalpolitik, ausschließlich englische Bischöfe mit whigistischer Überzeugung für die einflußreichen Bischofssitze zu nominieren, veränderte jedoch die Lage. Obwohl eine Reihe hoher kirchlicher Würdenträger in ihren politischen Ansichten Tories blieben, setzte sich im allgemeinen die Auffassung durch, daß die Kirche wenig mehr als ein Funktionsglied im Staatsmechanismus sei. Auf Umwegen konnte die Kirche aber noch immer Einfluß auf das Parlament nehmen, wie sich beispielsweise an ihrem Widerstand gegen die Aufhebung des Sakramentseides zeigte.

Das irische Parlament war imstande, die anglikanische Dominante innerhalb der protestantischen Vorherrschaft zu bewahren. Das gelang auch gegen den Druck englischer Whig-Regierungen, da das Parlament seine eigene Bedeutung vergrößert hatte. Im Spätmittelalter waren kaum mehr als vier ›gehorsame Grafschaften‹ repräsentiert. Während des 16. Jahrhunderts vertrat das Parlament ein zunehmend größeres Gebiet, aber die Tagungen verliefen nicht ordnungsgemäß und wurden seltener. Unter Elisabeth wurde es zum Beispiel nur dreimal einberufen, und bei jedem Mal standen nur ganz gewisse Fragen zur Debatte. Der Versuch von Wentworth, das Parlament als ein Instrument der Staatsregierung einzusetzen, sollte nur dem Vorteil der Krone dienen, und diesem Unternehmen war auch keine lange Dauer beschieden. Zu Beginn der Restaurationszeit hatte das irische Parlament Gelegenheit, einen ähnlich starken Machteinfluß zu gewinnen, wie ihn das englische Parlament seit langem besaß, da die Erbvertragssteuer in einem kläglichen Mißverhältnis zu den Ausgaben der Regierung stand. Stattdessen erhöhte das irische Parlament diese Steuer in so großzügiger Weise, daß der König auf weitere Geldbewilligungen verzichten konnte. Im Jahr 1692 hatten die Regierungskosten jedoch wiederum die Steuereinnahmen überschritten, und diesmal erhöhte das Parlament die Erbvertragssteuer nicht, sondern bewilligte nur ›zusätzliche Abgaben‹ für einen befristeten Zeitraum. Unter Königin Anna wurde es üblich, diese Abgaben auf zwei Jahre im voraus zu bewilligen, und aus diesem Grunde mußte das Parlament zumindest alle zwei Jahre einmal einberufen werden. Daher wurde Irland in der praktischen Politik erst nach der Glorreichen Revolution das, was es in der Verfassungstheorie schon seit langem war: eine parlamentarische Monarchie. Somit hatte das irische Parlament nur etwa ein Jahrhundert zur Verfügung, um sich Geltung zu verschaffen. Dabei ist sein rasch erreichter Wirkungsgrad weit stärker hervorzuheben als die oft berufene Korruption und religiöse Überheblichkeit seiner Mitglieder. Im Verlauf des 17. Jahrhunderts war es dem irischen Parlament trotz seiner Abhängigkeit von England gelungen, die Gesetzgebung von sich aus zu steuern, indem es die Titelköpfe erforderlicher Gesetzesanträge (heads of bills) vorlegte; zu Beginn des 18. Jahrhunderts wurde dieses Verfahren zu einem festen Bestandteil der legislativen Praxis. Nur ihrem formalrechtlichen Charakter nach waren diese Titelköpfe keine regulären Gesetzesanträge, sie wurden debattiert und ergänzt. Hatten sie das Parlament passiert, wurden sie zuerst dem Lord-Leutnant und dem Kronrat in Irland zur Bestätigung vorgelegt, darauf König und Kronrat in England und dann wiederum dem irischen Parlament. Diese Verfahrensweise war schwerfällig und vielfach ergebnislos, weil die Titelköpfe entweder in Irland oder in England abgelehnt oder verändert werden konnten. Wurden sie dem Parlament nicht wieder vorgelegt, konnte es nichts dagegen tun; wurden sie in veränderter Form aus England zurückgeschickt, konnte man sie nur bestätigen oder verwerfen.

Dieses Parlament vertrat nach heutiger Auffassung keineswegs alle Einwohner Irlands – nicht einmal die anglikanische Minderheit. Die Wahlgemeinden waren zum Teil ebenso ›verrottet‹ wie in England: Die Gemeinde Clonmines verfügte nur über ein Haus, Harriston war ohne jedes Haus, und Bannow bestand aus einer Düne. Selbst in den wahlberechtigten Gemeinden mit größerer Einwohnerzahl war das Recht, an den Unterhauswahlen teilzunehmen, auf eine kleine Gruppe beschränkt, die von einem ›Patron‹, für gewöhnlich einem Gutsbesitzer aus der Nachbarschaft, unter Kontrolle gehalten wurde. Der Kauf und Verkauf von Unterhaussitzen wurde mindestens in gleichem Umfang wie in England betrieben. Die Wahlen der Grafschaftsvertreter waren zwar häufiger umstritten, entschieden aber wurden sie nur von einzelnen Gutsherren, denn obwohl die Freibauern mit einem jährlichen Mindesteinkommen von 40 Shilling (40 sh.-freeholders) das aktive Wahlrecht besaßen, waren die meisten so vollständig von ihren Grundherren abhängig, daß sie ohne Einschränkungen dem Kandidaten ihre Stimme gaben, der ihnen benannt wurde. Außerdem wurde die ohnehin exklusive Vertretungsfunktion des Parlaments durch die Seltenheit allgemeiner Wahlen noch stärker eingeschränkt. Es gab keine Akte, die nach drei oder sieben Jahren Neuwahlen vorschrieb, und ein einmal gewähltes Parlament mußte erst nach dem Tod eines Herrschers aufgelöst werden. So fanden beispielsweise unter Georg I. und Georg II. keine Unterhauswahlen statt.

In mancher Hinsicht ähnelte das irische Parlament dem englischen; es gab allerdings einen grundlegenden Unterschied zwischen den Verfassungen dieser beiden Königreiche. In Irland wurde die Exekutivgewalt mit dem Lord-Leutnant an der Spitze von England eingesetzt. Das Parlament mochte die politischen Entscheidungen des Lord-Leutnant annehmen oder ablehnen, es konnte ihn jedenfalls nicht aus seinem Amt entfernen, da er von dem Kronrat in England vorgeschlagen und vom König ernannt wurde. Während der ersten Hälfte des 18. Jahrhunderts hielt sich der Lord-Leutnant gewöhnlich in England auf und kam nur alle zwei Jahre nach Irland, um während der Parlamentstagung anwesend zu sein. Diese Besuche dauerten jeweils etwa sechs Monate und dienten fast ausnahmslos der Überwachung und Beeinflussung des Parlaments, denn die Hauptaufgabe des Lord-Leutnant bestand darin, eine möglichst große Anzahl von Regierungsanhängern auf seiner Seite zu sammeln, die ihn gegen Angriffe der Opposition abschirmen und dafür sorgen mußten, daß die erforderlichen Gesetze, vor allem die Haushaltsgesetze, vom Parlament verabschiedet wurden. Dabei war es unmöglich, die Parteigruppierungen im voraus abzuschätzen, denn seit dem Ausschluß der Rekusanten im 17. Jahrhundert hatten sich die starren politischen Fronten aufgelöst. Zum einen gab es im Unterhaus eine geschlossene Gruppe von Amtsträgern, auf die sich die Regierung im allgemeinen verlassen konnte, zum anderen eine ebenso geschlossene Gruppe von Unzufriedenen – ›die ewige, verdrießliche Opposition‹, wie sie von einem Zeitgenossen genannt wurde – und schließlich eine lose Vereinigung von Landjunkern (country gentlemen), die fast ausnahmslos Grafschaftsabgeordnete waren und gewöhnlich aus Pflichtgefühl oder in der Hoffnung auf anderweitiges Entgegenkommen für die Regierung stimmten. Am treffendsten läßt sich das irische Parlament mit einer schottischen Hochlandarmee vergleichen, die sich aus einzelnen, jeweils von einem Oberhaupt geführten Familienverbänden und ihren Gefolgsleuten zusammensetzte. Die rivalisierenden Ziele und ständig neu formierten Bündnisse solcher Gruppen spiegeln die Grundstruktur des irischen Parlaments.

Es war daher mit unendlichen Mühen verbunden, aus dieser Vielfalt gegensätzlicher Interessengruppen regierungsfreundliche Mehrheitsverhältnisse zu bilden, und diese Aufgabe schloß langwierige Unterhandlungen mit jedem politischen Patron ein, der Einfluß auf das Parlament ausübte oder möglicherweise ausüben konnte. Auf einen konstanten Faktor konnte sich allerdings jeder Lord-Leutnant verlassen; das war der gesellschaftliche Egoismus der Abgeordneten, deren regierungsfreundliche Haltung gewöhnlich durch Adelstitel, Ämter und Staatspensionen für sie selber und durch Ämter in der Zivil-, Militär- oder Kirchenverwaltung für ihre Verwandten erkauft werden mußte. Eine auf solche Weise zustandegekommene Mehrheit neigte naturgemäß zur Aufsplitterung, und während der Legislaturperioden war daher jeder Lord-Leutnant in einen fast ununterbrochenen Kampf verwickelt, um seine Anhänger gegeneinander auszuspielen und dadurch auf seiner Seite zu halten.

Die Stellvertreter der Krone waren außerdem einer anderen und ernsteren Gefahr ausgesetzt, die sie ebensowenig im voraus abwenden konnten. Sowohl im Parlament als auch in der politisch bewußten Öffentlichkeit bestand eine patriotische Tradition, die über irischen Interessen als Gegensatz zu den englischen Interessen der Regierung wachte. Wenn eine politische Maßnahme als für Irland nachteilig ausgelegt wurde, so konnte die Reaktion der Öffentlichkeit zu Demonstrationen in Dublin und einer Flut von Beschwerdeschreiben der Obersten Geschworenengerichte und der Gemeinderäte des ganzen Landes führen. Trotz der Selbstsucht seiner Mitglieder und trotz seiner mangelhaften Repräsentanz wurde das Unterhaus gelegentlich sehr hellhörig, wenn Protest laut wurde. Daraus konnte unvorhergesehen eine rasch um sich greifende Oppositionsbewegung entstehen, die auch die Anhänger der Regierung mit sich riß, bis selbst die Abgeordneten, die über die Kronpatronage in das Unterhaus gelangt waren und daher dem Lord-Leutnant außerordentlich verpflichtet waren, zögerten und sich dem Volkswillen beugten. Aber diese spontane Opposition besaß noch weniger inneren Zusammenhalt als die gekaufte Mehrheit für die Regierung. Der Lord-Leutnant brauchte nur die Beruhigung der aufgebrachten Öffentlichkeit abzuwarten und seine Anhängerschaft erneut zu sammeln, um dann auf gewohnte Weise seine Regierung zu führen: Das irische Unterhaus konnte dem Kabinett gelegentlich eine Niederlage bereiten, absetzen konnten es die Bevollmächtigten der Krone jedoch nicht.

Wirtschaftliche und soziale Grundprobleme

Während des 18. Jahrhunderts erlebte Irland einen so anhaltenden inneren Frieden wie noch nie zuvor. Auf dem Land brachen zwar immer wieder Unruhen aus, die sich zeitweise bedrohlich ausdehnten, aber im allgemeinen gilt für den Zeitraum vom Vertrag von Limerick bis zum Aufstand von 1798, daß die bestehende politisch-soziale Ordnung keiner ernsthaften Gefährdung ihrer Grundlagen ausgesetzt war. Trotzdem kam es im Verlauf dieser Friedensphase zu keinem Anwachsen des allgemeinen Wohlstands. In allen Reiseberichten aus dieser Zeit wird auf den Kapitalmangel, das Fehlen gut bezahlter Arbeitsplätze, die vielen Bettler in den Städten und auf die magere Kost und erbärmliche Behausung der Masse der Landbevölkerung hingewiesen. Während des letzten Viertels dieses Jahrhunderts trat eine gewisse Verbesserung der Lebensverhältnisse ein, aber selbst dann schnitt Irland im Vergleich zu England sehr schlecht ab.

Dieser Umstand erfordert einige Erklärungen. Irland war ein fruchtbares Land, und während der Restaurationszeit hatte es beträchtliche wirtschaftliche Fortschritte erzielt. Infolge der Glorreichen Revolution stellte sich zwangsläufig ein Stillstand, wenn nicht sogar ein gewisser Rückschritt ein, nachdem alle Wirtschaftszweige in einen Auflösungsprozeß geraten waren. Daher ist die Folgerung um so naheliegender, daß das Ende des Krieges eigentlich einen fortschreitenden Aufschwung der Wirtschaft hätte einleiten müssen. Daß diese Entwicklung nicht eintrat, ist von fast allen Historikern der restriktiven Handelspolitik Englands zugeschrieben worden, die zu schweren Verlusten der irischen Wirtschaft, insbesondere der damals äußerst ertragreichen Wollmanufaktur, führte. Eine 1699 vom englischen Parlament verabschiedete Akte verbot die Ausfuhr von irischen Wollerzeugnissen – außer nach England, wo die irischen Wollwaren ohnehin auf Grund der sehr hohen Einfuhrzölle buchstäblich alle Marktchancen verloren hatten. Das war ein Schlag, den die irische Wollmanufaktur nicht lange überlebte. Das Motiv für die eindeutige Zielsetzung dieser Akte ist zu einem Teil in wirtschaftlichem Konkurrenzneid zu finden, da die englischen Hersteller über die Konkurrenz der Iren auf den kontinentalen Absatzmärkten beunruhigt waren; zu einem anderen Teil resultierte diese Maßnahme aus der Furcht vor einem wirtschaftlich blühenden Irland, das in der Lage gewesen wäre, der englischen Krone Steuergelder einzubringen, die vom englischen Parlament nicht kontrolliert werden konnten. Die protestantische Herrenschicht war verständlicherweise verärgert über diesen neuerlichen Rechtsanspruch des englischen Parlaments, Irland in den Geltungsbereich der englischen Gesetzgebung mit einzubeziehen. Die Beschränkung des Wollhandels wurde daher auch zu einer ihrer Hauptklagen gegenüber England, die sie unter Berufung auf verfassungsrechtliche wie wirtschaftliche Gründe immer wieder vorbrachte. Zum Teil erklärt sich daraus die übertriebene Einschätzung der wirtschaftlichen Folgen dieser Akte, denn selbst auf dem Höhepunkt der Wollausfuhr war der Anteil von Wollerzeugnissen am gesamten Exportvolumen ziemlich klein; und irische Hersteller deckten nur einen Bruchteil des eigenen Binnenmarkts. Andererseits dehnte sich dieser Wirtschaftszweig aus und hatte englische Weber und englisches Kapital nach Irland gezogen, so daß sein Stillstand weitere Unternehmungen blockierte. Wenn Irland vermutlich auch nie ein wichtiges Industrieland geworden wäre, so hätte doch die

Wollverarbeitung die gesamte Wirtschaftslage erheblich verbessert.

Zum Ausgleich für die Ausfuhrbeschränkungen irischer Wollwaren fand sich das englische Parlament bereit, die Leinenmanufaktur zu unterstützen, die keine englischen Handelsinteressen berührte. Mit Hilfe jener Hugenotten, die zu Tausenden nach Irland ausgewandert waren, wurden tatsächlich gewisse Anstrengungen auf diesem Gebiet unternommen, die anfangs jedoch nur langsame Fortschritte erkennen ließen. Aber das irische Parlament setzte sich sehr energisch für die Unterstützung der Leinenmanufaktur ein, und England konzedierte sogar Präferenzzölle bei der Einfuhr irischen Leinens nach England und den Kolonien. Gegen 1725 nahm Leinen unter den irischen Ausfuhrgütern den zweiten Platz nach den Nahrungsmitteln ein und umfaßte fast ein Drittel des gesamten Exportaufkommens. Doch obwohl Leinenmanufakturen auch in anderen Gegenden der Insel eingerichtet wurden, hatten sie sich hauptsächlich im Norden festgesetzt, so daß nur einige Landstriche von den wirtschaftlichen und sozialen Vorteilen der Leinenweberei profitierten. Eine Verbesserung der Wirtschaftslage auf nationaler Ebene hätte nur durch die uneingeschränkte Entwicklung der Wollverarbeitung erreicht werden können.

Wenn die Handelsbeschränkungen auch nicht direkt an der Armut in Irland schuld waren, so trugen sie doch zur Verschlechterung der ärmlichen Lebensverhältnisse bei, denn die Bevölkerung wuchs ständig, und die Handelsgesetze verstärkten die Abhängigkeit der Volkswirtschaft Irlands von der Landwirtschaft. Statistische Angaben für diesen Zeitraum lassen sich zwar nur schätzen, aber es gilt als ziemlich sicher, daß die Bevölkerungszahl zu Beginn des 18. Jahrhunderts unter der 2-Millionen-Grenze lag; um 1750 betrug sie zweieinhalb Millionen und gegen Ende des Jahrhunderts vier Millionen. (Das sind die bisher gültigen Schätzungen. Neuere Forschungsergebnisse lassen vermuten, daß diese Zahlen zu niedrig sind und rechnen mit höheren Werten: über 2 500 000 zu Beginn des Jahrhunderts, über 3 000 000 um 1750 und und über 4 750 000 um 1800. Vgl. K. H. Connell, The population of Ireland, 1750–1845, Oxford 1950, s. 25; Anm. d. Verf.). Fest steht, daß die wachsende Bevölkerung in Irland – selbst auf einer ausschließlich landwirtschaftlichen Grundlage – mehr als ausreichende Lebensbedingungen gehabt hätte, wenn das Land intensiv bebaut worden wäre. Aber die allgemein üblichen Anbaumethoden blieben weit hinter denen von England zurück, und die sozialen und wirtschaftlichen Voraussetzungen waren ebenso derart ungünstig, daß keine Fortschritte zu erzielen waren. Hier lagen die tieferen Gründe für wirtschaftliche Stagnation und Armut. Viele Gutsherren, vor allem die Großgrundbesitzer, lebten außerhalb Irlands; entweder weil ihre Hauptbesitzungen in England lagen, oder weil sie als gebürtige Engländer an Irland nicht interessiert waren und London und Bath Dublin oder dem Landleben in Irland vorzogen. Ob sie nun in Irland oder in England lebten, machte kaum einen Unterschied, denn die meisten irischen Landbesitzer gaben sich damit zufrieden, möglichst hohe Pachteinkünfte zu erzielen und keine oder nur geringfügige Gegenleistungen zu erbringen. Unter ihnen gab es natürlich auch einige Gutsbesitzer, die sich um Verbesserungen bemühten, und 1731 schlossen sich die fortschrittlicheren Agrarreformer in der ›Dublin Society‹, der heutigen ›Royal Dublin Society‹, zusammen. Von dieser Gesellschaft wurden neue Anbaumethoden erprobt, bessere Geräte entwickelt, Prämien für die Aufforstung vergeben, und ganz allgemein gingen von ihr maßgebliche Anregungen für eine ertragreichere Landbestellung aus. Wenn diese Reformtätigkeit auch außerordentlich nutzbringend war, so konnten die wenigsten irischen Pachtbauern davon profitieren, weil sie zu arm und ihre Pachtverträge allzu leicht kündbar waren.

Armut und Abhängigkeit der Landpächter waren das Grundübel der Wirtschaftsverfassung. Diese miteinander verflochtenen Probleme hatten ihre gemeinsame Wurzel in einem immer größeren Druck auf den Grund und Boden, weil Land fast die einzige Existenzgrundlage bot. Diesem Druck waren selbst die Gutsbesitzer in gewisser Weise ausgesetzt. Indem sie weite Flächen ihres Landes auf der Grundlage langfristiger Verträge und verhältnismäßig niedriger Zinsen verpachteten, waren sie in der Lage, ohne große Mühen regelmäßige Einkünfte zu beziehen. Die Zwischenpächter, sogenannte ›Mittelsmänner‹, die diese Pachtverträge mit den Grundherren schlossen, hätten ihr Geld vermutlich im Handel angelegt, wenn sie in England gelebt hätten. In Irland spekulierten sie jedoch mit der Landpacht, indem sie Pachtland auf der Grundlage kurzfristiger Verträge und höherer Zinsen weitergaben. Häufig erhielt der kleine Landpächter seinen Vertrag erst dann, wenn das vom Grundherrn freigegebene Land unter einer Kette von Zwischenpächtern mehrfach unterteilt worden war. Sein Pachtvertrag galt dann in den allermeisten Fällen nur für 31 Jahre; manchmal wurde überhaupt kein Vertrag geschlossen, und die Pacht endete nach einem Jahr. Der Pachtzins war übermäßig hoch, denn bei den Unterteilungen schlug jeder der beteiligten Zwischenpächter seinen Profit auf die Zinsen drauf. Infolgedessen war der kleine Pächter fast immer vollständig mittellos, und von seinem Grundherrn konnte er keine Hilfe erwarten. Wenn er den Nutzwert seines gepachteten Landes durch eigene Arbeitsleistungen erhöhte, so mußte er bei der Erneuerung des Pachtvertrages mit einer Heraufsetzung des Zinses rechnen. Außerdem konnte der Zwischenpächter von sich aus den Pachtvertrag zugunsten eines anderen Pachtbauern lösen, ohne daß er den Vorgänger entschädigen mußte. So erbärmlich diese Bedingungen auch waren; weil Pachtland nur schwer zu erhalten war, boten die Pächter von sich aus die höchsten Zinszahlungen an, um überhaupt existieren zu können.

Diese Verhältnisse verschlechterten sich dadurch, daß der Ackerbau immer stärker zurückging. Der Export von Nahrungsmitteln, besonders von Rindfleisch, und die illegale Ausfuhr von Wolle nach Frankreich waren besonders gewinnbringend und drängten den Ackerbau zugunsten der Weidewirtschaft derart zurück, daß viele zeitgenössische Beobachter Besorgnis empfanden. Bischof Berkeley fragte beispielsweise in seinem ›Querist‹, einer Reihe sozialkritischer Fragen, die 1735 veröffentlicht wurden: ›Führt nicht das Überhandnehmen der Schafzucht zum Ruin eines Landes?‹ Die gleiche Furcht wurde von Swift und vielen anderen Schriftstellern geteilt, aber der Rückgang des Ackerbaus wurde erst gegen Ende des Jahrhunderts aufgehalten, nachdem das Parlament eingegriffen und der steigende Getreideimport Englands eine Umstellung der Agrarstruktur bewirkt hatte. Der ständige Bevölkerungszuwachs machte jedoch alle Bemühungen um Agrarreformen zwecklos, so daß es weiterhin an Pachtland mangelte. Selbst der Rückgang des Zwischenpächter-Systems brachte keine Erleichterung. Zwar gingen die Gutsbesitzer dazu über, ihre Anwesen von Verwaltern beaufsichtigen zu lassen, aber die Pachtzinsen stiegen höher als je zuvor, und auch die Pachtbedingungen ließen keine Verbesserung der kleinbäuerlichen Lebensverhältnisse erkennen.

Die auf Kosten der Feldwirtschaft fortschreitende Ausbreitung der Weidewirtschaft hatte zur Folge, daß das Pachtland immer mehr unterteilt werden mußte, um die wachsende Bevölkerung zu ernähren. Trotz der später einsetzenden Rückkehr zum Getreideanbau hielt der Prozeß der Landunterteilung so lange an, bis ein Großteil der Pächter zu Tagelöhnern abgesunken war, die ihr Existenzminimum mit Hilfe der wenigen Hektar Land, die sie zu überhöhtem Zins in Pacht hatten, gerade noch sichern konnten. Diese Massenverarmung ist als ›Leibeigenschaft‹ beschrieben worden, ›die auf Geldwertbasis und Wettbewerb beruht‹. Arbeit und Pachtzins waren voneinander abhängig, aber in Geldnot berechnete Faktoren. Da Pachtland knapp war, Arbeitskräfte hingegen im Überfluß zur Verfügung standen, hatte sich das Wechselverhältnis von Angebot und Nachfrage sehr zu ungunsten der Pächter verlagert, die manchmal einen Teil des Pachtzinses bar entrichten mußten. Da ihr Pachtland so klein war, konnten nur wenige Tagelöhner ihre schmackhaftesten Erzeugnisse selber verzehren. Butter, Eier, Schweine und Geflügel mußten verkauft werden, und die Familie lebte von Kartoffeln und Buttermilch. Wenn keine Mißernten zu verzeichnen waren, dann gab es wenigstens genügend Kartoffeln, und Arthur Young, der während der siebziger Jahre des 18. Jahrhunderts Irland bereiste, war der Meinung, daß sich der irische Tagelöhner zumindest in dieser Hinsicht besser stand als der englische Landarbeiter. Die Aussicht auf ausreichende Ernährung und die Hoffnungslosigkeit im Hinblick auf eine bessere Zukunft hatten Frühehen und Kinderreichtum zur Folge. Diese Bevölkerungsexplosion konnte nur mit Hilfe des Kartoffelanbaus einigermaßen aufgefangen werden, da keine andere Feldfrucht im Verhältnis zu dem von ihr beanspruchten Boden so ertragreiche Ernten lieferte. (Arthur Young berechnete, daß man die landwirtschaftliche Nutzfläche vervierfachen müßte, um die gleiche Bevölkerung auf der Grundlage von Weizen zu ernähren, Anm d. Verf.). Aber das knapp ausreichende Pachtland ließ keine Vorratswirtschaft zu, und eine einzige Mißernte reichte aus, einen Großteil der Bevölkerung mit dem Hungertod zu bedrohen. Von 1727 bis 1729 war überall im Westen und Südwesten ein akuter Lebensmittelmangel aufgetreten, und in den Jahren 1740 und 1741 herrschte eine Hungersnot, die sehr viele Opfer forderte, aber wohl kaum 400 000 Menschen das Leben kostete, wie einige Zeitgenossen annahmen. Die Sterblichkeitsquote war ohnehin hoch, und fieberhafte Erkrankungen traten immer wieder auf, weil die Lebensbedingungen der Kleinbauern so erbärmlich waren, daß man sie in diesem Jahrhundert nicht einmal mit den Verhältnissen in England oder Frankreich vergleichen kann. Die ärmsten Pächter lebten in Lehmhütten, die kaum regensicher waren; vor der Tür lag die Senkgrube, und den einzigen Raum ihrer Behausung mußte die halbnackte Familie mit ihrer Kuh, dem Schwein und den Hühnern teilen. Selbst die etwas reicheren Pächter lebten unter ähnlichen sanitären Bedingungen, so daß man sich nicht zu wundern brauchte, wenn Epidemien schnell ausbrachen und dabei weite Teile des Landes erfaßten.

In Nordirland war die Stellung des Pachtbauern etwas besser als in allen anderen Gegenden. Hier konnte er sich auf seinen Pachtvertrag verlassen und sein Land ertragreicher bebauen, weil ihn der sogenannte ›Brauch von Ulster‹ (Ulster custom) vor einseitiger Kündigung der Pacht und ungerechtfertigter Zinserhöhung schützte; außerdem konnte er seinen Rechtsanspruch verkaufen, wenn er seinen Hof verließ. Dieser Brauch war nicht rechtsverbindlich, aber seine Einhaltung wurde in der Öffentlichkeit so nachdrücklich verfochten, daß es nur wenige Grundherren wagten, sich über diese ungeschriebenen Gesetze hinwegzusetzen; ganz abgesehen davon, daß sie im allgemeinen ebenso davon profitierten wie ihre Pächter. Die Pachtzinsen wurden in Ulster regelmäßiger als im übrigen Irland bezahlt, und das verkäufliche Pachtrecht eines Bauern diente seinem Gutsherrn als Kaution, wenn die Zinszahlungen nicht geleistet wurden.

Auch die Leinenmanufakturen begünstigten den Norden Irlands. Sie förderten den Geldumlauf, und viele Kleinbauern und Tagelöhner nutzten die Leinenweberei als eine zusätzliche Erwerbsquelle, die ihre Abhängigkeit vom Land lockerte. Doch obwohl im Norden günstigere Lebensverhältnisse herrschten als im übrigen Irland, war die Bevölkerung weder zufrieden noch reich, und von hier aus wanderten während der 50 Jahre vor dem amerikanischen Unabhängigkeitskrieg viele Iren nach Nordamerika aus. Diese Auswanderer aus Ulster, fast ausnahmslos Presbyterianer, verließen ihre Heimat mit einem Gefühl der Verbitterung gegenüber der Regierung, und ihrem Einfluß ist die ideelle und emotionale Vorbereitung auf die Unabhängigkeit der nordamerikanischen Kolonien von England in großem Umfang zuzuschreiben.

Die umsichgreifende Kriminalität auf dem Lande war eine zwangsläufige Folge der ärmlichen Lebensverhältnisse und unsicheren Rechtsstellung der meisten Bauern. Ungesetzliche Maßnahmen der Landbevölkerung wurden aber erst in der zweiten Jahrhunderthälfte zu einer ernsten Gefahr. Das entscheidende Jahr war 1759, als die englischen Einfuhrbeschränkungen für irisches Vieh aufgehoben wurden. Die bisher nur allmählich fortschreitende Ausbreitung der Weidewirtschaft geriet von diesem Jahr an in einen Beschleunigungsprozeß, der dadurch in Fluß gehalten wurde, daß einige Jahre später die Restriktionen der irischen Nahrungsausfuhr ebenfalls fortfielen. Pächter wurden gekündigt, ganze Dörfer verschwanden, und das Gemeindeland (Allmende) wurde von den Gutsherren eingezäunt. Aus diesen sozialen Verhältnissen erwuchs die ›Whiteboys‹-Bewegung (benannt nach den großen weißen Tüchern, mit denen sich die Bauern bei ihren nächtlichen Überfällen verkleideten, Anm. d. Übers.), die sich zuerst gegen die Einzäunungen richtete und bald dazu überging, sich für die Not der rechtlosen Pachtbauern an den Grundherren zu rächen. Begonnen hatte diese Bewegung in Tipperary; von dort aus breitete sie sich in vielen Gegenden von Munster und Leinster aus. Ihre Machtposition auf dem Land war gelegentlich in Frage gestellt, sie wurde aber trotz harter Gegenmaßnahmen der Regierung und der Magistrate niemals vollständig zerstört, und die Gewohnheit der Pächter, ihre Notlage mit Mord und Verstümmelung zu vergelten, reichte bis ins 19. Jahrhundert. Der Norden Irlands blieb auf Grund der bevorzugten Lage der Bauern von diesen bedrohlichen und langanhaltenden Unruhen verschont. Die ›Oakboys‹, die in Mittelulster und die ›Steelboys‹ (oder auch ›Herzen aus Stahl‹ genannt), die in der Grafschaft Antrim auftraten, nahmen sich lokaler Beschwerden an, und ihre Verbände lösten sich wieder auf, wenn ihr Eingreifen nicht mehr nötig war.

Im Irland des 18. Jahrhunderts neigten viele Zeitgenossen zu der Auffassung, die ›Whiteboys‹ seien für eine ausländische Verschwörung tätig; diese Vermutung entbehrt jedoch aller Wahrscheinlichkeit, und noch unwahrscheinlicher ist die Annahme, daß die Landbevölkerung der Südprovinzen überhaupt auf politische Hilfegesuche reagiert hätte. An der Westküste bestanden nach wie vor

Verbindungen zu Frankreich, und hier wurden noch immer Rekruten für die französischen Heere gemustert. In den Liedern der gälischen Barden lebte sogar die jakobitische Tradition noch einmal auf, aber die Bauern verhielten sich politisch völlig passiv. Daher ist auch dem Umstand, daß Irisch in vielen Gegenden Landessprache war, zu diesem Zeitpunkt nur eine geringe Bedeutung beizumessen, denn das literarische Erbe der altirischen Sprach- und Kulturtradition war an den alten Adel gebunden, der fast vollständig untergegangen war. Mit ihm war auch die Vehemenz des gälischen Nationalismus gebrochen worden, der sich selbst um 1900 kaum wiederbeleben ließ, als verzweifelte Anstrengungen unternommen wurden, die Unabhängigkeit Irlands durchzusetzen.

Die Armut Irlands, die sich jedem zeitgenössischen Reisenden deutlich genug darbot, ließ jedoch einige Zukunftsaussichten offen. Trotz der Restriktionen und wirtschaftlichen Schwierigkeiten entwickelte sich der irische Handel während der ersten Jahrhunderthälfte ziemlich stetig und nahm seit etwa 1760 einen rapiden Aufschwung. Die Bevölkerung in den Städten wuchs, ihre wirtschaftliche Bedeutung nahm zu, es wurden neue Straßen gebaut, und der Wertindex des ländlichen Eigentums stieg. Von diesem Reichtum profitierten aber fast ausschließlich die Gutsbesitzer und Kaufleute. Zudem lebten so viele Landbesitzer außerhalb Irlands, daß der dadurch entstehende jährliche Kapitalverlust eine ansonsten günstige Wirtschaftsbilanz sehr negativ beeinflußte. Der als Folgeerscheinung auftretende permanente Kapitalmangel war eine der Hauptursachen für die veralteten landwirtschaftlichen Anbaumethoden. Seit 1780 zeichneten sich zwar gewisse Fortschritte ab, da mehr Landbesitzer als bisher in Irland lebten und der zur Hauptsache aus Juristen und Kaufleuten zusammengesetzte Mittelstand an Reichtum und politischem Einfluß zunahm; die wirtschaftlich-sozialen Grundübel wurden jedoch nicht angetastet. Die sich nunmehr explosionsartig vermehrende Bevölkerung war noch immer auf die Landwirtschaft angewiesen, und der extreme Reichtum einer elitären Gruppe reichte gerade aus, um Kredite vorzustrecken und die Sicherheitsvorkehrungen der Regierung zu finanzieren.

Der Kapitalmangel war in gewisser Hinsicht für die auf dem Land wohnenden Gutsherren von Vorteil, denn Arbeitskräfte und Nahrungsmittel waren billig, und so konnten sie Scharen von Bediensteten einstellen und üppige Feste feiern. Besucher aus England zeigten sich von der Verschwendungssucht und dem unzivilisierten Verhalten dieser Gutsbesitzer stark beeindruckt. Besonders der niedere Landadel neigte zum unmäßigen Alkoholgenuß und zur Gewalttätigkeit, was die außerordentlich häufigen Duelle bewiesen. Andererseits zeigen die beeindruckenden Herrensitze, die während dieser Zeit gebaut wurden und heute noch in vielen Landesteilen anzutreffen sind, daß die Gutsbesitzer des 18. Jahrhunderts ästhetisches Empfinden mit großzügiger Lebensweise verbanden. Das architektonische Schönheitsideal dieser Zeit läßt sich auch in einigen Landstädten nachweisen, in Dublin aber ist es am reinsten verwirklicht worden, und daher verdankt diese Stadt ihre städtebaulichen Reize fast ausnahmslos den Amtsgebäuden, Stadthäusern und vornehmen Plätzen des 18. Jahrhunderts. Dublin nahm unter den britischen Städten den zweiten Rang nach London ein und konnte sich durchaus mit jeder kleineren europäischen Hauptstadt messen: nicht nur in Bezug auf die Architektur, sondern auch im Hinblick auf das gesellschaftliche Leben.

Diese anglo-irische Zivilisation litt unter der Anziehungskraft Englands, und Irland büßte durch die Abwesenheit seiner geistreichsten Köpfe ebensoviel ein, wie durch die Abwesenheit der vielen Landbesitzer, wofür Burke, Goldsmith und Sheridan die wohl berühmtesten Zeugen dieses Jahrhunderts sind. Swift und Berkeley blieben in Irland, und wenn Swift auch keine andere Wahl hatte, so versuchten doch beide ihrem Land – zumindest auf literarischem Wege – dienstbar zu sein. Während des ganzen 18. Jahrhunderts wies Irland ein eigenständiges Geistesleben auf, wovon Wissenschaft und Literatur zeugen. Dublin stellte schon allein im Hinblick auf das Trinity College das bedeutsamste Zentrum dieser intellektuellen Aktivität dar, die aber auch in einigen Provinzstädten – vor allem in Belfast – Verbreitung fand. In einer Hinsicht konnte Irland jeden Vergleich aufnehmen: Die Rhetorik der irischen Unterhausabgeordneten unterschied sich zwar ihrem Wesen nach von derjenigen britischer Parlamentarier, ihre kunstvolle Beherrschung verstand man aber genau so gut in Irland – auch im Zeitalter von Pitt und Fox.

In dieser Epoche gab es selbst unter den geistvollsten Zeitgenossen nur wenige Iren, die sich der kaum ausreichenden Tragfähigkeit ihrer gesellschaftlichen Grundlagen bewußt waren. Die Auswirkungen der wirtschaftlichen Benachteiligung Irlands waren hingegen allen bekannt, und es war nur allzu verständlich, daß sie jenen Zwangsmaßnahmen zugeschrieben wurden, die vom englischen Parlament verabschiedet worden waren. Die Forderung nach legislativer Unabhängigkeit war daher seit der Regierung Wilhelms III. zusammen mit der Anklage vorgebracht worden, daß das wirtschaftliche Wachstum Irlands durch die Kontrollfunktion Englands unterbunden werde.

Der Sieg im Verfassungsstreit

Die unzufriedene und verärgerte Stimmung der Protestanten machte sich vor allem im Parlament Luft. Wenn auch das irische Parlament als Repräsentativorgan zahlreiche Mängel aufwies, so galt es doch immer als eine legitime politische Bühne, von der aus irische Rechtsansprüche verfochten werden konnten. Seit der Glorreichen Revolution hatte es mit gelegentlichen Unterbrechungen für die Durchsetzung zweier Ziele gekämpft: erstens um das Recht auf eine autonome nationale Gesetzgebung und zweitens um die Anerkennung des Prinzips, daß Finanzierungsvorlagen nicht in England ausgearbeitet werden, sondern in der Form von Gesetzestiteln (head of bills) vom irischen Unterhaus verabschiedet werden sollten. Das Ziel der legislativen Unabhängigkeit war von William Molyneux in seinem Buch ›Die Abhängigkeit Irlands von den Gesetzen des Parlaments in England‹ (Dublin 1968) in exemplarischer Weise dargelegt und begründet worden. Das englische Unterhaus hatte diese Schrift daraufhin sofort als eine ›vorschnelle und schädliche Behauptung‹ verdammt. Die irischen Ansprüche wurden jedoch auch weiterhin vorgebracht, so daß sie das englische Parlament unter Georg I. endgültig auszuräumen suchte, indem es in einer Grundsatzerklärung die eigenen Rechtsbefugnisse — nämlich ›Gesetze und Statuten mit verbindlicher Rechtsgültigkeit für das Königreich Irland und seine Einwohner zu erlassen‹ — noch einmal hervorhob. Dieses Statut, bekannt als ›6. George I.‹, übertrug auch die Appellationsgerichtsbarkeit des irischen Oberhauses an das englische Oberhaus. Desgleichen entzündete sich gegen 1690 ein langwieriger Streit über die Frage der Haushaltsverteilung, und dieser Disput zog sich noch etwa 60 bis 70 Jahre hin.

Wenngleich es dem Lord-Leutnant gewöhnlich gelang, mit Hilfe der oben beschriebenen Patronage eine regierungsfreundliche Mehrheit im Unterhaus zu sichern, so wurden die damit verbundenen Verhandlungen erschwert, wenn irische Verfassungsrechte oder die nationale Wohlfahrt auf dem Spiele standen, denn in diesen Fällen setzten sich viele Abgeordnete für die Wahrung irischer Interessen ein und wurden dabei von der politisch informierten Öffentlichkeit lebhaft unterstützt. Ein Modellfall ist der von 1723 bis 1725 anhaltende Streit um ›Wood's halfpence‹, der beispielhaft verdeutlicht, in welche Schwierigkeiten die irische Regierung geraten konnte, wenn sie eine Benachteiligung Irlands hinnahm.

Das Land besaß zu wenig Kupferwährung, und daher wurde William Wood aus Wolverhampton das Prägerecht von halben Pennies und Farthings übertragen. In Irland empörte man sich sofort und lautstark über die Hintergründe dieses Auftrages (einer ehemaligen Mätresse

Georgs I., der Herzogin von Kendal, war das Münzprivileg zusätzlich zu ihrer aus irischen Mitteln finanzierten Staatspension verliehen worden, Anm. d. Übers.); vor allem wehrte man sich gegen die große Menge und schlechte Qualität der Kupfermünzen. Da die Öffentlichkeit erregt war, zog die einmal begonnene Auseinandersetzung größere Kreise. Swift untersuchte folglich in seinen ›Briefen eines Tuchhändlers‹ die Grundlagen der anglo-irischen Beziehungen und wandte sich mit Vehemenz gegen die Annahme, daß sich ›die Iren durch eine Art Knechtschaft oder Unfreiheit von den Engländern unterscheiden‹. Diese bedrohliche Erregung hatte auch das Parlament erfaßt. Im Unterhaus fand die Regierung nicht einen Abgeordneten, der sich gegen die Beantragung eines Untersuchungsausschusses ausgesprochen hätte, und selbst die fügsamsten Amtsträger der Krone bemühten sich in ihrer Eigenschaft als Unterhausabgeordnete nur um einen gemäßigteren Wortlaut in den Stellungnahmen beider Häuser gegen die Verleihung des Münzprivilegs, die sie dem König vorlegten. Die Regierung mußte schließlich nachgeben. Der amtierende Lord-Leutnant wurde abberufen, und sein Nachfolger verkündete, daß der Auftrag an Wood zurückgezogen worden sei. So schnell die öffentliche Anteilnahme an dieser konstitutionellen Auseinandersetzung um sich gegriffen hatte, so rasch ging sie zurück. Die Regierung vergaß jedoch nicht, ihre Lehren aus dieser Niederlage zu ziehen, und im Verlauf des folgenden Jahrzehnts praktizierte sie eine strengere Kontrolle der Abgeordneten. Der Lord-Leutnant trat bei der Bildung einer regierungsfreundlichen Unterhausmehrheit in den Hintergrund und überließ diese Aufgabe zwei oder drei führenden Parlamentariern. Diese ›Unternehmer‹ (undertakers) garantierten die reibungslose Verabschiedung von Regierungsvorlagen, insbesondere von Haushaltsbeschlüssen, im Parlament. Dafür wurden sie mit beträchtlichen Mitteln aus der Kronpatronage (Ämtern, Adelsbriefen, Unterhaussitzen) entlohnt. Dieses System schränkte die Machtposition und das politische Prestige des Lord-Leutnants ein, aber es garantierte ungestörte Sitzungen des Parlaments während seines sechsmonatigen Aufenthaltes in Irland. Im Hinblick auf Irland hatte diese Praxis den Vorteil, wenigstens einige Iren in den Genuß der Kronpatronage zu bringen, da es ansonsten üblich war, ausschließlich Engländer mit den höchsten irischen Verwaltungsämtern zu betrauen. Andererseits erschwerte die permanente Beeinflussung des Unterhauses die Bildung einer patriotischen Opposition. Dennoch überdauerte das nationale Denken, wenn es auch erst dann Erfolge für sich buchen konnte, als das korrupte System der parlamentarischen Unternehmer allmählich einging.

Sie waren eigentlich nur für die Zustimmung des Unterhauses zu den Regierungsvorlagen verantwortlich und daher mit der Werbung einzelner Abgeordneter betraut worden. Sehr bald aber verfolgten sie von ihrer Machtbasis im Parlament aus eigene Interessen, die nicht immer mit den Wünschen und Vorstellungen der Regierung übereinstimmten. ›Der Lord-Leutnant‹, schreibt James Caulfeild, Graf von Charlemont, politischer Freund von Flood und Grattan sowie Befehlshaber der irischen Freiwilligenverbände, über die Unternehmer, ›befand sich völlig in in ihrer Hand und konnte ohne Einwilligung keine Person begünstigen.‹ Jeder Versuch der Regierung, andere Berater als sie heranzuziehen, hätte die Androhung eines Aufstandes zur Folge gehabt. In gewisser Hinsicht ähnelte diese Situation den Zuständen unter den frühen Tudor-Königen, als nämlich anglo-irische Adlige die Regierung im Namen des Königs führten und auf diese Weise nahezu unabhängig herrschen konnten. Im 16. Jahrhundert bestand die einzig mögliche Alternative zur Herrschaft Kildares in der Einsetzung eines englischen Vizekönigs, der allerdings auf die Unterstützung eines englischen Heeres angewiesen war. Im 18. Jahrhundert konnte ein Lord-Leutnant nur dann die Mächtigen in dem bestehenden System überwinden, wenn er ständig in Irland residierte und von England jede nur denkbare Amtshilfe erhielt. Diese Lösung hätte jedoch von englischer Seite eine energische und kontinuierliche Irlandpolitik erfordert, wie sie in dieser Zeit aber kein Kabinett zustandebrachte.

Einen gewissen Einblick in die Wesensmerkmale des politischen Lebens in Irland erhält man, wenn man beispielsweise den Verlauf einer Auseinandersetzung verfolgt, die um 1750 vom Unterhaus ausgelöst worden war. Es verfocht nämlich den Rechtsanspruch, über den Überschuß des irischen Steueraufkommens frei verfügen zu können. Die englische Regierung lehnte einen derartigen Anspruch ab und vertrat die Ansicht, daß dieses Recht nur der Krone zustünde. Die Erregung, die diesen Disput begleitete und sowohl das Parlament wie die Öffentlichkeit erfaßte, war ebenso groß wie die über die Kupfergeld-Affäre; in einer Hinsicht war sie sogar noch gefährlicher, denn die parlamentarischen Unternehmer hatten sich gegen den Lord-Leutnant gestellt, vertraten den Volkswillen und sorgten dafür, daß die Regierung im Unterhaus eine Niederlage erlitt. Dieser Ablauf der Ereignisse bewies, wie leicht es war, den Landadel und die Masse der Stadtbevölkerung in Dublin zu ›patriotischen‹ oder zumindest englandfeindlichen Meinungsäußerungen zu bewegen; zum anderen zeigte aber gerade ihre gemeinsame Agitation, wie sehr es Irland an politischen Führern mangelte, die in der Lage gewesen wären, die Empörung der Iren in eine konstruktive Oppositionsbewegung umzuwandeln. Die parlamentarischen Unternehmer hatten nämlich aus weitgehend egoistischen Motiven gehandelt. Sie waren davon überzeugt, daß George Stone, der Primas von Irland, ihren Einfluß mit Hilfe politischer Intrigen zu verringern suchte, und daher kam es ihnen darauf an, dem Lord-Leutnant deutlich vor Augen zu führen, wie unersetzlich ihre Tätigkeit für eine friedliche Abwicklung der Regierungsgeschäfte sei. Hierin erreichten sie einen Teilerfolg. Henry Boyle, ihr mächtigster Vertreter und Sprecher des Unterhauses, wurde mit Hilfe eines Grafentitels und einer Staatspension umgestimmt; bei vielen anderen wurde das gleiche Mittel erfolgreich angewandt. Die überraschend auf sich gestellten Patrioten fanden keine anderen Führer, um sich zu organisieren, und waren daher gezwungen, ihrem Unwillen durch Anschuldigungen Ausdruck zu verleihen. Die Dubliner Massen, die Boyle einst im Triumphzug vom Parlament zu seinem Haus geleitet hatten, verbrannten nun mit der gleichen Begeisterung sein Bild.

Die Enttäuschung der städtischen Bevölkerung war gerechtfertigt, aber die einmal propagierten verfassungsrechtlichen Forderungen wurden nicht vergessen. Lord Charlemont meinte dazu, daß die Iren ›gelernt hätten, für Irland eine Verfassung zu fordern, oder die bestehende Verfassung in Frage zu stellen‹. Innerhalb von zehn Jahren war die politische Öffentlichkeit ausreichend informiert, und mit Hilfe besserer und vor allem selbstloser Führer erhielt die nationale Interessenvertretung den inneren Zusammenhalt einer patriotischen Partei. Charles Lucas, der ›Wilkes von Irland‹ (John Wilkes, 1727–1797, Herausgeber des ›North Briton‹ und politischer Führer einer radikalen außerparlamentarischen Oppositionsgruppe in England, Anm. d. Übers.), wurde 1761 als Abgeordneter für Dublin ins Unterhaus gewählt, nachdem er lange und heftig gegen die Korruption in den Verwaltungsämtern agitiert hatte. Henry Flood, jünger und begabter als Lucas, war schon 1759 ins Unterhaus eingetreten. Die Ziele, für die sich diese Männer und ihre Anhänger einsetzten, waren in erster Linie ein unabhängiger Rechtsstatus der Richter, die Verabschiedung einer Habeas Corpus Akte, die Aufstellung einer nationalen Miliz und häufigere Unterhauswahlen. Ihr Wunsch, für Irland jene konstitutionellen Vorrechte zu erringen, die England seit langem besaß, ist typisch für ihre politische Grundhaltung. Sie waren zwar fest entschlossen, die irischen Verfassungsrechte zu erweitern, aber an die Möglichkeit einer Trennung vom Mutterland dachten sie nicht. Stolz auf ihre englische Abstammung, betrachteten sie England und Irland als blutsverwandte Monarchien, die durch eine einzige Krone zusammengehalten wurden und Anspruch auf gleiche Rechte hatten. So wie sich 1642 der Bund von Kilkenny auf die Magna Charta berufen hatte, so beriefen sie sich auf die traditionellen Rechte englischer Bürger. ›Bin ich in England ein freier Mann‹, fragte Swift, ›und werde dennoch innerhalb von sechs Stunden zum Sklaven, wenn ich nur die Irische See überquere?‹ Das nachdrückliche Beharren auf der Verbindung mit England war ein wesentliches Merkmal des protestantischen Nationalismus; der Protestantismus war nicht weniger kennzeichnend. Viele patriotische Politiker waren erbitterte Gegner der von Katholiken vorgebrachten Rechtsansprüche, und selbst jene Reformer, die die Rechtsstellung der Katholiken verbessern wollten, waren zugleich entschlossen, die politische Vorherrschaft der Protestanten aufrecht zu erhalten. ›Ich bin ein Freund der Katholiken‹, schreibt Grattan in seiner Antwort auf eine Anfrage des Stadtrats von Dublin, ›ich setze mich für ihre Freiheit ein – aber nur insoweit, als ihre Freiheit mit Eurer Vorherrschaft übereinstimmt und nur zusätzlich zur Stärkung und Befreiung der protestantischen Bevölkerung‹.

Die schließlich erzielten Erfolge der patriotischen Partei beruhten zum Teil auf einem Wechsel der englischen Irlandpolitik. Zu Beginn der Herrschaft Georgs III. beschloß die britische Regierung, die unbeschränkte Macht der Patrone dadurch zu brechen, daß sie einen ständig in Dublin residierenden Lord-Leutnant berief, der die irische Verwaltung unter Kontrolle halten sollte. Es war jedoch nicht leicht, hierfür einen geeigneten Mann zu finden. 1767 wurde dann schließlich Lord Townshend ernannt, der ohne Unterbrechung bis 1772 in Irland blieb. Zu diesem Zeitpunkt hatte er sein Ziel erreicht, und von nun an war der Lord-Leutnant selbst der fraglos einflußreichste Verwalter der Kronpatronage und griff daher direkt in die personelle Zusammensetzung des Unterhauses ein. Die Patrioten wurden durch Townshends Maßnahmen in einer Hinsicht besonders begünstigt, denn er hatte die Forderung nach häufigeren Unterhauswahlen unterstützt: einerseits, um seine Popularität zu steigern, andererseits, um den Einfluß der großen Patrone zu veringern. Daraufhin wurde die ›Oktennial-Akte‹ von 1768 verabschiedet, und die Patrioten konnten infolge der allerdings begrenzten Öffnung der Wahlkreise ihre Anhängerschaft vergrößern. Die endgültige Entmachtung der einstigen Patrone führte allerdings zu einem weitaus bedeutenderen Ergebnis. Der Lord-Leutnant geriet nun unmittelbar in alle politischen Auseinandersetzungen, und als der oberste Repräsentant sowohl des Königs als auch der britischen Regierung symbolisierte er jene Abhängigkeit Irlands, gegen die sich die Patrioten so entschieden auflehnten. Die irische Regierung hatte zunehmende Schwierigkeiten, eine Parteigruppe gegen die andere auszuspielen, und mit der Zeit wurde sie zu einer entscheidenden Machtprobe gezwungen, bei der alle unzufriedenen Bevölkerungsteile auf Seiten der Patrioten standen.

Der Sieg Townshends über die ehemaligen Verwalter königlicher Macht erfolgte zu einem Zeitpunkt, als die Probleme der irischen Regierung zunahmen. Infolge der für den Siebenjährigen Krieg aufgewendeten Finanzhilfe waren die Staatsschulden auf eine noch nie erreichte Höhe gestiegen, was nicht nur die Kritik der Bevölkerung hervorrief, sondern auch die Absicherung regulärer und ausreichend finanzierter Haushaltsgesetze dringender als je zuvor verlangte. Der Verfassungsstreit zwischen England und Amerika erschwerte die Verständigung, denn die Iren richteten zwangsläufig ihre Blicke auf ein Land, mit dessen Bevölkerung sie so enge familiäre Kontakte hatten, und sie konnten sich nicht der Einsicht verschließen, daß die aufgeworfenen verfassungsrechtlichen Fragen in gleichem Umfang auch ihr Land betrafen. Eine Dubliner Zeitung drückte diesen Zusammenhang folgendermaßen aus: ›Das britische Parlament könnte mit derselben Rechtsvollmacht, die es in Anspruch nimmt, die Amerikaner zu besteuern, auch Irland dem Steuerzwang unterwerfen, und zwar ohne Zustimmung und ohne Mitwirkung des irischen Parlaments.‹ Es dauerte jedoch noch einige Zeit, bis die Patrioten den Präzedenzfall Amerika propagandistisch auswerteten. Noch im Jahr 1775, nachdem der Krieg bereits ausgebrochen war, nahm Flood das Amt des Vize-Schatzmeisters an in der Meinung, die reine Oppositionspolitik sei unfruchtbar und er könne Irland mehr Vorteile verschaffen, wenn er zur Regierung gehöre. Die Patrioten setzten ihre Politik dennoch fort. Ihr neuer Führer war Henry Grattan, der 1775 ins Unterhaus gewählt worden war und dank seiner rhetorischen Begabung sofort großen politischen Einfluß erlangte.

Die weitere Entwicklung in Irland vollzog sich zugunsten der Opposition. Die Störungen im Außenhandel und die Preissteigerung infolge des Krieges führten zu Bankrotterklärungen, wirtschaftlicher Not und Arbeitslosigkeit. Die Patrioten führten die Mißstände auf das Ausfuhrverbot der Regierung für Nahrungsmittel zurück, obwohl gerade dieser Wirtschaftszweig (der vor allem die britischen Streitkräfte versorgte) eine noch nie dagewesene Höhe erreicht hatte. Ob die Propaganda der Patrioten nun richtig oder falsch war, spielte keine größe Rolle; wichtig war vielmehr, daß im Verlauf der Auseinandersetzungen eine heftige Verbitterung gegenüber England um sich griff, daß sich die Aufmerksamkeit auf die Handelsbeschränkungen konzentrierte, und daß nahezu generell nach ›Freihandel‹ verlangt wurde. Auf diese Weise wurden die konstitutionellen Ansprüche Irlands mit den wirtschaftlichen Beschwerden in engen Zusammenhang gebracht, und das sehr wache politische Interesse der Iren bestand fort. Eine energische Regierung hätte auch diese Entwicklung noch kontrollieren können, aber Lord Buckinghamshire, der amtierende Lord-Leutnant, war politischen Krisen nicht gewachsen, obwohl er in keiner Weise einem ›nervösen Narren‹ entsprach, wie Froude (englischer Historiker des 19. Jahrhunderts, Anm. d. Übers.) ihn nannte. Zudem erhielt Buckinghamshire nur unzureichende Rückendeckung von Lord North, dem englischen Premierminister, der selber kaum noch Herr der innen- und außenpolitischen Lage Englands war. Der Kriegseintritt Frankreichs und die damit verbundene Invasionsgefahr deckten die absolute Hilflosigkeit der Regierung in Dublin vollständig auf: Die meisten militärischen Einheiten waren abgezogen worden; obgleich eine ›Milizakte‹ verabschiedet worden war, besaß die Regierung keine ausreichenden Finanzmittel, um Milizeinheiten auszurüsten oder zu besolden; Seeräuber machten die Küsten unsicher, und selbst die Nachrichtenverbindungen nach England waren gefährdet. Es war einleuchtend, daß die Iren auf sich selber angewiesen wären, sollten die Franzosen wirklich kommen, und in dieser Zwangslage entstand die ›Freiwilligen-Bewegung‹ (volunteer movement).

Zu Beginn des Jahres 1778 trat in Belfast ihre erste einsatzbereite Kompanie zusammen. Gegen Ende des Jahres hatte man diesem Beispiel in ganz Irland Folge geleistet, und somit entstand statt einer Miliz unter Regierungskontrolle ein nationales Freiwilligenheer, das sich ausschließlich aus Protestanten zusammensetzte. Diese Freiwilligen waren zum größten Teil Kaufleute, kleinere Händler und vermögende Bauern, die von Offizieren aus dem Landadel befehligt wurden. Nach Grattans Worten stellten sie den ›unter Waffen stehenden Besitz der Nation‹ dar. Die Regierung konnte sie weder auflösen noch anders gegen sie vorgehen. Die Freiwilligen fühlten sich zwar ausschließlich ihren eigenen Ausschüssen und Vollversammlungen gegenüber verantwortlich; dennoch erwiesen sie dem Parlament große Hochachtung, und die patriotische Opposition entdeckte in ihnen bald die Verbündeten und die Initiatoren einfallsreicher Unternehmungen.

Die Invasion der Franzosen blieb aus, und vielleicht ist die rasche Politisierung der Freiwilligen zum Teil darauf zurückzuführen, daß sie niemals kämpfen mußten. Von Anfang an hatten sie an Handelsfragen besonders starken Anteil genommen. Ihre Uniformen bestanden nur aus irischem Tuch. Ihre Ausschüsse verabschiedeten Resolutionen und brachten Toasts aus zugunsten des ›Freihandels für Irland‹. Als das Parlament im Herbst des Jahres 1779 zusammentrat, gaben sie ihren Vorstellungen deutlichen Ausdruck. Zu dem Zeitpunkt, als das Unterhaus die Forderung nach Freihandel stellte und ein Haushaltsgesetz verabschiedete, das nur auf ein halbes Jahr befristet war, hielten die Freiwilligen in Dublin eine große Parade ab — bezeichnenderweise aus Anlaß des Geburtstages Wilhelms III., des Helden der Protestanten, und versahen ihre Messingkanone mit einem Plakat, das die Aufschrift ›Freihandel — oder‹ trug. Derart heftige Angriffe, begleitet von den militärischen Niederlagen der Engländer in Nordamerika und der Unsicherheit der Tories in England, zwangen Lord North zum Nachgeben, und entsprechend wurden im britischen Parlament Akten verabschiedet, die die meisten gesetzlichen Beschränkungen des irischen Handels aufhoben.

Das war ein außerordentlicher Erfolg, der jedoch unsicher, ja sogar gefährlich war, weil er einerseits einer augenblicklichen Schwäche der englischen Regierung und andererseits der Hilfe der Freiwilligenverbände zu verdanken war. Es konnte ja der Fall eintreten, daß die Regierung ihre Machtlosigkeit überwinden und das englische Parlament jene Handelsbeschränkungen erneuern würde, die es jetzt aufgehoben hatte. Es war leicht gewesen, die Verärgerung der Freiwilligen in die richtigen Bahnen zu lenken; aber würden sie sich auch weiterhin politisch leiten lassen? Im Augenblick zählte für die Patrioten nur die erste Frage. Lord North hatte davon gesprochen, daß die Handelskonzessionen von neuem erörtert werden sollten oder könnten, und daher wurde in Irland nachdrücklich darauf hingewiesen, daß nur die Durchsetzung der legislativen Unabhängigkeit des irischen Parlaments eine Garantie für die endgültige und dauerhafte Absicherung der Handelsgesetze ermöglichen könne. Aber eine darauf abzielende Resolution, die zu Beginn des Jahres 1780 von Grattan im Unterhaus eingebracht worden war, wurde mit großer Mehrheit abgelehnt, da die Aufregung des vergangenen Jahres abgeklungen und es dem Lord-Leutnant gelungen war, die Mehrheit der Abgeordneten auf der Seite der Regierungspartei zu versammeln. Im folgenden Jahr scheiterte der Versuch, eine Abänderung von ›Poynings' Law‹ herbeizuführen, obgleich Flood, der sich wieder der

Opposition angeschlossen hatte, die Patrioten unterstützte. Auf Grund dieser Niederlagen wandten sich ihre Führer an die Freiwilligen. Im Februar 1782 fand eine Delegiertenversammlung der Freiwilligenverbände von Ulster in Dungannon statt, die eine Reihe politischer Erklärungen verabschiedete, deren Urheber Grattan, Flood und Charlemont waren: Von besonderem Gewicht waren jene Resolutionen, welche das unanfechtbare Recht des irischen Parlaments bestätigten, für Irland geltende Gesetze zu verabschieden, und welche die von dem englischen und irischen Kronrat in Anspruch genommenen Vollmachten für ›verfassungsfeindlich und ärgerniserregend‹ erklärten.

Diese politische Grundsatzerklärung war wegen der dahinterstehenden bewaffneten Macht von großer Bedeutung, aber die Erfüllung der einzelnen Forderungen ist gleichermaßen einem Regierungswechsel in England zuzuschreiben. Im März 1782 trat Lord North zurück, und Lord Rockingham übernahm mit einem Whig-Ministerium die Führung. Obwohl die Whigs den Ansprüchen Irlands positiv gegenüberstanden und obwohl einige der neuen Minister freundschaftliche Beziehungen zu den Führern der Patrioten unterhielten, war es dennoch zweifelhaft, ob sie allen Punkten der Erklärung von Dungannon zugestimmt hätten, wenn ihnen für Verhandlungen überhaupt Zeit gelassen worden wäre. Irland aber wartete auf Entscheidungen, die jegliche Verzögerung von vornherein verboten.

Noch vor Ablauf eines Monats nach der Regierungsübernahme der Whigs und schon zwei Tage nach der Ankunft des neuen Lord-Leutnants der Whigs in Dublin trat das irische Parlament zusammen, und Grattan brachte im Unterhaus eine Adresse an den König ein, die einer Unabhängigkeitserklärung gleichkam und ohne Gegenstimmen verabschiedet wurde.

Mag die englische Regierung vorher noch in gewisser Weise gezögert haben, nun gab sie vollständig nach, und innerhalb kurzer Frist verabschiedeten das englische wie das irische Parlament eine Reihe von Akten, die das verfassungsrechtliche Verhältnis der beiden Königreiche neu begründeten. Mit der Aufhebung der Deklarationsakte ›6. George I.‹ gab das englische Parlament seinen Anspruch auf, Irland in die eigene Gesetzgebung einzuschließen. Eine irische Parlamentsakte (bekannt als ›Yelvertons Akte‹) veränderte ›Poynings' Law‹ einschneidend. Zukünftig waren der Lord-Leutnant und der irische Kronrat dazu verpflichtet, nur jene Gesetzesanträge ohne eigenmächtige Veränderungen nach England weiterzuleiten, die vom irischen Parlament eingereicht worden waren. Aber dem englischen König und seinem Kabinett waren nicht alle Handhaben genommen; obgleich sie keinen Gesetzesantrag mehr im Wortlaut verändern oder Ergänzungen hinzufügen durften, konnten sie die Anträge nach wie vor in vollem Umfang ablehnen. In der politischen Praxis wurde dieses Vetorecht jedoch immer seltener in Anspruch genommen. Weitere Gesetze führten einen autonomen Rechtsstatus der irischen Gerichtshöfe und eine gesicherte Amtsstellung der Richter herbei. In ihrer Gesamtheit ergaben die Gesetze die häufig so genannte ›Verfassung von 1782‹. Im Gegensatz beispielsweise zur englischen Verfassung waren diese konstitutionellen Rechte weder im Zuge einer allmählichen Entwicklung aufgestellt und durchgesetzt worden, noch entsprachen sie — wie beispielsweise in Amerika — einem geschlossenen Regierungssystem, das in einem einzigen Rechtsinstrument, der Verfassungsurkunde, niedergelegt ist. Die neugewonnenen Rechte des irischen Parlaments waren in der praktischen Politik weniger umfassend als in der Verfassungstheorie, und der aus diesem Gegensatz resultierende Konfliktstoff entzündete sich im Verlauf des achtzehnjährigen Bestehens des unabhängigen Parlaments.

›Grattans Parlament‹ und die legislative Union

Es hat sich eingebürgert, die Periode zwischen 1782 und 1800 als die Zeit von ›Grattans Parlament‹ zu bezeichnen, und wenn auch fraglos viele andere Personen dazu beigetragen hatten, die Unabhängigkeit des irischen Parlamentes durchzusetzen, so ist diese besondere Ehrung für Henry Grattan sicherlich gerechtfertigt. Er verkörperte einige der besten Züge der anglo-irischen Tradition; allerdings war er auch nicht ganz frei von ihren typischen Fehlern. Er hatte die patriotische Oppostionsgruppe während jener schweren Jahre geführt, die der Bildung der Freiwilligen vorangingen. Ihm war auch zu verdanken, daß die irische Regierung die volle Wucht des politischen Druckes zu spüren bekam, den die Freiwilligenverbände ausübten; er hatte den Patrioten im Parlament zum Sieg verholfen und begrüßte nun die neue Ära parlamentarischer Unabhängigkeit in einer seiner berühmtesten Reden: ›Ich fand Irland gedemütigt vor und wachte über dem Land mit väterlicher Sorge; ich habe seinen Gang von der Unfreiheit bis hin zur Aufnahme der Waffen und zur Freiheit verfolgt. (...) Irland ist jetzt eine Nation. In dieser neuen Eigenschaft begrüße ich sie, und indem ich mich vor ihrer achtunggebietenden Würde verbeuge, rufe ich ihr zu: ›Esto perpetua!‹

Mit dem Anbruch der neuen Ära trat eine rasche Verbesserung der wirtschaftlichen Lage ein. Die Aufhebung der Handelsbeschränkungen im Jahr 1779 hatte sich nicht sofort günstig ausgewirkt, aber während der nächsten Jahre machten sich ihre positiven Folgen immer deutlicher bemerkbar. Bestehende Wirtschaftsunternehmen vergrößerten sich, und die Wollverarbeitung, die gegen Ende des 17. Jahrhunderts fast vollständig zugrunde gegangen war, erholte sich nun sehr schnell, obgleich Wollwaren nur in geringem Umfang exportiert wurden. Ganz zwangsläufig wurde den Iren allmählich der innere Zusammenhang zwischen der Unabhängigkeit ihres Parlaments und einem volkswirtschaftlichen Aufschwung bewußt, und das Parlament unternahm tatsächlich große Anstrengungen, um den Handel, die Manufakturbetriebe und vor allem die Landwirtschaft zu unterstützen, von der der nationale Reichtum Irlands immer abhängen muß. Eine 1784 verabschiedete Parlamentsakte (›Fosters Getreide-Akte‹) bewirkte die entscheidende Wende in dem langanhaltenden Konflikt zwischen Weide- und Feldwirtschaft. Mit Hilfe eines Prämiensystems wurde der Anbau von Getreide gefördert und immer mehr Weideland unter den Pflug gebracht. Irland zog auch insofern wirtschaftlichen Nutzen aus der Unabhängigkeit seines Parlaments, als dessen erhöhte Bedeutung viele Iren, die bisher außerhalb Irlands gelebt hatten, dazu veranlaßte, sich länger im Land aufzuhalten und dabei mehr Geld auszugeben. Davon profitierte in erster Linie Dublin, das nun den Höhepunkt seines Glanzes und Ansehens als Hauptstadt erreichte. Auch die Landstädte erlebten einen Abglanz dieser Bereicherung und Verschönerung, und alle Reisenden dieser Zeit äußerten sich über die vielen Zeichen steigenden Reichtums.

So offenkundig dieser Reichtum auch der Wirklichkeit entsprach, die Lage der Bauern verbesserte sich dadurch keineswegs. Sie hatten noch immer unter Wucherzinsen und unsicheren Pachtverträgen zu leiden; sie hatten kaum Aussichten und keine Hilfe, wenn sie Kapital erwerben wollten, um die Erträge ihres Pachtlandes zu vergrößern. Aus der Begünstigung des Getreideanbaus zogen in erster Linie die Grundherren Vorteile. Viele von ihnen hatten mittlerweile das System der Zwischenpächter aufgegeben und waren dazu übergegangen, ihre Besitzungen selber zu beaufsichtigen oder Verwalter einzusetzen. Davon hatten die Pächter und Tagelöhner nur geringen Nutzen, und wie bisher lebten sie so, daß sie gerade sich und ihre Familie ernähren konnten. Die Ausweitung des Ackerbaus hatte wenigstens zur Folge, daß eine größere Anzahl von Pachthöfen zur Verfügung stand, weil mehr Land bebaut wurde, und der höhere Profit beim Getreideanbau sowohl Zinszahlungen an den Grundherrn als auch die Existenz eines Pächters auf noch weniger Pachtland ermöglichte. Daher griff die Praxis der Landunterteilung immer stärker um sich und erreichte einen Höhepunkt, nachdem der Krieg mit Frankreich eine Preissteigerung der landwirtschaftlichen Erzeugnisse bewirkt hatte. Zur gleichen Zeit stiegen auch die Bevölkerungszahlen steil an, was möglicherweise auf die weit fortgeschrittene Unterteilung des Pachtlandes zurückzuführen ist, die frühe Eheschließungen erleichterte. Aber dieses Abhängigkeitsverhältnis von Geburtenüberschuß und Landverknappung erreichte im 19. Jahrhundert ein Ausmaß, das zum Verhängnis führte.

Wie schon in vergangenen Jahrzehnten schlugen Armut und Verzweiflung unter den Landbewohnern in Gewalttaten um. In Munster tauchten die ›Whiteboys‹ wieder auf, und im Norden führte der noch immer beträchtliche Mangel an Pachtland zu Streitigkeiten zwischen Katholiken und Protestanten. Trotz dieser bedrohlichen Anzeichen schenkten die Politiker dem sozialen Problem der Bauern nur wenig Aufmerksamkeit. Englische und irische Interessenvertreter, Reformer wie Konservative, widmeten sich fast ausnahmslos konstitutionellen Fragen. Ihr Interesse galt weit mehr den Rechtsansprüchen Irlands als dem Wohlergehen der Masse der Bevölkerung. Ohne schwerwiegende Konsequenzen konnte man jedoch die bestehenden Probleme innerhalb der Agrarverfassung nicht übersehen, und die verhängnisvolle Schwäche des protestantischen Herrschaftssystems, die sich während jener kritischen Jahre von 1792 bis 1800 ganz deutlich zeigte, war die notwendige Folge sowohl sozialer und wirtschaftlicher als auch politischer Konflikte.

Trotz der überschwenglichen Freude über die ›Verfassung von 1782‹ war die Lage in Irland weder zufriedenstellend noch krisensicher. Unter den irischen Politikern bestand keine verbindliche Einmütigkeit. Viele hatten sich mehr oder weniger widerstrebend von der Woge nationalistischen Eifers mitreißen lassen und die Forderung nach legislativer Unabhängigkeit nur deswegen unterstützt, weil sie eingesehen hatten, daß Widerstand zwecklos war, und weil sie sich ebenfalls zu den Siegern zählen wollten. Selbst unter den Patrioten bestanden große Meinungsverschiedenheiten, die allerdings ganz verständlich waren; gefährlich wurde die Situation aber erst durch den persönlichen Ehrgeiz von Flood. Seit seinem Übertritt zur Oppositionsgruppe 1779 hatte er hartnäckige Anstrengungen unternommen, seine ehemalige Führungsposition zurückzugewinnen. Aus diesem Grund überschritt er auch mit seinen Forderungen die von Grattan empfohlenen. Flood war mit den Konzessionen der britischen Regierung von 1782 nicht zufrieden und behauptete, daß die gerade errungene Freiheit des irischen Parlaments nicht gesichert sei, daß die Widerrufung der Deklarationsakte ›6. George I.‹ nicht ausreiche und daß die formlose Aufhebung dieser Akte nicht das bisher vom britischen Parlament vertretene und übergeordnete Prinzip, Gesetze für Irland zu verabschieden, einschränke. Er stellte daher die Forderung auf, daß das britische Parlament ausdrücklich jeden Anspruch auf legislative Abhängigkeit Irlands widerrufen solle. Floods Argumente entbehrten nicht einer gewissen juristischen Rechtfertigung, dafür aber verhielt er sich politisch instinktlos, indem er die verfassungsrechtliche Auseinandersetzung auf die Spitze trieb. Obgleich seine Forderung erfüllt wurde, änderte sich an der einmal zugesicherten Freiheit Irlands auch durch die ›Widerrufungs-Akte‹ von 1783 nichts.

Ernsthaftere und länger anhaltende Meinungsverschiedenheiten brachen unter den Patrioten allerdings bezüglich der Parlamentsreform aus. Auch bei dieser Frage übertrumpfte Flood die Ziele und Aktionen, die Grattan vorgeschlagen hatte. Grattan hatte die Hoffnung geäußert, daß die Freiwilligen das Parlament sich selber überlassen würden, nachdem die legislative Freiheit dank ihrer Hilfe von nun an gewährleistet sei. Im Gegensatz dazu gehörte Flood zu den eifrigsten Befürwortern einer Verlängerung der politischen Aktivität der Freiwilligen, bis das Parlament selber reformiert war. 1783 ersuchte er das Unterhaus um Zustimmung für die Einbringung eines Reformgesetzes, das von einer gerade in Dublin tagenden Versammlung der Freiwilligen nachdrücklich unterstützt wurde. Aber die Mehrheit der Abgeordneten war nicht geneigt, ihre Vorrechte mit einer noch so repräsentativen Delegation der Freiwilligen zu teilen und verweigerte die Zustimmung mit der Begründung, daß man sich ansonsten außerparlamentarischem Zwang beugen würde. Diese Argumentation war logisch, aber die ablehnende Haltung ging mindestens ebenso von selbstsüchtigen Motiven aus, denn jene Abgeordneten, die als Amtsträger der Krone ins Unterhaus gelangt waren, und die allmächtigen Patrone der Wahlgemeinden brachten der Parlamentsreform verständlicherweise keine Aufgeschlossenheit entgegen. Die politische Einflußnahme der Freiwilligen ging jedenfalls infolge ihres Scheiterns im Unterhaus und der Zersplitterung in den eigenen Reihen sehr rasch zurück, und die Forderungen nach einer Parlaments- und Wahlrechtsreform verschwanden für rund acht Jahre hinter den Kulissen der politischen Bühne Irlands.

Die sehr lebhafte Diskussion um die Parlamentsreform hatte zwangsläufig die Frage einer Beteiligung der katholischen Bevölkerung an den verfassungsmäßigen Rechten erneut aufgeworfen. Die dabei sofort zutage tretende Verhärtung der Ansichten kennzeichnet einen der schwerwiegendsten Mängel der Verfassung von 1782: Es gelang nicht, das Problem rechtlicher Beziehungen zwischen der anglikanischen Minderheit und der katholischen Mehrheit zu lösen. Vielmehr war diese Verfassung von Protestanten für die Fortführung ihrer Vorherrschaft in Irland inauguriert worden. Die Zivilgesetze gegen die Katholiken, die im Verlauf des 18. Jahrhunderts immer nachsichtiger gehandhabt wurden, hatte man zwar bis 1782 weitgehend aufgehoben, aber die politische Diskriminierung der Katholiken blieb bestehen: Sie besaßen weder das passive noch das aktive Wahlrecht. Allerdings wurde es auch immer schwieriger, diese Benachteiligung aufrechtzuerhalten, da eine ständig anwachsende Gruppe von Protestanten die Aufhebung der Rechtsungleichheit forderte und viele Katholiken, die die Zeit der rechtlichen Verfolgungen überstanden hatten – vor allem jedoch der inzwischen selbstbewußter denkende Mittelstand –, damit begonnen hatten, an der politischen Entwicklung in Irland aktiv teilzunehmen. Obwohl die Katholiken von den Verbänden der Freiwilligen ausgeschlossen waren, hatten viele diese Bewegung finanziell unterstützt und waren begeistert über ihre Erfolge. Die Freiwilligen hatten sich zwar für die Aufhebung der Beschränkungen für die Messe und das Schulwesen eingesetzt; über die Frage der politischen Rechte erzielten sie jedoch keine Einigkeit. Flood lehnte Konzessionen ab, Grattan trat für sie ein, aber er bekannte sich wiederholt zur Aufrechterhaltung einer protestantischen Vormachtstellung. Tatsächlich bestand für diese Vorherrschaft kaum eine Gefahr, solange das Parlament die Landbesitzer und ihr Eigentum repräsentierte. Die Meinungsverschiedenheiten wegen dieser Streitfrage unter den Freiwilligen führten unter anderem zum Rückgang ihres politischen Einflusses. Dennoch blieb das Problem der politisch-rechtlichen Benachteiligung der Katholiken virulent, und ihre wachsende Unzufriedenheit wurde als ein Ferment der sozialen Umgestaltung von radikaler denkenden und handelnden Führern der Iren in Anspruch genommen.

Die Verfassung von 1782 versagte nicht nur im Hinblick auf die Rechtsstellung der Katholiken; auch die wichtigste Zielsetzung des Verfassungswerkes — die grundlegende Regelung der Beziehungen zu England — wurde nur unvollkommen erreicht, da man sich über die fundamentalen Zusammenhänge der verfassungsrechtlichen Probleme nicht ganz im klaren war. Weder Grattan noch Flood scheinen die wichtige Unterscheidung zwischen Exekutive und Legislative verstanden zu haben. Sie wandten alle Kräfte auf, die legislative Unabhängigkeit des irischen Parlaments durchzusetzen, waren aber offensichtlich damit einverstanden, die vollziehende Gewalt einer Regierung zu überlassen, die vom Parlament nur indirekt und so gut wie gar nicht kontrolliert werden konnte. Wie bisher wurde Irland auch nach 1782 von einem Lord-Leutnant regiert, der etwa die gleichen Kompetenzen innehatte wie ein Premierminister in England. Er wurde vom britischen Kabinett vorgeschlagen, vom König ernannt und war daher in erster Linie dem Kabinett verantwortlich. Trotz der gestiegenen verfassungsrechtlichen Bedeutung des irischen Unterhauses behielten die Stellvertreter der Krone die Praxis bei, Abgeordnete durch Ämterpatronage oder Bestechung zu beeinflussen und damit das Unterhaus unter Kontrolle zu halten, wobei sie bei der Abwicklung routinemäßiger Regierungsvorlagen auf eine breite Mehrheit der Regierungsanhänger mit Amtsstellungen (placemen) und der Staatspensionäre zählen konnten. Aber die Existenz zweier formalrechtlich unabhängiger Legislativorgane unter einer Krone barg Gefahrenmomente. 1785 trug das wechselseitige Mißtrauen des englischen und irischen Parlaments dazu bei, den Abschluß eines anglo-irischen Wirtschaftsabkommens zu verhindern, von dem beide Länder profitiert hätten. 1789, als Georg III. seinen ersten Anfall von Geisteskrankheit erlitt, bestand das irische Parlament auf der Anerkennung des Prinzen von Wales als Regenten von Irland, bevor das englische Parlament seine Entscheidung getroffen hatte, und nur die Genesung des Königs verhinderte eine Verfassungskrise.

Trotz dieser latent vorhandenen Konflikte hätte das Verfassungsmodell von 1782 Erfolg haben können, wenn nicht die Französische Revolution mit verhängnisvollen Auswirkungen auf Irland übergegriffen hätte. Durch sie wurden die politisch unruhigen Kräfte ermutigt, und die Regierung sah sich wachsenden Schwierigkeiten ausgesetzt. Der Kriegseintritt Englands vergrößerte die Gefahr in Irland, denn damit war die Möglichkeit einer Invasion gegeben. Nach Meinung der britischen Regierung war Irland besonders gefährdet, aber alle Verteidigungsmaßnahmen wurden dadurch erschwert, daß der Anspruch des irischen Parlaments, die legitime Vertretungsinstanz des ganzen irischen Volkes zu sein, fortwährend und radikal in Frage gestellt wurde.

Ebenso wie in England rief der Ausbruch der Französischen Revolution in Irland einen Sturm der Begeisterung unter den Reformern hervor, vor allem unter den Presbyterianern in Nordirland, die ja schon für die Unabhängigkeit der amerikanischen Kolonien eingetreten waren. In Belfast wurde die Eroberung der Bastille am Gedenktag des Sieges Wilhelms III. gefeiert und die Frage der Parlamentsreform erneut aufgegriffen. Diesmal trat unter den Reformern eine radikale Gruppe hervor, die sich mit der Abschaffung der Mißstände in dem bestehenden Herrschaftssystem nicht mehr zufriedengab. Nach dem Scheitern der Reformvorlagen im Unterhaus forderten sie die Aufhebung der Verfassung und die Umwandlung Irlands in eine Republik. Diese Reform wurde nachdrücklich vor allem von den ›Vereinten Iren‹ (›United Irishmen‹) vertreten, einer Organisation, die von Wolfe Tone, einem jungen Anwalt aus Dublin, 1791 in Dublin und Belfast gegründet worden war. Tone erwies sich als ein begeisterter Anhänger der religiösen und politischen Prinzipien der Französischen Revolution, und obwohl er selber – wie fast alle Gründungsmitglieder – Aufklärer und Demokrat war, schloß er mit den Vertretern der Katholiken eine Allianz, worauf die ›Vereinten Iren‹ die Rechtsforderungen der ›Katholischen Kommission‹ in ihr Programm aufnahmen und dadurch an Einfluß gewannen.

Dieser Zusammenschluß parlamentsfeindlicher Kräfte rief im Parlament verständliche Besorgnis hervor, und daher stimmte es auch den repressiven Maßnahmen der Regierung zu. (Dazu zählten 1793 in erster Linie die gesetzliche Einschränkung der Versammlungsfreiheit, Anm. d. Übers.) In bezug auf die Forderungen der Katholiken fiel die Entscheidung weniger leicht. Wäre die irische Regierung im Besitz uneingeschränkter Vollmachten gewesen, so hätte sie diese Ansprüche entschieden abgelehnt. Pitt aber hoffte auf eine Zusammenarbeit mit den Katholiken, und auf Drängen Englands wurde 1793 eine Parlamentsakte verabschiedet, die den Katholiken das aktive Wahlrecht zustand. (Diese Bestimmung galt jedoch nur für Personen, die ein jährliches Einkommen von 40 Schilling nachweisen konnten, Anm. d. Übers.). Theoretisch war an diesem Wendepunkt das politische Übergewicht der Protestanten aufgehoben worden. (Die geschichtliche Entwicklung beweist jedoch, daß die Mehrheit der katholischen Wähler sozial abhängig war und erst rund vierzig

Jahre später eine ernstzunehmende Macht verkörperte, Anm. d. Übers.). Das Recht der Katholiken auf die Ausübung politischer Macht war formell anerkannt worden, und fortan gab es für ihren Ausschluß aus dem Parlament keine logische Begründung mehr. Selbst unter Berücksichtigung ihrer sozialen Abhängigkeit hätte die Reform des bestehenden Herrschaftssystems eine Einflußnahme der Katholiken auf die irische Regierung zur Folge gehabt. Diese Bedrohung der protestantischen Machtposition verschärfte sich noch im gleichen Jahr durch den Eintritt Englands in den Krieg gegen Frankreich. Nun war die Zeit der Kompromisse, wenn es sie überhaupt je gegeben hatte, endgültig vorbei. Es bestand nur noch die Wahl zwischen egalisierenden Reformen und Widerstand gegen alle Reformen. Im ersten Fall wäre Irland mit großer Wahrscheinlichkeit eine Republik geworden und hätte sich von England getrennt; der zweite Weg sollte direkt zur legislativen Union mit England führen – wenn auch zu diesem Zeitpunkt nur wenige Menschen diese Alternative für möglich hielten.

Der Kampf mit politischen und militärischen Mitteln, der infolge dieser Ursachen ausbrach und das letzte Jahrzehnt des 18. Jahrhunderts beherrschte, war keine Auseinandersetzung zwischen England und Irland, sondern zwischen dem irischen Parlament, das die vermögenden Schichten der irischen Bevölkerung repräsentierte, und einer Gruppe radikaler Reformer, die das Parlament zu einer Vertretungsinstanz des ganzen irischen Volkes umwandeln wollten. Zu diesem Zweck scheuten sie vor der Anwendung von Gewalt und dem Abschluß von Bündnisverträgen mit den Kriegsgegnern Großbritanniens nicht zurück. Die von Grattan geführte liberale Oppositionsgruppe bestand noch immer auf Reformen und auf der Notwendigkeit, die Katholiken durch weitere Zugeständnisse in den irischen Staat zu integrieren. Sie hatte jedoch alle Beziehungen zur politischen Realität verloren, weil ihre Reformvorschläge nicht berücksichtigten, daß die Französische Revolution zu einer grundlegenden Verlagerung politischer Gegensätze geführt hatte, und daß selbst die weitreichendsten Reformpläne jene Männer nicht mehr reizen konnten, die sich die völlige Umwandlung des irischen Staates zum Ziel gesetzt hatten. Außerdem wurde die Organisation der ›Vereinten Iren‹ strafrechtlich verfolgt, so daß sie sich als Geheimbund reorganisierte; dabei erlangten die Extremisten eine absolute Führungsposition. Die unmittelbarste Bedrohung ging von der Provinz Ulster aus. Hier hatten die ›Vereinten Iren‹ die meisten Anhänger, hier hatten auch die von Amerika und Frankreich übernommenen republikanischen Ideen ihre weiteste Verbreitung gefunden, und hier waren die Menschen von einem sozialethischen Bewußtsein erfüllt, das sich über alle Klassen- und Glaubensschranken hinwegsetzte. Im übrigen Irland aber trat diese Gesinnung nur sporadisch auf, und selbst in Ulster war sie nur für eine Minderheit kennzeichnend. Die wirtschaftliche Depression als Folgeerscheinung des Krieges führte zu militanten Auseinandersetzungen auf dem Land, die im Norden Irlands zwischen Katholiken, Anglikanern und Presbyterianern ausgetragen wurden. Die radikal-protestantischen ›Oranje-Bünde‹, die um 1795 auftraten, bestanden fast ausnahmslos aus Anglikanern, die sich zur unbedingten Treue gegenüber der Krone und der Verfassung bekannten. Aus ihren Reihen bezogen die berittenen Milizverbände der Freibauern (yeomanry), die um diese Zeit aufgestellt wurden, um Polizeifunktionen zu übernehmen, einen Großteil ihrer Soldaten. Um 1797 war in Irland, vor allem in Ulster, ein im Untergrund geführter Bürgerkrieg ausgebrochen, in dessen Verlauf sich politische und konfessionelle Gegensätze immer wieder von neuem entzündeten. Die irische Regierung sah dieser Entwicklung nahezu machtlos zu, und es war mit Sicherheit anzunehmen, daß eine gefährliche, möglicherweise sogar schicksalhafte Rebellion bevorstand, wenn größere fanzösische Einheiten landen würden.

Zu diesem Zeitpunkt hatten sich die Führer der ›Vereinten Iren‹ für den bewaffneten Aufstand entschieden und warteten nur auf eine günstige Gelegenheit. Anfänglich vertrauten sie auf französische Unterstützung, aber 1796 scheiterte der erste Landungsversuch eines französischen Expeditionsheeres. Nach dem Sieg der englischen Marine bei Camperdown mußten die Aufständischen alle Erwartungen auf ein großes Invasionsheer aufgeben. Daher beschlossen sie, unverzüglich loszuschlagen und sich auf ihre eigene militärische Stärke zu verlassen. Das ganze Land hatte unter dem Kriegsrecht, das die Regierung proklamiert hatte, um die Gefahr eines Aufstandes zu ersticken, schwer zu leiden gehabt. So hofften die ›Vereinten Iren‹, daß Haß und Furcht der Bevölkerung die Wucht der Erhebung verstärken würden. Die geplanten Unternehmungen wurden jedoch an die Regierung verraten, die dank ihrer Spitzel über alle Vorgänge unterrichtet war, und am Vorabend des Aufstandes wurden die maßgeblichen Führer der Aufständischen verhaftet. Lord Edward FitzGerald, ein sehr mutiger, begeisterungsfähiger und etwas naiver Aristokrat, der seit langem zu den ›Vereinten Iren‹ gehörte, starb an den Wunden, die er sich bei seiner Gegenwehr gegen die Verhaftung zugezogen hatte. Wolfe Tone hielt sich zu dieser Zeit in Frankreich auf (er kehrte 1798 nach dem Ende des Aufstandes mit einer erfolglosen französischen Expedition nach Irland zurück, wurde dort verhaftet und verübte Selbstmord), so daß nur die Vorsitzenden der örtlichen Verbände die militärischen Aktionen leiten konnten. Am 24. Mai 1798 brach der Aufstand aus, sechs Wochen später waren nur noch einige flüchtige Rebellen bewaffnet.

Diese Erhebung hatte im großen und ganzen nur die Grafschaften Antrim, Down und Wexford erfaßt, obwohl es auch in der Grafschaft Wicklow und im Norden der Provinz Leinster zu Zusammenstößen gekommen war. In Antrim und Down kämpften einige Tausend Bauern, Handwerker und Händler – die meisten Presbyterianer – mit Gewehren und Spießen gegen Regierungstruppen. Es fehlte ihnen jedoch an Schlagkraft, und nach zwei Gefechten wurden sie endgültig auseinandergesprengt. In Wexford kämpfte man sehr viel erbitterter. In dieser Grafschaft waren die radikalen Prinzipien der ›Vereinten Iren‹ und der Französischen Revolution von geringer Bedeutung; dafür gaben die soziale Not der Bauern, ihr Glauben und ihr Haß auf die Regierungstruppen den Ausschlag. Die Bauern, die größtenteils nur mit den charakteristischen langen Spießen bewaffnet waren und von ihren Priestern in den Kampf geführt wurden, besetzten die Stadt Wexford und beherrschten fast die gesamte Grafschaft. Aber auch sie kämpften planlos, die Bevölkerung der benachbarten Grafschaften schloß sich ihnen nicht an, und sie konnten nichts anderes tun, als den ständig verstärkten Regierungstruppen so lange wie möglich Widerstand zu leisten. Ihr Mut und ihre Standkraft waren ebenso groß wie die Grausamkeit, mit der sie sich in vielen Fällen an ihren Gefangenen für erlittene Unbill rächten.

Obwohl der Aufstand nach so kurzer Zeit zerschlagen wurde, kann man seine grundsätzliche Bedeutung kaum überschätzen. Mit ihm pflanzte sich eine revolutionäre Tradition fort, die seitdem einen unterschiedlich starken Einfluß auf die irische Politik ausgeübt hat, mit dem aber jederzeit gerechnet werden mußte. Dieses revolutionäre Bewußtsein umfaßt noch heute jene scheinbar widersprüchlichen Elemente, die schon 1798 bestimmend waren: Nationalgefühl, radikalen Republikanismus, soziale Empörung, religiösen Fanatismus und aufgeklärte Sozialethik. Auch in ihren unmittelbaren Folgeerscheinungen kam der Rebellion entscheidende Bedeutung zu, da sie nicht nur die Regierung, sondern die gesamte protestantische Oberschicht in Furcht und Schrecken versetzt hatte. Es schien, als wären sie in eine doppelte Umklammerung geraten, deren Bedrohlichkeit einerseits von dem erstarkten und kämpferischen Katholizismus, andererseits von dem radikalen Republikanismus ausging, und die Angst der Protestanten vor dieser doppelten Gefahr war die Hauptursache für die grausame Unterdrückung des Aufstandes in Wexford und die Verabschiedung der Unions-Akte.

Sowohl in irischen als auch in englischen politischen Kreisen war eine legislative Union mit England lange vor Ausbruch des Austandes für notwendig erachtet worden; die Rebellion gab dann für viele den Ausschlag. 1798 begannen beide Regierungen mit der Ausarbeitung eines Unionsplans. Der hartnäckigste Widerstand war verständlicherweise vom irischen Unterhaus zu erwarten. Persönliche Interessen, Nationalstolz und ein gewisses Pflichtgefühl der Abgeordneten mußten zwangsläufig Widerstand gegen diese Maßnahme hervorrufen. Dagegen setzten der amtierende Lord-Leutnant Cornwallis, sein Chefsekretär Castlereagh und der Lordkanzler Lord Clare (John Fitzgibbon, Erster Graf von Clare, wurde 1783 Generalstaatsanwalt und 1789 Lordkanzler), der seit langem als eine Art ›graue Eminenz‹ die irische Politik maßgeblich mitbestimmt hatte, ihren ganzen Einfluß ein, um eine Mehrheit für den Unionsplan im Unterhaus zustande zu bringen, und sie halfen ihren Bemühungen mit derart umfangreichen Bestechungen nach, wie sie bisher noch nie vorgekommen waren. Dennoch blieb bis zur Auflösung des irischen Parlaments eine ziemlich große Oppositionsgruppe bestehen; aber obwohl ihre Mitglieder geschlossen gegen die Union stimmten, waren sie sich in bezug auf die zukünftige Politik uneinig. Einige Oppositionspolitiker, die sich Grattan angeschlossen hatten, traten für großzügige Zugeständnisse an die Katholiken ein, andere wollten das bestehende System unverändert beibehalten. Allerdings gab es offensichtlich innerhalb der Opposition nur wenige Politiker, die sich der Tatsache bewußt waren, daß die Aufrechterhaltung der Regierungsgewalt in Irland nunmehr direkt auf die militärische Unterstützung Englands angewiesen war. Falls England auf der legislativen Union als Voraussetzung für englische Waffenhilfe bestehen sollte, konnten sie nicht ablehnen; es sei denn, die Ablehnung des Unionsplanes wäre nur der Ausgangspunkt für andere durchführbare Vorschläge gewesen, die protestantische Kirche und die Verbindung mit England zu schützen, — Ziele, zu denen sich ja auch die Opposition bekannte. Aus ihren Reihen wurden jedoch keine Alternativvorschläge vorgebracht. Außerhalb des Parlaments war der Widerstand gegen die Union schlecht organisiert und im allgemeinen nur von wenig Begeisterung getragen. Befürchtungen im Hinblick auf die innenpolitische Lage Irlands und die Situation auf dem Festland sowie die Hoffnung der irischen Katholiken, vom englischen Parlament größere Zugeständnisse zu erlangen als vom irischen, erzeugten einen erwartungsvollen Stillstand nahezu aller politischen Aktionen. Nur die organisierten Juristen, die ›Oranje-Bünde‹ und die anglikanische Staatskirche – alle im Besitz von Vorrechten, alle Nutznießer des irischen Herrschaftssystems – brachten dem Unionsplan Widerstand entgegen.

Aus englischer Sicht war der legislative Anschluß Irlands geradezu eine verteidigungspolitische Notwendigkeit. Die zweite Koalition (Österreich, England, Rußland und Spanien, Anm. d. Übers.) löste sich allmählich auf, und England mußte die Hauptlast im Kampf gegen Napoleon tragen. Unruhen in Irland bedeuteten daher ein gefährliches Risiko. Wenn die Krise in Irland hingegen beseitigt und ein möglichst enger Anschluß an England erreicht werden könnte, dann wäre Irland eine wichtige Reserve besonders für die Armee, da ungefähr ein Viertel der gesamten Bevölkerung der britischen Inseln in Irland lebte. Unter diesen Umständen legte Pitt verständlicherweise Wert darauf, daß die Union für die Mehrzahl der Iren eine annehmbare Lösung böte. Daher ließ er die Nachricht verbreiten, seiner Meinung nach müsse das passive Wahlrecht der Katholiken – als Bestandteil des Unionsabkommens – gesetzlich verankert werden. Durch diese Ansicht ermutigt, traten die katholischen Bischöfe und Gutsbesitzer fast ausnahmslos für die Union ein; die überwiegende Mehrheit der katholischen Geistlichkeit und Gläubigen war an der erfolgreichen Durchführung des Vorhabens kaum interessiert und verhielt sich weitgehend indifferent. Pitts Hauptaufgabe bestand darin, die Union vom irischen Parlament verabschieden zu lassen, das die Emanzipation der Katholiken eher als ein Argument gegen den Anschluß an England betrachtete. Allerdings ging Pitt nicht so weit, den Unionsplan und das passive Wahlrecht für Katholiken in in einer Gesetzesvorlage zusammenzufassen. In Irland waren nämlich viele Landbesitzer — unter anderem auch Lord Clare — der Meinung, daß die Union mit England die einzige Garantie für die Aufrechterhaltung der protestantischen Vorherrschaft sei. In diesem Sinn bejahten sie das Unionsgesetz, das schon bald darauf als ein Bollwerk des Protestantismus bewertet wurde.

Im Jahr 1800 wurden die beiden gleichlautenden Unionsakten, die ab 1. Januar 1801 in Kraft traten und die Unabhängigkeit des irischen Parlaments aufhoben, in Dublin und Westminster verabschiedet. Von nun an wurden England und Irland in einem einheitlichen Parlament des ›Vereinigten Königreiches‹ repräsentiert. In diesem neuen Parlament war Irland durch vier geistliche und 28 weltliche Lords im Oberhaus und durch 100 Abgeordnete im Unterhaus vertreten. (Die Zahl der irischen Unterhausmitglieder wurde 1832 auf 105 erhöht, Anm. d. Verf.). Die Akte sah Freihandelsbeziehungen zwischen den beiden Inseln vor; darüber hinaus wurden für einige irische Ausfuhrgüter befristete Präferenzzölle vereinbart. Die nationalen Finanzhöfe und die Verwaltungen der Staatsschulden sollten solange getrennt arbeiten, bis sie auf einer einheitlichen Berechnungsgrundlage zusammengefaßt werden konnten; dieser Zusammenschluß fand 1817 statt. Die beiden Nationalkirchen schlossen sich in der ›Vereinigten Kirche von England und Irland‹ zusammen, wobei die Beibehaltung der Kirchenverwaltungen in beiden Ländern als ›ein maßgeblicher und fundamentaler Bestandteil der Union‹ besonders hervorgehoben wurde. Am 2. August 1800 tagte das irische Parlament zum letztenmal; am 22. Januar 1801 zogen die irischen Lords und Unterhausabgeordneten in das erste Parlament des ›Vereinigten Königreiches Großbritannien und Irland‹ ein.

IRLAND UND DIE UNION

Die Folgen der Union

Die Vereinigung des englischen und irischen Parlaments hätte eine dauerhafte Lösung der anglo-irischen Probleme herbeiführen können, wäre dieser Schritt nicht unter primär pragmatischen Gesichtspunkten und unter Zuhilfenahme politischer Praktiken erfolgt, die die Erfolgsaussichten dieser Maßnahme von vornherein belasteten. Obwohl der unmittelbare Zweck der Union hinsichtlich der militärischen Stärkung Englands im Kampf gegen Napoleon durchaus erreicht wurde, erwies sich der Zusammenschluß in nahezu jeder anderen Hinsicht als ein Fehlschlag. Die Urheber der Union hatten die Konfliktmöglichkeiten in den Beziehungen zwischen England und Irland dadurch beseitigen wollen, daß sie ein vereinigtes Königreich planten; in Wahrheit wurde dieser Plan nie realisiert. Irland verfügte auch weiterhin über eine eigene Exekutivgewalt und wurde in vielen Bereichen der Gesetzgebung als eine eigenständige Verwaltungseinheit angesehen. Des weiteren sollte die Union den Weg zu einer gewaltlosen Regierung in Irland eröffnen; stattdessen mußte das Land mit Hilfe zahlreicher Zwangsgesetze unter Kontrolle gehalten werden, und während der Dauer der Union kam es immer wieder zu Unruhen und Rechtsverletzungen. Außerdem sollte die Vorherrschaft der Protestanten gesichert werden. Die englische Regierung lehnte es jedoch ab, die Klauseln der Unionsakte als bindende Vorschrift anzuerkennen, und nachdem sie die anglikanische Kirche geopfert hatte, um die Gutsbesitzer zu retten, griff sie in die Eigentumsrechte der Landbesitzer ein, um die Union zu erhalten. Diese Politik, die die Vorherrschaft der auf die Bindung mit England angewiesenen Protestanten zerstörte, war kurzsichtig, denn an die Stelle der alten Machtgruppen traten die neuen Kräfte einer katholisch orientierten Demokratie, die starke Tendenzen zur uneingeschränkten nationalen Unabhängigkeit aufwiesen.

Der Hauptfehler des Zusammenschlusses läßt sich anhand der weiterhin bestehenden irischen Exekutive aufdecken. Das Parlament war nach Westminster übergesiedelt, aber der Lord-Leutnant, der Kronrat und die Gerichtshöfe versahen ihre Tätigkeit nach wie vor in Dublin; das Dubliner Schloß blieb die entscheidende Zentrale der Regierung in Irland. Auf die Dauer mußten sich die jeweiligen Stellvertreter der Krone und ihre obersten Beamten ihrer Verantwortlichkeit gegenüber dem Parlament beugen, und ein Wechsel der Regierungspartei in Westminster führte zwangsläufig zu entsprechenden Veränderungen in Dublin. Dennoch blieben die Grundansichten der Regierungsvertreter in Irland bis etwa 1830 nahezu konform mit jenem Herrschaftsgeist, der vor der Union für die irischen Protestanten kennzeichnend war und auch während der Union niemals allen Einfluß verlor. Es könnte darauf hingewiesen werden, daß die Beibehaltung einer irischen Exekutive ein notwendiger Bestandteil jener im Unionsabkommen nicht erwähnten Absprache war, wonach die irischen Landbesitzer auf ihre Kontrolle über das Parlament verzichteten, dafür aber eine Sicherheitsgarantie für ihre soziale Vorherrschaft erhalten hatten. Gerechterweise muß hinzugefügt werden, daß sich diese Gegenleistung nur auf den Schutz vor Unruhen und die Unantastbarkeit der Besitzverhältnisse erstrecken sollte. Da Irland also im Interesse einer Minderheit regiert werden mußte, war die irische Exekutive auf eine Sonderstellung angewiesen, und obwohl sie fast ausnahmslos als Machtinstrument protestantischer Herrschaftsinteressen galt, betrachtete man sie umgekehrt als ein Symbol der verlorenen Unabhängigkeit Irlands. Aus diesem Grunde wurde die irische Exekutive als eine Instanz rudimentärer Selbstverwaltung auch von jenen Iren hoch bewertet, die ihre Politik haßten. O'Connell war beispielsweise ein erbitterter Gegner der meisten Regierungen in Irland, und trotzdem wandte er sich entschieden gegen den Vorschlag, das Amt des Lord-

Leutnants abzuschaffen.

Dieses Regierungssystem liefert auch einen Schlüssel zum Verständnis der zeitweise außerordentlich widersprüchlichen Verhaltensweise englischer Staatsmänner gegenüber irischen Angelegenheiten. Englische Politiker sahen Irland manchmal als einen ebenbürtigen Teil des Vereinigten Königreiches an, manchmal als einen abhängigen Staat. So war es beispielsweise nicht ungewöhnlich, wenn sie von ›unserer Pflicht gegenüber Irland‹ sprachen, wobei sie zwischen Irland und England deutlich unterschieden. Aber der Vorschlag, die bewußtseinsmäßige Unterscheidung in zwei Staaten auf den Bereich der Gesetzgebung zu übertragen, löste heftige Ablehnung aus. Um die Geschichte Irlands während des 19. Jahrhunderts zu verstehen, muß man sich dieses inneren Widerspruches vollständig bewußt werden. Er resultierte aus einem Moment, das zum Teil übersehen, zum Teil falsch interpretiert wird: dem englischen Nationalismus. Nach Ansicht englischer Staatsmänner und der politischen Öffentlichkeit in Großbritannien war die Unionsakte von 1800 der formale Abschluß eines politischen Prozesses, in dessen Verlauf sich ein dominantes Regierungssystem auf den britischen Inseln durchgesetzt hatte. Regionale Besonderheiten waren im Zuge der Zentralisierung und gesteigerten Verwaltungseffizienz fortgefallen, und nunmehr existierte eine britische Nation. Krone und Parlament stellten den politisch-sozialen Bezugspunkt dieser Nation dar, Englisch war ihre Amtssprache – mit wenigen Ausnahmen auch ihre Umgangssprache – und der Reichtum der Engländer die wichtigste Grundlage ihrer Macht. Daher war es keineswegs verwunderlich, daß sich die Engländer daran gewöhnten, die Attribute englisch und britisch für auswechselbar zu halten. Mit ähnlicher Selbstverständlichkeit bewerteten viele Engländer die separatistischen Bestrebungen in Irland nicht als legitime Forderungen nach staatlicher Autonomie – so wie sie in Südamerika, Griechenland oder Belgien für rechtmäßig gehalten wurden – sondern als Verrat an der Nation.

Die wankelmütige Haltung englischer Politiker gegenüber Irland wurde noch verstärkt durch ihre Unkenntnis dieses Landes. Diese Unkenntnis beruhte nicht auf einem Informationsmangel, denn die Regierung war unablässig bemüht, statistisches Material zu sammeln und Berichte über nahezu alle sozialen und wirtschaftlichen Bereiche – wie Landwirtschaft, Fischerei, industrielle Betriebe, Bevölkerung, Gesundheit, Erziehung, Ödland, Eisenbahnen und Kanäle – zu veröffentlichen. Es war vielmehr eine Art emotionaler Hemmung, sich mit dem Land, seinen Bewohnern und ihrer Denkweise vertraut zu machen. Gladstone zum Beispiel, der sich im Laufe seiner politischen Tätigkeit intensiv mit den Problemen Irlands beschäftigt hatte, hat Irland nur einmal und nur für einen knappen Monat aufgesucht. Diese aus Unkenntnis und Desinteresse entstandene Distanz, die für die politische Oberschicht in England kennzeichnend war, verstärkte zweifellos die Neigung, Irland als eine Kolonie mit einer nur halbwegs britischen Bevölkerung zu betrachten. Selbst ein derart gewissenhafter Politiker wie John Acton vertrat im Unterhaus einen irischen Wahlkreis, ohne auch nur das Gefühl einer Verpflichtung gegenüber seinen Wählern oder Irland als Ganzem zu bekunden.

Die Defekte in der verfassungsrechtlichen Union der beiden Länder waren vielleicht eher ein Symptom als eine Ursache für die verfahrene Situation in der irischen Politik. Weniger auffällig, aber dafür um so folgenreicher war die Tatsache, daß die Wirtschafts- und Finanzunion trotz des 1817 erfolgten Zusammenschlusses der Finanzverwaltungen und trotz der Aufhebung der Schutzzölle für irische Waren (1825) ebenfalls lückenhaft blieb. Irland wurde in den reichsten Staat der Welt integriert, profitierte aber nur geringfügig vom Kapitalbesitz der Engländer. Einige zeitgenössische Stellungnahmen machen die politischen Unruhen in Irland dafür verantwortlich, daß britische Unternehmer so wenig Interesse zeigten, ihr Kapital in Irland anzulegen. Dafür investierten sie in großem Umfang in Mittel- und Südamerika, wo ihr Geld bestimmt nicht sicherer aufgehoben war. Wirtschaftlich war Irland ein Vertragspartner des reichen England, ohne in den Genuß der entsprechenden Vorteile dieses Partnerschaftsverhältnisses zu gelangen. Der Mangel an Kapital beeinträchtigte alle Bereiche des wirtschaftlichen und sozialen Lebens in Irland und hatte unvermeidbare Rückschläge auf die Politik zur Folge. Es muß allerdings hinzugefügt werden, daß sich die Wirtschaftslage zu Beginn des 19. Jahrhunderts verbesserte. Das Handelsvolumen wuchs, die Getreidepreise stiegen weiterhin an, und der Markt für irische Nahrungsmittel vergrößerte sich ständig. Zum Teil aber war der finanzielle Gewinn Irlands nur gering, denn infolge der ständig steigenden Pachtzinsen kassierten die Landbesitzer, die ihre Einnahmen zumeist außerhalb Irlands ausgaben, den größten Teil des Kapitalzuwachses. Irisches Kapital gelangte auch auf anderen Wegen nach England, denn vor allem dort hatte die irische Regierung Kredite aufnehmen müssen, um den Anteil Irlands an den hohen Kriegskosten Englands zu finanzieren, und die Zinsen für diese Kredite belasteten den irischen Staatshaushalt sehr schwer. Diese Belastung wurde 1817 durch die Zusammenlegung der obersten Finanzbehörden in gewissem Umfang aufgefangen, aber wenn die Union den Geldumlauf tatsächlich intensiviert hatte, wurde dieser für Irland auf der Soll-Seite verbucht.

Die noch immer anhaltende Bevölkerungsexplosion verschlimmerte die Auswirkungen des Kapitalmangels in gefährlichem Maß. 1801 zählte Irland zwischen vier und fünf Millionen Einwohner, 1821 waren es sieben Millionen und 1841 über acht Millionen. Mit Ausnahme des Nordens bot in Irland das Land fast ausnahmslos die einzige Existenzgrundlage, die infolge des ständig wachsenden Ansturms auf die landwirtschaftlichen Nutzflächen kaum noch gewährleistet war. Güter und Höfe wurden in eine Vielzahl kleiner und daher unwirtschaftlicher Pachtbezirke unterteilt. Der Lebensstandard der Kleinbauern war sogar noch niedriger als im 18. Jahrhundert, und sie waren noch stärker der Gefahr des Hungertodes ausgesetzt als zuvor. Unter diesen Umständen hätte auch die Übereignung des Landes an die Bauern nur wenig genützt — selbst unter der Voraussetzung, daß solch ein Schritt politisch überhaupt vertretbar war. Die Ursache der sozialen Not lag woanders; ihren Ursprung bezeichnete die englische Zeitschrift ›Quarterley Review‹ im Januar 1832: ›Der Fluch Irlands ist der Mangel an Arbeitsplätzen‹. Hätte also ein ununterbrochener Zustrom von Kapital die Einrichtung dieser Arbeitsplätze ermöglicht, wäre das Landproblem so gut wie bewältigt gewesen. Die Zinssätze für Pachtland wären infolge verminderter Nachfrage gesunken, die Güter hätten reorganisiert und die Pachthöfe vergrößert werden können, ohne diejenigen ihrer Existenzsicherung zu berauben, deren Pachtvertrag gekündigt wurde. Wäre vor allen Dingen die wirtschaftliche Macht der Landbesitzer eingeschränkt worden, hätte ihr gesellschaftlicher und politischer Einfluß immer mehr an Wirksamkeit verloren, und die Überheblichkeit der Landbesitzer gegenüber ihren Pächtern wäre allmählich zurückgegangen.

In den Reihen der meisten englischen Politiker und Wirtschaftstheoretiker, die sich überhaupt mit Irland befaßten, wurden die Ursachen und Auswirkungen dieser volkswirtschaftlichen Probleme weitgehend richtig eingeschätzt. Allerdings wurde die Regierung von den Vertretern einflußreicher Unternehmergruppen davon abgehalten, irgendwelche Hilfsmaßnahmen einzuleiten. Ein von Lord Grey eingesetzter Untersuchungsausschuß kam 1836 zu dem Ergebnis, daß die Armut in Irland durch großangelegte Bauarbeiten der öffentlichen Hand behoben werden könne. Einige Jahre später empfahl eine königliche Kommission den Aufbau eines nationalen Eisenbahnnetzes und hob dabei besonders die Vorteile hervor, die Irland auf Grund des zu erwartenden Anstiegs der Beschäftigungsrate zugute kommen sollten. Beide Berichte wurden jedoch nicht berücksichtigt. Stattdessen wurden 1838 die englischen Armengesetze in Irland eingeführt, und die Entwicklung der Schienenwege überließ man vorerst privaten Unternehmungen. Im großen und ganzen herrschte die Ansicht des ›Edinburgh Review‹ (1. Oktober 1837) vor, daß es für den Staat unmöglich sei, Arbeitsplätze zu schaffen, wenn nicht einmal die Unternehmer dazu in der Lage seien. Auf diese Weise erlitt Irland durch die Folgeerscheinungen einer nahezu uneingeschränkten liberalen Wirtschaftspolitik schwere Verluste; wenn England auch von der Anwendung des Laissez-faire-Systems profitierte, die irische Volkswirtschaft war zu unterentwickelt, um das Marktmonopol Englands zu überwinden. So wirkte sich der Freihandel des 19. Jahrhunderts fast ebenso katastrophal aus wie die englische Schutzzollpolitik im 18. Jahrhundert. Darüber hinaus litten die Pachtbauern unter legislativen Maßnahmen, die das Kündigungsverfahren der Pachtverträge (eviction) vereinfachten sollten. Da sich die Landbesitzer von ihren verarmten Pächtern leichter und schneller trennen konnten, waren sie in der Lage, ihre Güter intensiver zu bewirtschaften.

Dennoch ist das Versagen der englischen Irlandpolitik in hohem Maß auf Unkenntnis und mangelndes Interesse zurückzuführen. Aber selbst dem gutwilligsten Staatsmann wurde die Beurteilung irischer Verhältnisse durch die Verflechtung wirtschaftlicher und politischer Probleme unendlich erschwert. Die Landbesitzer verkörperten nicht nur eine soziale Schicht, sie repräsentierten auch ein politisches System: die weiterhin bestehende Vormacht der irischen Protestanten. Widerstrebend hatten sie die Union als einziges Rechtsinstrument zum Schutz ihrer Vorrechte akzeptiert; mit dem gleichen Ziel traten sie nun entschlossen für die Beibehaltung der Union ein. Die gesamte ländliche Gemeindeverwaltung befand sich in ihren Händen; sie kontrollierten die Magistrate, die Polizei, die Geschworenengerichte und die Gemeinderäte. Die rechtliche Gleichstellung der Katholiken veränderte 1829 die Verhältnisse nur teilweise. Auch die Reform der Gemeindeverwaltungen von 1840 bereitete dem Einfluß der protestantischen Landbesitzer noch kein Ende, und es schien, als sei Herrschaft ohne sie fast undenkbar. Die politische Strategie dieser Oberschicht bestand darin, ein Monopol auf ›Staatstreue‹

für sich in Anspruch zu nehmen und den Widerstand der Bauern mit Rebellion gleichzusetzen. Dabei gingen sie über die Tatsache hinweg, daß die fortwährenden Unruhen auf dem Land, über die sie sich beklagten und die zur Anwendung drastischer Regierungsmaßnahmen zwangen, die zwangsläufige Folge wirtschaftlicher Not der Bauern waren. Oberflächlich betrachtet, erschien die an die Regierung gerichtete Forderung der Landbesitzer nach uneingeschränkten Sicherheitsvorkehrungen durchaus gerechtfertigt; sie wollten ja scheinbar nichts anderes als die Vollstreckung bestehender Gesetze, den Schutz ihrer Eigentumsrechte und die Aufrechterhaltung von Ruhe und Ordnung auf dem Lande. Als Vergeltung für jede Protestaktion der Landbewohner verlangten sie von der Regierung noch härteres Eingreifen; ein Verlangen, dem in den meisten Fällen entsprochen wurde. Mehr als 20 Jahre nach der Union wurde Irland mit Hilfe einer Reihe von repressiven Gesetzen regiert, die die Grundrechte staatsbürgerlicher Freiheit außer Kraft setzten. Dieses Herrschaftssystem konnte zu keiner friedlichen Einigung führen, solange es so viel bittere Armut gab und solange die Verantwortlichen für diese Armut als Richter und Geschworene in den Gerichtshöfen saßen. Wucherzinsen und Kirchensteuern waren nicht die Grundübel bäuerlicher Not in Irland, beides aber belastete die Bauern schwer, und beides wurde daher als ungerechter wirtschaftlicher Zwang der protestantischen Oberschicht angesehen. Hätte eine Regierung gewagt, diese Belastung aufzuheben, wäre die Mehrheit der Bevölkerung wahrscheinlich auch nicht zufrieden gewesen; stattdessen hätte ein derartiger Eingriff in die Sozialordnung den sofortigen Widerstand der Kirche, der Landbesitzer und ihrer einflußreichen Verbündeten in England hervorgerufen.

Die Landbesitzer standen nicht allein in ihrer Verteidigung der Union und in ihren Forderungen nach unnachgiebiger Herrschaft. Sie besaßen das Einverständnis und die Unterstützung fast der gesamten protestantischen Bevölkerung. Trotz ihres anfänglichen Argwohns bekannte sich die Staatskirche rasch zur Union, weil mit ihr eine Rechtsordnung verbindlich wurde, die den Bestand der anglikanischen Kirche zu garantieren schien. Die Reaktion der Presbyterianer war allerdings weniger eindeutig. Sie gaben ihre liberalen und nationalistischen Ideen weder sofort noch geschlossen auf und erregten daher bis etwa 1820 den Verdacht der Regierung, der möglicherweise nicht ganz grundlos war. Aus Furcht vor den Katholiken und angesichts des wirtschaftlichen Aufschwungs der nordöstlichen Grafschaften gewannen sie jedoch die Überzeugung, daß ihre soziale Sicherheit und ihr Reichtum vom Fortbestand der Union abhingen. Die Lage der Pachtbauern war in Ulster schon seit langem besser als in den anderen Provinzen, und sogar die traditionellen Gegensätze zwischen den Presbyterianern und der anglikanischen Kirche verschwanden allmählich infolge ihrer Angst vor einem gemeinsamen Feind. Dieses Bewußtsein der eigenen Gefährdung verschärfte sich besonders durch die nationalistische Bewegung, die von Daniel O'Connell ins Leben gerufen und geführt wurde. Da sich die Gegend um Belfast im Verlauf des 19. Jahrhunderts zum wichtigsten irischen Industriegebiet entwickelte, wurde das Einverständnis der Provinz Ulster mit der Union zu einem der bedeutsamsten Faktoren der neueren Geschichte Irlands.

Die legislative Union war unter dem Aspekt englischer Interessenpolitik geschlossen worden, und in dieser Hinsicht führte sie wenigstens teilweise zum Ziel. Die Integration Irlands war jedoch gescheitert, und dieser Umstand führte zu einschneidenden und fast verhängnisvollen Veränderungen des politischen Lebens in England. Irische Probleme blieben Spezialprobleme, aber nun mußten sie im Parlament debattiert werden, wo sie häufig den Prozeß der politischen Meinungsbildung nachhaltig beeinflußten und die zur Verfügung stehende Zeit der Abgeordneten stark beanspruchten. Zudem führte die Tätigkeit einer zahlenmäßig kleinen, aber sehr disziplinierten und geschickt taktierenden irischen Parteigruppe zur Aufhebung des parteipolitischen Gleichgewichts. Die Fronten zwischen den beiden großen englischen Parteien (Konservative und Liberale) gerieten in Bewegung, und in den Parteien selbst traten Zerreißproben auf. Seit der Parteiführung Parnells nahm diese Entwicklung bedrohliche Ausmaße an, und wenn die Union nicht aufgelöst worden wäre, wäre die Frage entstanden, wie der britische Parlamentarismus und das Parteiensystem hätten fortbestehen können.

Die neue Richtung im Nationalismus

Der von der Aristokratie bestimmte Nationalismus der Freiwilligenverbände und der revolutionäre Separatismus der ›Vereinten Iren‹ befanden sich um 1800 in einem Prozeß schnell um sich greifender Isolation. Eine sentimentale Trauer um die gestürzte Größe des irischen Parlaments beseelte eine Zeitlang die protestantische Oberschicht, und in Robert Emmets erfolglosem Aufstand von 1803 lebte für kurze Zeit noch einmal der Geist der Vereinten Iren auf, aber mit wenigen Ausnahmen war das politische Leben in Irland nach der Union verkümmert. Die zahlreichen Geheimbünde auf dem Land (›Whitefeet‹, ›Blackfeet‹, ›Shanavests‹, ›Rockites‹) waren nicht in überregionale Auseinandersetzungen verwickelt, sondern kämpften auf lokaler Ebene gegen die Landbesitzer und jene Steuereinnehmer, die die Kirchensteuern für die anglikanische Staatskirche einzogen. Damit waren alle Voraussetzungen für eine machtvolle Bewegung erfüllt – mit zwei Ausnahmen: Weder lag ein besonderer Anlaß vor, noch gab es einen Volkshelden, der die verschiedensten Gruppen hätte vereinigen und mit Begeisterung für eine gemeinsame Sache erfüllen können. Diese Vereinigung brachte erst Daniel O'Connell zustande, indem er den irischen Nationalismus und die Anliegen der katholischen Bevölkerung so untrennbar miteinander verschmolz, daß es nachfolgenden Generationen kaum gelang, zwischen diesen beiden Grundmotiven zu differenzieren.

Diese Verkettung zweier nicht unbedingt gleichgerichteter politischer Ziele war vermutlich das einzige Mittel, um ein Gefühl von Solidarität zu erzeugen, ohne das keine Volksbewegung entstanden wäre, denn die Ablehnung der Union reichte als einigende Kraft nicht aus. Ihre Not empfanden die Bauern mit Bitterkeit, die gelegentlich in Vergeltungsmaßnahmen umschlug, aber ein nationaler Kampf gegen die Besitzverhältnisse auf dem Land erforderte ein Maß an innerem Zusammenhalt und Führung, das die Bauern von sich aus nicht aufbrachten, und angesichts des Gesellschaftsbewußtseins im frühen 19. Jahrhundert war es unwahrscheinlich, daß Mitglieder einer höheren sozialen Schicht die Führung der Bauern übernehmen würden. Das einzige politische Ziel, das die Formierung einer großen Interessengruppe möglicherweise bewirkt hätte, war die Forderung nach Emanzipation der Katholiken, das heißt nach Aufhebung der noch immer geltenden Restbestände der Straf- und Zivilgesetze gegen die Katholiken; diese Forderungen betrafen in erster Linie das passive Wahlrecht katholischer Bürger.

Pitt hatte gehofft, diesem Verlangen im Anschluß an das Unionsabkommen entsprechen zu können, aber der Widerstand gegen die Aufnahme katholischer Abgeordneter ins Unterhaus war stärker, als er erwartet hatte, die Gesetzesvorlage mußte zurückgezogen werden, und Pitt trat zurück. Die irischen Katholiken waren bitter enttäuscht, aber noch war es nicht so weit, daß diese Reaktion in die richtigen politischen Bahnen gelenkt werden konnte. Die Interessen der Katholiken wurden zum größten Teil kommissarisch vertreten von Adligen, die die Verfassung akzeptierten und eine Revolution fürchteten. Außerdem setzten sich viele englische und irische Abgeordnete für die irischen Katholiken ein, und unter ihnen war Grattan wohl der treueste Fürsprecher. Selbst Grattan war jedoch der Meinung, die Emanzipation der Katholiken könne die protestantische Vorherrschaft nicht gefährden, weil Besitz der bloßen Zahl immer überlegen sei. Mit diesen Interessenvertretern verfolgten die Katholiken eine sehr gemäßigte Politik und waren bereit, auch kleine Zugeständnisse zu akzeptieren.

Das Auftreten Daniel O'Connells veränderte die Lage völlig. Er war ein ungewöhnlich erfolgreicher Jurist, der sich auf Strafrechtsfälle spezialisiert hatte, und ganz unabhängig von seiner politischen Tätigkeit hatte er beim Volk Ruhm und Beliebtheit erlangt, da jede erfolgreiche Verteidigung als ein Sieg über die Regierung bewertet wurde. Als junger Mann hatte O'Connell seinen ganzen Einfluß gegen die Unionsakte aufgeboten, und diesen Widerstand gab er nie auf. Schon 1811 trat er öffentlich für die Auflösung der Union ein, aber die Auflösung war damals noch kein gangbarer Weg, und daher wandte er sich dem Kampf um die Emanzipation der Katholiken zu, der nach seinem Willen in einem Sieg der Masse zugunsten der Masse enden sollte. Mit diesem Ziel vor Augen widersetzte sich O'Connell der zwischen 1813 und 1815 erörterten Kompromißlösung, wonach die Regierung für die Zulassung von Katholiken zum Unterhaus das Vetorecht bei Bischofswahlen erhalten sollte. Obwohl dieser Vorschlag Zustimmung beim Papst gefunden hatte, wurde er von den katholischen Bischöfen Irlands weitgehend unter O'Connells Einfluß strikt abgelehnt.

Bei der Einschätzung der Verhältnisse in Irland bewies O'Connell seinen realistischen Sinn für politische Möglichkeiten. Die irische Staatskirche, die sogar verdächtigt wurde, als Ausführungsorgan der britischen Regierung tätig zu sein, konnte nie einigender Faktor für die anders geartete Nation werden, die er schaffen wollte. Aber die Auseinandersetzungen um die Ablehnung des Reformplanes führte zu einer Spaltung der katholischen Bewegung und verzögerte ihren Erfolg. O'Connell nutzte jedoch diese Phase innerer Konflikte, sich eine unangefochtene Führungsposition zu sichern. Nach einer Zeit unbeständiger und daher erfolgloser Anstrengungen wurde 1823 die ›Katholische Vereinigung‹ (Catholic Association) gegründet, um die Forderungen der Katholiken mit mehr Nachdruck zu vertreten. Diese Organisation umfaßte neben einigen Aristokraten und Gutsbesitzern vor allem die ländlichen und städtischen Bevölkerungsteile der unteren Sozialschichten, die Pfarrgemeinden waren ihre organisatorischen Grundeinheiten und die Gemeindepriester ihre lokalen Stellvertreter. Der weltliche Klerus zog auch den ›Katholikenzins‹ ein (monatliche Beitragszahlung von einem Penny, die in die Kasse der Vereinigung floß, Anm. d. Verf.), und sein politischer Einfluß überflügelte sogar bald die traditionelle Machtstellung der Landbesitzer. Auf der Grundlage der Katholischen Vereinigung sicherte sich O'Connell die Leitung der gesamten Bewegung. Hauptsächlich auf seine Veranlassung hin war die katholische Geistlichkeit zur Teilnahme aufgefordert worden, er konnte auf ihre Hilfe zählen, und die hohen Einkünfte aus den Beitragszahlungen standen ihm zur freien Verfügung. Dem wachsenden Druck seiner Unruhe stiftenden Agitation trat die britische Regierung nicht geschlossen entgegen. Obwohl Peel und Wellington, die 1828 die Regierung übernommen hatten, sich offiziell gegen die Forderungen der Katholiken wandten, war ihre Machtgrundlage im Unterhaus ungewiß. Es galt keineswegs als sicher, daß sie die notwendige Mehrheit für weitere Zwangsmaßnahmen, die im Fall einer fortgesetzten Verweigerung der Katholikenemanzipation unbedingt notwendig gewesen wären, tatsächlich erhalten hätten. Unter diesen Voraussetzungen gaben sie nach, und 1829 wurden Katholiken zum Parlament zugelassen.

Die Maßnahmen, die O'Connell zum Erfolg verholfen hatten, waren ebenso bemerkenswert wie ihr Ergebnis. Vor seinem Auftreten war die Emanzipationsbewegung eine mittelständische Organisation unter adliger Leitung gewesen. Er veränderte ihre Sozialstruktur vollständig, indem er Priester und Bauern aufnahm. Mit Hilfe seines Organisationssystems, seiner unablässigen Propaganda und vor allem der Massenversammlungen, bei denen er seine überragenden rhetorischen Fähigkeiten wirkungsvoll zur Geltung bringen konnte, stellte er das Emanzipationsprogramm in den Dienst einer auf geschlossenen Veränderungswillen abzielenden Bewußtseinsbildung der katholischen Massen, die ihnen in dieser Intensität bisher unbekannt gewesen war. O'Connell kommt das Verdienst zu, als eine Art Pionier die Macht einer informierten und formierten politischen Öffentlichkeit mit verfassungsmäßigen, aber dennoch aggressiven Mitteln gegen die Regierung gelenkt zu haben. Seine Erfolge erregten auch außerhalb Irlands großes Aufsehen, und sein Beispiel machte sowohl in England als auch auf dem Kontinent Schule.

Die Zulassung katholischer Abgeordneter zum Unterhaus gab O'Connell ein weiteres Machtinstrument an die Hand. Er baute eine Parteigruppe auf und beherrschte eine Zeitlang das politische Gleichgewicht im Unterhaus. Verständlicherweise neigte er den Whigs zu, mit denen er 1835 ein begrenztes Abkommen schloß, das Lord Melbourne zur Übernahme der Regierung verhalf. Die Whigs standen irischen Problemen durchaus wohlmeinend gegenüber, waren sich aber bezüglich ihrer Lösung nicht einig. Diese Gegensätze bezogen sich in erster Linie auf den Status der irischen Staatskirche, der nach der Emanzipation zum umstrittensten Thema der irischen Politik geworden war. Die englische und die irische Staatskirche waren im Rahmen des Unionsabkommens vereinigt und ihre Rechtsgrundlagen durch die Emanzipationsakte noch einmal garantiert worden. Die Union besaß jedoch nur formal Gesetzeskraft, in weiten Kreisen der irischen und englischen Bevölkerung war man sich der unterschiedlichen Positionen der beiden Kirchen bewußt, und wenn die anglikanischen Geistlichen in Irland gehofft hatten, daß ihre Kirche den gleichen Rechtsschutz beanspruchen dürfe wie die englische, so mußten sie sich nun vom Gegenteil überzeugen. Die politischen Argumente, die O'Connell von jetzt an mit besonderem Nachdruck vorbrachte, stießen bei den Whigs auf Zustimmung. Er lehnte das System der Kirchensteuern nicht nur grundsätzlich als eine Form sozialer Unterdrückung ab, sondern wies auf den Haß der katholischen Bauern gegen diese erzwungenen Abgaben hin, die einer Kirche zugute kamen, die sie für häretisch und fremdartig hielten. Die Kirchensteuern waren schon im 18. Jahrhundert bekämpft worden; in den dreißiger

Jahren des 19. Jahrhunderts wurde dieser Streit jedoch mit einer bisher ungewohnten Härte fortgesetzt. O'Connell hatte nicht zur Anwendung von Gewalt aufgerufen, und trotzdem wurden weite Teile des Landes von Unruhen heimgesucht, so daß viele Geistliche der Staatskirche ihren Steueranteil nicht einsammeln konnten und daher mittellos wurden. Die Whigs waren bereit, das Kirchensteuerwesen zu reformieren, um die Belastungen der Pächter zu verringern, aber ihr eigener Respekt vor dem Prinzip des Eigentums und das Festhalten der Aristokratie an den Vorrechten der Staatskirche hielten sie von radikalen Veränderungen ab. So blieb die Kirchensteuer in einer nur leicht veränderten Form bestehen, und der Steuerertrag wurde nicht weltlichen Zwecken zugewandt, wie O'Connell und einige englische Whigs gefordert hatten. Der Kritik an der Staatskirche kam man noch in der Weise entgegen, daß zehn Bischofssitze aufgelöst wurden, deren Eigentum für Kirchenzwecke Verwendung fand. Doch obwohl diese Inanspruchnahme parlamentarischer Kompetenzen als ein Schritt auf dem Weg zu einer Entmachtung des anglikanischen Klerus bewertet werden kann, reichten diese Maßnahmen nicht aus, die Wünsche der katholischen Öffentlichkeit zufriedenzustellen.

Dieser zaudernde Angriff auf die Sonderstellung der anglikanischen Kirche war für die Irlandpolitik der Whigs bezeichnend. Von O'Connell wurden sie zu noch umfassenderen Reformen gedrängt, die weniger radikalen Politiker der Whigs zögerten, im Unterhaus waren sie den unablässigen Attacken der Opposition ausgesetzt, und das Oberhaus behinderte sie durch die fortgesetzte Ablehnung der Gesetzesvorlagen. So waren die Whigs ständig auf der Suche nach Notlösungen, ohne ein bestimmtes Ziel vor Augen, das über die Beseitigung momentaner Schwierigkeiten hinausreichte. Trotzdem erreichten sie einiges. So entwickelten sie ein Volksschulsystem auf nationaler Ebene, führten das erweiterte Armengesetz in Irland ein und reformierten die Gemeindeverwaltungen. Diese Reformtätigkeit war im Prinzip höchst bedeutsam, so umstritten ihre Ergebnisse auch sein mögen, denn in den Volksschulen wurden nicht – wie vorgesehen – die Kinder verschiedener Konfessionen gemeinsam erzogen; dafür sank die Zahl der Analphabeten, und in Verbindung mit der katholischen Kirche und ihrer politischen Organisationen führten diese Schulen zu einer weitgehenden Einschränkung des Irischen als Umgangssprache. Das neue Armengesetz war für irische Verhältnisse so gut wie nicht geeignet, aber es garantierte zumindest ein Minimum an Sozialfürsorge bei Hungerkatastrophen. Und schließlich schuf die Reform der Gemeindeverwaltungen die Voraussetzungen für die Besetzung lokaler Ämter mit Katholiken. Es gelang den Whigs zwar nicht, die englische Irlandpolitik einheitlich zu organisieren, dafür veranlaßten sie jedoch eine bemerkenswerte, wenn auch nur befristete Veränderung in der irischen Regierungsspitze. Fünf Jahre lang mußte das Herrschaftsethos der protestantischen Oberschicht der liberalen Politik des Untersekretärs Thomas Drummond weichen. Um den Einfluß der Gutsbesitzer einzuschränken, wurden auf sein Betreiben hin in großem Umfang Verwaltungsbeamte ernannt, die von der Regierung bezahlt wurden. Drummond ließ alle Umzüge der Oranje-Bünde verbieten, das Polizeiwesen wurde der direkten Kontrolle der Regierung unterstellt, und bei der Vergabe öffentlicher Ämter wurden mehr Katholiken berücksichtigt als bisher.

Drummond kam es zur Hauptsache darauf an, die Vollmachten der Regierungsbeamten zu vergrößern und den Einfluß des protestantischen Landadels zu unterhöhlen. O'Connell war mit dieser Politik verständlicherweise einverstanden, zumal seine Stimme bei Amtsernennungen besonders zählte. Generell war er jedoch von den Ergebnissen seiner Koalition mit den Whigs enttäuscht, und 1840 entschloß er sich zur Auflösung dieser Allianz. Diese Entscheidung fiel ihm umso leichter, als die Regierung Melbourne offensichtlich einem baldigen Zusammenbruch zusteuerte. Der Regierungsantritt von Robert Peel stand unmittelbar bevor, und von Peel konnte O'Connell keine

Zusammenarbeit erwarten. Anstatt weiter auf parlamentarischer Ebene zu verhandeln, gründete er 1840 die ›Vereinigung zur Aufhebung der Unionsakte‹ (Repeal Association) und erneuerte mit alter Vehemenz seine Politik der Agitation. Für diesen Entschluß ist O'Connell heftig kritisiert worden. So wurde ihm vorgeworfen, er habe die Aufhebung der Union nur deswegen wieder in sein politisches Programm aufgenommen, weil er der allmählichen Abnahme seines Einflusses bei der Landbevölkerung entgegenwirken wollte, oder weil es ihm auf finanzielle Bereicherung angekommen sei. Es steht ohne Zweifel fest, daß seine Machtbasis kleiner war als auf dem Höhepunkt der Auseinandersetzungen um die Katholikenemanzipation und daß die Einnahmen aus dem ›Tribut‹ (Beitragszahlung für die Kasse der Organisation anstelle des ›Katholikenzins‹) sehr viel geringer waren. Es ist ebenso richtig, daß sich O'Connell seiner persönlichen Machtstellung deutlich bewußt war und daß er so großzügig mit Geld umging, daß er unter ständigem Geldmangel litt. Doch sein Bekenntnis zur Aufhebung der Union war echt, auch wenn er dabei persönliche Interessen verfolgte, und sein Verhalten läßt sich auf Grund der damaligen Umstände durchaus schlüssig begründen. Andererseits kann man gegen ihn zwei gewichtigere Einwände erheben. Erstens konzentrierte sich O'Connell auf verfassungsrechtliche Probleme, nicht auf soziale. Diese Selbstbeschränkung rührte möglicherweise von seiner Berufspraxis und der Einflußnahme politischer Freunde her; bei größerem Weitblick hätte er erkennen können, daß mit einem ausschließlich politischen Programm nicht viel auszurichten war. Zweitens bewies O'Connell selbst auf politischer Ebene nicht genügend Einsicht. 1829 hatten Peel und Wellington seinen Forderungen nicht nur deswegen nachgegeben, weil in Irland Unruhe herrschte, sondern weil die politische Öffentlichkeit in England ebenfalls in zwei Lager gespalten war. In den vierziger Jahren des 19. Jahrhunderts war die britische Öffentlichkeit jedoch geschlossen für die Beibehaltung der Union, Peels Mehrheit im

Unterhaus war ungefährdet, und er konnte bedenkenlos Maßnahmen veranlassen, die für die Aufrechterhaltung von Ruhe und Ordnung in Irland erforderlich waren. O'Connell hoffte ihn durch ›friedliches, rechtmäßiges und verfassungsgemäßes‹ Agitieren zu stören, bedachte aber nicht die Konsequenzen, wenn dieser Plan mißlingen sollte.

Nach O'Connells Absicht sollte der Widerstand gegen die Union von einer nationalen Bewegung getragen werden. Trotz seiner Bemühungen um die Teilnahme aller Konfessionsgruppen bestand seine Anhängerschaft jedoch fast ausschließlich aus Katholiken. Er hatte gehofft, die nordirischen Presbyterianer interessieren zu können, aber hierin täuschte er sich ebenso wie in Peels Widerstandskraft. Infolge seiner Allianz mit dem katholischen Klerus und ihrer zentralen Bedeutung für die Organisation hatte er die verbliebenen presbyterianischen Nationalisten vor den Kopf gestoßen, und als er nach Belfast kam, sprach er nur zu Katholiken. Der politische Geist, der nunmehr unter den Presbyterianern vorherrschte, läßt sich am eindrucksvollsten in den Reden von Henry Cooke, einem ihrer Geistlichen, aufzeigen, der über eine ähnlich imponierende Rednergabe verfügte wie O'Connell und ihm in der Kunst der Invektive ganz gewiß nicht nachstand. Unter Cookes Einfluß näherten sich die Presbyterianer dem politischen Lager der Anglikaner und wandelten sich zu Verteidigern der Union. Zwar hatten sich viele Protestanten O'Connell angeschlossen, einige spielten in seiner Bewegung eine wichtige Rolle, aber sie verkörperten nicht die geistigen Hauptströmungen innerhalb der protestantischen Bevölkerung. Daher ist der irische Nationalismus der Gegenwart – insofern er sich auf O'Connell beruft – seiner Anhängerschaft und in gewisser Weise auch seinem Wesen nach eine von Katholiken getragene Bewegung.

Der außergewöhnliche Erfolg O'Connells von 1829 verleitete ihn und seine Gefolgsleute zu der Erwartung eines neuerlichen Triumphes derselben Agitationswelle. Peel ließ sich jedoch nicht einschüchtern. O'Connell hatte die irische Regierung buchstäblich dazu herausgefordert, die von ihm organisierten Massenkundgebungen zu verbieten, und die Regierung nahm die Herausforderung an. Im Oktober 1843 sollte in Clontarf eine Versammlung stattfinden, die am Vorabend des Treffens verboten wurde. O'Connell sagte die Verabredung sofort ab und verhinderte dank seines Einflusses, daß irgendwelche Gegenmaßnahmen ergriffen wurden. Diese Zurückhaltung war das vernünftigste und entsprach auch seiner weithin bekannten Abneigung gegen Gewalt. Trotzdem wurde sein Ansehen durch diesen Rückschlag stark erschüttert, was sich auch später nicht änderte. Von diesem Zeitpunkt an schien O'Connell seinen Glauben an die Wirksamkeit seiner Methode der Agitation verloren zu haben; er schien sogar an dem Erfolg seines Widerstandes gegen die Union zu zweifeln. Stattdessen wartete er die zukünftige Zusammenarbeit mit den Whigs ab, sobald diese wiederum die Regierung stellen würden.

O'Connells Mißerfolg war umso bedeutungsvoller, als sein ganzes politisches Programm durch die bisher noch schweigende Opposition einer ganz anders gearteten nationalistischen Bewegung in Frage gestellt wurde. Die Ideen von 1798 hatten wieder Anklang gefunden, und einige enthusiastische Nationalisten (bekannt als ›Junges Irland‹), die Mitglieder von O'Connells Organisation waren und zudem unter dem Einfluß der kontinentalen Revolutionsbewegungen standen, knüpften an diese Tradition an. Sie verehrten O'Connell sehr, denn er war es ja gewesen, der die Politisierung der großen Massen erreicht hatte, die sie nun heranziehen wollten, und daher war ihnen sehr an der Zusammenarbeit mit O'Connell gelegen. Sie brachten aber andererseits nur wenig Geduld für seine entscheidende Ablehnung der Gewaltanwendung auf und hielten nichts von seinem Bündnis mit dem katholischen Klerus. Zum Teil gehörten die Anhänger des Jungen Irland dem protestantischen Mittelstand an. Sie strebten einen irischen Staat an, in dem religiöse Toleranz herrschen sollte, und sie waren entschlossen — gelegentlich schien es, als sehnten sie diese Entwicklung herbei —, das neue Irland mit Waffengewalt zu erkämpfen. Ihre Zeitung (›Nation‹) verherrlichte die militärischen Erfolge der Vergangenheit und sprach sich für Waffenübungen in der Gegenwart aus. Nach einer Zeit unausgesprochener Verdächtigungen und wachsenden Mißbehagens auf beiden Seiten kam es 1845 zur ersten offenen Auseinandersetzung zwischen O'Connell und dem Jungen Irland — bezeichnenderweise wegen einer religiösen Frage. In diesem Jahr hatte die Regierung Peel drei Universitätskollegs (›Queen's Colleges‹) in Belfast, Cork und Galway gegründet, um die Hochschulausbildung in Irland zu erweitern. Die neuen Kollegs sollten frei von jeglichem Konfessionszwang sein und Studenten aller Glaubensrichtungen zusammenzuführen. O'Connell schloß sich den katholischen Bischöfen an, die diese Hochschuleinrichtungen als ›gottlos‹ bezeichneten und die Politik der ›unterschiedslosen Erziehung‹ verdammten, während das Junge Irland — an seiner Spitze Thomas Davis — gerade diese Lösung begeistert unterstützte. Der daraufhin ausbrechende Streit endete offiziell mit einer Versöhnung, aber O'Connell und die Bischöfe setzten sich durch. Die Universitätskollegs in Cork und Galway, die vorwiegend von Katholiken besucht wurden, übten mehr als ein halbes Jahrhundert lang keine sonderliche Anziehungskraft aus. Das Kolleg in Belfast, das von den presbyterianischen Gemeinden anerkannt wurde, entwickelte sich dagegen bald zu einer erfolgreichen Institution. Dieser Streit enthüllte die vorrangig klerikalen Wesenszüge des von O'Connell propagierten Nationalismus, und die Gegensätze zwischen seinen Ansichten und denen des Jungen Irland waren zu schroff, um vertuscht werden zu können. 1846 mußten die Anhänger des Jungen Irland die Vereinigung verlassen, weil sie sich geweigert hatten, auf die Anwendung von Gewalt zu verzichten; dieser Streitpunkt war jedoch nur ein Aspekt einer viel tiefer reichenden Diskrepanz. Ohne Zweifel verschärfte auch ein gewisses Generationsproblem diesen Streit, denn in seltensten Fällen läßt es sich ein altbewährter politischer Führer bieten, daß seine Autorität von Jüngeren angezweifelt wird. Der prinzipielle Gegensatz zwischen der verfassungsmäßigen, auf die Kirche gestützten Bewegung einerseits und der kirchenfeindlichen, revolutionären Bewegung andererseits wurde von diesem Rivalitätsverhältnis jedoch nur am Rande berührt.

Dieser Modellfall sollte zu Beginn des 20. Jahrhunderts noch einmal eintreten, als sich wiederum die Befürworter physischer Gewalt innerhalb einer verfassungskonformen Organisation zusammenschlossen und sich als Splittergruppe von ihr lösten, obwohl sich in diesem Fall gänzlich andersgeartete Folgen ergaben. Aber trotz dieser Wiedergeburt der gewalttätigen und revolutionären politischen Richtung, die O'Connell haßte, ist sein Name unlösbar mit der Entwicklungsgeschichte des modernen irischen Nationalismus als einer Volksbewegung mit klerikalen Tendenzen verbunden.

Der Streit zwischen O'Connell und dem Jungen Irland wurde überschattet von der schrecklichsten Hungerkatastrophe, die Irland jemals heimgesucht hat. Die Bevölkerung war auf über acht Millionen angewachsen, wovon sich etwa die Hälfte fast ausschließlich von Kartoffeln ernährte. Diese Situation war überaus bedrohlich, denn schon 1816 hatten Mißernten in einigen Teilen Irlands fast zur Hungersnot geführt, und die weitverbreiteten Fiebererkrankungen in Irland konnten eine Seuchengefahr heraufbeschwören, falls sich die Resistenz gegen Infektionen infolge Mangels an Lebensmittel verringern sollte. Zeitgenössische Wirtschaftstheoretiker waren sich seit langem darüber im klaren, daß die irische Volkswirtschaft in besonderem Maß gefährdet war, weil Irland fast ausnahmslos von den Erträgen der Landwirtschaft abhing. Keine Regierung während dieser Zeit wagte es jedoch, ein derartiges Problem in Angriff zu nehmen, und es war unmöglich, eine Katastrophe dieses Umfangs vorauszuahnen oder ausreichende Vorsorgemaßnahmen zu treffen. Die Hungersnot begann mit einem partiellen Ausfall der Kartoffelernte im Herbst des Jahres 1845 und erreichte in den Jahren 1846/47 ihren Höhepunkt, der 1848 überschritten war. Im Verlauf dieser vier Jahre verlor Irland durch Tod und Auswanderung über eine Million Menschen; allein für das Jahr 1847 wird geschätzt, daß annähernd 250 000 Menschen verhungerten oder auf Grund von Fieberkrankheiten starben; über 200 000 Iren flohen nach Amerika.

Die Hungersnot konfrontierte die Regierung mit einem fast unlösbaren Verwaltungsproblem. In England herrschte Lebensmittelknappheit, so daß ein Verbot irischer Getreideimporte aus politischen Gründen unmöglich war, und die freie Einfuhr ausländischen Getreides, die durch die Aufhebung der ›Getreidegesetze‹ legalisiert worden war, setzte zu spät ein, um wirklich helfen zu können. Außerdem bestanden die Probleme in Irland nicht nur in der Beschaffung von Nahrungsmitteln. Der irische Bauer lebte zur Hauptsache von der Kartoffel, die er selber anbaute. Wenn die Kartoffelernte ausfiel, besaß er kein Geld, um sich und seine Familie zu ernähren. Der Versuch der Regierung, die Notlage durch öffentliche Baumaßnahmen zu beheben, führte zu Korruption und Fehlplanung, so daß die Regierungsstellen schließlich zur direkten Versorgung mit Nahrungsmitteln übergehen mußten. Diese Bemühungen wurden von fast allen Teilen der Welt unterstützt, so daß im Frühjahr 1847 fast drei Millionen Menschen aus öffentlichen Mitteln versorgt werden konnten. Obwohl sie bei weitem nicht so zu leiden hatten wie die übrige Bevölkerung, erlitten auch viele Landbesitzer schwere Verluste. Zum Teil opferten sie ihre Vermögen, um ihre Pächter zu retten. Es gab aber auch Gutsherren, die auf ihren Abgaben bestanden, so daß in einigen Gegenden sämtliche Pachtverträge gekündigt wurden, so daß Hunger und Krankheiten noch mehr Opfer fanden.

Die Auswirkungen der Hungerkatastrophe waren so fürchterlich, daß nahezu alle Lebensbereiche davon betroffen waren. Die auffälligste Folgeerscheinung war die sehr rasche und stetige Abnahme der Bevölkerungsziffer. 1851 lebten nur noch sechseinhalb Millionen Menschen in Irland, 1871 waren es fünfeinhalb Millionen. Diese Bevölkerungsabnahme betraf vor allem die Landgebiete, verhalf den Bauern aber erst allmählich zu einer Verbesserung ihrer Lebensverhältnisse, denn auch nach der Hungersnot machte die Zusammenlegung kleiner Parzellen zu gewinnbringenden, großen Pachthöfen (consolidation of holdings) rasche Fortschritte, so daß die Wettbewerbssituation beim Erwerb von Pachtland ebenso hart blieb wie zuvor. Innerhalb eines Zeitraums von 40 Jahren war jedoch die Bevölkerungsrate derart abgesunken, daß die irische Landwirtschaft den Nahrungsmittelbedarf Irlands ohne weiteres decken konnte, und nun bot ein System der Landübereignung an ehemalige Pachtbauern den einzigen Ausweg aus der Misere der ländlichen Besitzverhältnisse – ein Plan, der während der ersten Jahrhunderthälfte nicht hätte verwirklicht werden können. Im Gefolge der Hungerkatastrophe traten auch sofort wirksame Veränderungen innerhalb des politischen Kräftesystems auf; in erster Linie ging dabei der organisierte Widerstand gegen die Union zugrunde. ›Die hochfliegenden Forderungen nach einem irischen Senat (d. h. Parlament) und einer Nationalflagge haben sich in ein demütiges Betteln um Nahrung verwandelt‹, schrieb John Mitchel, der radikalste Vertreter des Jungen Irland und ein Gegner von O'Connells verfassungsmäßiger Agitation. Der Aufstand des Jungen Irland 1848 scheiterte kläglich, weil der Erschöpfungszustand nach der Hungernot zu einer allgemeinen politischen Interessenlosigkeit geführt hatte. Die nationalistischen Ideen eines O'Connell hatten jedoch noch Zündkraft, und als sie von neuem aufkamen, waren sie erfüllt von Bitterkeit gegenüber England, da nach irischer Überzeugung die englische Regierung irgendwie, wenn schon nicht für den Ausbruch, so doch für die Folgen der Hungersnot verantwortlich war, auf jeden Fall aber für ihr Ausmaß. Der nicht abreißende Zug von Auswanderern, der jahrzehntelang anhielt, war für die weitere politische Entwicklung ebenfalls bedeutungsvoll, denn auf diese Weise entstanden in den Vereinigten Staaten weitläufige irische Kolonien, deren nationales Solidaritätsgefühl zur Hauptsache von ihrem gemeinsamen Haß gegen England ausging. Und gerade unter den in Amerika lebenden Iren hielt sich die revolutionäre Tradition am lebendigsten. Das Zusammenwirken dieser zum Teil stark unterschiedlichen politischen Richtungen sollte fernerhin die schon bestehende Kluft zwischen Ulster und dem übrigen Irland vertiefen. Die Bevölkerung in Ulster war nicht so absolut auf die Kartoffel angewiesen und litt daher weniger unter den Mißernten als die Bewohner anderer Provinzen. Darüber hinaus entwickelten sich die Industriegebiete in Ulster immer weiter, wogegen die Unternehmen in Süd- und Westirland, die schon seit längerem unter der englischen Konkurrenz zu leiden hatten, schneller als je zuvor zurückgingen. In der gewandelten Sozialstruktur Irlands, die sich nach den chaotischen Verhältnissen während der Hungerjahre Schritt für Schritt herausgebildet hatte, trat die Sonderstellung der nordöstlichen Grafschaften noch deutlicher hervor als bisher.

Der Anspruch auf Selbstverwaltung

Nach der Hungerkatastrophe befand sich Irland im Zustand wirtschaftlicher und politischer Erschöpfung. Die Widerstandsorganisation gegen die Union war nicht mehr existent, das Junge Irland hatte sich aufgelöst und wurde kaum noch anerkannt, niemand fand sich, der O'Connells Platz hätte einnehmen können, Irland verfügte über keine nationale Partei und die britische Regierung über keine einheitliche Irlandpolitik. Vierzig Jahre später hatte sich die Situation von Grund auf geändert. Parnell war im Besitz einer Führungsposition, die ebenso eindeutig — wenn auch nicht so gesichert — war wie die O'Connells, und er hatte eine geschlossene Gruppe von Abgeordneten hinter sich, die über 80 Prozent aller Abgeordneten Irlands in London umfaßte. Anstelle der Aufhebung der Union forderten die Nationalisten jetzt ein nationales, aber von England abhängiges Parlament, und diese Politik der ›Selbstverwaltung‹ (home rule) war von einer der beiden großen britischen Parteien offiziell sanktioniert worden. Die unter diesen Voraussetzungen gehegten Hoffnungen gingen nicht in Erfüllung. Der politische Druck der irischen Öffentlichkeit auf die Regierungen bewirkte eine Reihe sozialer Reformen, aber keine verfassungsrechtliche Lösung der politischen Probleme. Dieser Mißerfolg, nach langem vergeblichen Hoffen endlich eingestanden, machte den Weg frei für eine radikale Politik der irischen Nationalisten, und die Bewegung für die Selbstverwaltung Irlands zerfiel, nachdem ihre Protagonisten die legislative Verfahrensweise des Unterhauses gelähmt und die Popularität der Liberalen Partei stark beeinträchtigt hatten.

Die Stationen in der politischen Entwicklung Irlands in der zweiten Jahrhunderthälfte lassen sich direkt zurückführen auf die Maßnahmen der Regierung unmittelbar im Anschluß an die Hungersnot. Diese hatte zwar die sorgenvolle Anteilnahme der britischen Bevölkerung hervorgerufen, aber Irland geriet bald wieder in Vergessenheit, und weder die Maßnahmen noch die geistige Grundhaltung der Regierung änderten sich wesentlich. Doch gerade jetzt war ein Umschwung in der Regierungspraxis besonders notwendig, da Irland in eine neue Entwicklungsphase eintrat. Die plötzliche Abnahme der Bevölkerungsziffer war das auffälligste, aber keineswegs einzige Kennzeichen dafür; auch die soziale Struktur der Landbevölkerung wies Veränderungen auf: So war die Gruppe der Tagelöhner fast völlig verschwunden. Während der Volkszählungen von 1841 und 1851 hatte sich die Anzahl der Hütten mit nur einem Raum um 70 Prozent verringert; dagegen hatte sich die Zahl der Pachthöfe mit über sechs Hektar fast verdoppelt. Diese Strukturveränderung wurde in ihren positiven Auswirkungen allerdings durch andere Faktoren wieder eingeschränkt. Die Aufhebung der Getreidezölle führte zu sinkenden Getreidepreisen (in Irland sanken die Preise zwischen 1840 und 1850 um 25 Prozent, Anm d. Verf.), wodurch die Gewinnrate der kleineren Bauern fiel. Die Pachtzinsen wurden aber nicht entsprechend herabgesetzt, und die gleichzeitige Preissteigerung für Schlachtvieh war ein weiterer Anstoß für die Gutsbesitzer, vielen Pächtern zu kündigen, ihr Land in große Weideflächen umzuwandeln und an wenige Viehzüchter zu vergeben, so daß die Nachfrage für Landarbeiter zwangsläufig zurückging. Ihre Löhne, die unmittelbar nach der Hungerkatastrophe leicht angestiegen waren, blieben für lange Zeit nahezu konstant, obwohl die Lebenshaltungskosten in die Höhe gegangen waren. Daher mußten viele Kleinbauern ihre geringen Einkünfte durch Tagelöhnerarbeiten aufbessern; trotzdem lebten viele kleinbäuerliche Familien unterhalb der Grenze des Existenzminimums.

Von der Regierung war nicht zu erwarten, daß sie sich des Wandels irischer Lebensverhältnisse vollständig bewußt wurde, obwohl die Hungerkatastrophe eigentlich zu der Einsicht hätte führen müssen, daß legislative Hilfsmaßnahmen unbedingt erforderlich waren. Aber in den fünfziger und frühen sechziger Jahren des 19. Jahrhunderts konnte sich das zeittypische lassez-faire-System, das Eingriffe in den Wirtschaftsprozeß ohnehin erschwert hätte, durch die alles beherrschenden außenpolitischen Ereignisse noch verstärken. Der Krimkrieg, die Rebellion in Indien und die nationale Befreiung Italiens beschäftigten die Aufmerksamkeit der englischen Regierung und Öffentlichkeit so stark, daß Irland unbeachtet blieb. Es wurden zwar Sondergesetze erlassen, aber sie bezogen sich nur auf die Auswirkungen der Unruhen, nicht auf ihre Ursachen. Die Kriminalität auf dem Land hatte während der Hungerkatastrophe und der Ratlosigkeit danach wieder zugenommen. Zwischen 1847 und 1857 verabschiedete das Parlament zwölf Zwangsgesetze, die der Regierung Sondervollmachten an die Hand gaben und die politischen Freiheiten der Bevölkerung aufhoben. Im allgemeinen neigten die Engländer dazu, die endgültige und dauerhafte Lösung der bestehenden Probleme dem ständigen Rückgang der Bevölkerung zu überlassen.

Obwohl man in England auf diese Weise die Augen verschloß, bemühte man sich in Irland, die Regierung zu Hilfsmaßnahmen zu zwingen. Auf dem Land hatten sich lokale Organisationen konstituiert, um die Rechte der Pächter zu schützen. 1850 schlossen sie sich zur ›Irischen Pächterliga‹ (Irish Tenant Right League) zusammen, der sogenannten ›Liga des Norden und Südens‹. Die Vereinigung war bedeutsam als Versuch, Katholiken und Protestanten auf Grund gemeinsamer Ziele zu vereinen. Darüber hinaus sollte die Auseinandersetzung um die Landfrage das Rückgrat einer nationalen Partei bilden. Die Liga errang sehr beachtliche Erfolge, die aber von kurzer Dauer blieben. Bei den Unterhauswahlen von 1852 wurden rund 40 ihrer Kandidaten gewählt, die öffentlich versichert hatten, sich zu einer unabhängigen irischen Fraktion zusammenzuschließen und die Verabschiedung einer gesetzlichen Pachtreform durchzusetzen, die den Pachtbauern ein größeres Maß an Rechtsschutz gegenüber willkürlichen Kündigungen garantieren sollte. Wenn die Mitglieder dieser Partei auch über die Lösung des Landproblems Einigkeit erzielt hatten, so liefen sie andererseits Gefahr, ihren Zusammenhalt auf Grund religiöser Differenzen einzubüßen. Gerade diese Gegensätze waren infolge der Anerkennung der katholischen Kirchenorganisation in England und der darauf zurückzuführenden Agitationswelle gegen den katholischen Klerus zu einem zentralen Streitpunkt der britischen Politik geworden. Selbst die Bischöfe der katholischen Kirche in Irland beteiligten sich mit viel mehr Anteilnahme an dieser Auseinandersetzung als an der Rechtssicherung für die Pachtbauern, die besonders von Erzbischof Cullen als ein Angriff auf das bestehende Besitzrecht mit Argwohn verfolgt wurde. Die Partei der Liga hielt sich jedenfalls insofern an ihre grundsätzlichen Vereinbarungen, als sie eine Regierungsmaßnahme ablehnte, weil damit nur Teilforderungen erfüllt wurden; zwei Monate später jedoch nahmen zwei ihrer bekanntesten Mitglieder entgegen ihren Wahlversprechen Regierungsämter an, und seither löste sich die Liga auf.

Nach diesem Mißerfolg erlahmte für längere Zeit jede politische Aktivität. Eine kleine Gruppe von Abgeordneten setzte sich zwar weiterhin für die Reform des Pachtsystems ein, aber die Idee einer nationalen Bewegung hatte einen Rückschlag erlitten, der erst nach knapp 20 Jahren überwunden werden konnte. Auch auf wirtschaftlichem Gebiet waren die Zukunftsaussichten trostlos; eine Ausnahme bildete nur das Industriegebiet um Belfast, das blühte und ansteigende Bevölkerungszahlen aufwies. Im übrigen Irland war der leichten Verbesserung der Wirtschaftslage nach der Hungersnot seit 1859 eine Periode schlechten Wetters und entsprechend schlechter Ernten gefolgt. Während des Jahrzehnts von 1860 bis 1870 stieg bei noch immer sinkenden Bevölkerungsziffern die Zahl der Unterstützungsempfänger um 70 Prozent an. Nach wie vor wurden viele Pachtverträge von den Gutsbesitzern gebrochen, und die Pachtbauern suchten weiterhin Schutz bei Geheimbünden, deren Existenz die Unterdrückungsmaßnahmen der Regierung zumindest formal rechtfertigte. Um 1860 ließ die politische Interesselosigkeit nach, was sich durch einen erfolglos verlaufenen Aufstand angekündigt hatte.

Die ›Irisch-Republikanische Bruderschaft‹, die das Zentrum jener als ›Fenier‹ bekannten Bewegung bildete, wurde 1858 gegründet; es dauerte jedoch noch einige Jahre, bis diese Organisation in großem Umfang tätig wurde. Sie gab vor, im Namen der ›nunmehr tatsächlich errichteten‹ irischen Republik Autorität auszuüben, und wandte sich gegen verfassungsmäßige Aktionsprogramme und Kompromißlösungen. Die meisten Anhänger sammelte sie unter den irischen Auswanderern in Amerika; sie wurde aber auch in Südafrika, Australien und England ins Leben gerufen. In Irland selber stellte sich die katholische Kirche gegen die Fenier, und auch für die Pachtbauern und Landarbeiter waren ihre Ziele nicht sehr verlockend. Insgesamt besaß die Organisation einige tausend Mitglieder, war aber nie eine Volksbewegung. Der Versuch, 1867 einen Aufstand einzuleiten, schlug fehl, und von da an verloren die Fenier in Irland ständig an Macht. Trotz ihres Scheiterns übten sie auf die irische Öffentlichkeit einen starken, meinungsbildenden Einfluß aus, und ihre Existenz erinnerte die britischen Politiker daran, daß es die irischen Probleme zu bewältigen galt. Die republikanische Tradition blieb bestehen, auch wenn sie auf Grund des Versagens ihrer Protagonisten und infolge des erneuten Auftretens legaler Vereinigungen vorerst in den Hintergrund gedrängt wurde. Viele in Amerika lebende Iren blieben den republikanischen Zielen treu und beeinflußten in späteren Jahren jene irischen Nationalisten, die der leeren Versprechungen und der Schwerfälligkeit des Parlamentarismus überdrüssig waren.

Der Einfluß der Fenier auf die britische Politik zeigte sich besonders deutlich an den politischen Vorstellungen Gladstones. Er war lange Zeit hindurch über die Lage in Irland beunruhigt gewesen, aber erst nachdem die Aktionen der Fenier die britische Öffentlichkeit zur Stellungnahme gezwungen hatten, griff er die ›Irische Frage‹ offiziell auf, und 1868 trat er seine erste Regierung an mit jener berühmten Erklärung: ›Meine Aufgabe ist es, in Irland für Frieden zu sorgen.‹ Sein erster Schritt zu diesem Ziel war die Einschränkung der anglikanischen Geistlichkeit und ihrer Kirchenverwaltung. Indem er dadurch die Sonderstellung der anglikanischen Kirche weitgehend aufhob, erfüllte er eine immer wieder vorgebrachte Forderung der meisten Iren, und obwohl sich die anglikanischen Geistlichen heftig zur Wehr setzten, profitierte die Kirche im allgemeinen von dieser Einbuße an äußerer Macht. Gladstones zweiter Schritt war das Landgesetz von 1870, ein eher schüchterner Lösungsversuch, der den Pachtbauern nur wenig Nutzen einbrachte, aber mit diesem Gesetz wurde die bisher ignorierte Verpflichtung anerkannt, die der Regierung für das Wohlergehen der Bauern oblag. Später erschien Gladstones Irlandpolitik häufig gewagter, aber die Grundsatzentscheidungen fielen während seiner ersten Amtsperiode. Mit seiner Egalisierungspolitik gegenüber der anglikanischen Kirche und seinem zurückhaltenden, doch richtungsweisenden Versuch, die Macht der Gutsbesitzer zu verringern, unterhöhlte er die Grundlagen der Union. Seine Politik war ein Bekenntnis zu der Einsicht, daß diese Grundlagen brüchig waren, aber die Zukunft sollte erweisen, daß alternative Ordnungen ebenso wenig zu dauerhaften Lösungen führten.

Die Einflußnahme der Fenier auf die irische und englische Politik war beträchtlich und führte im Verlauf einer Art Reaktionsprozesses zum Zusammenschluß irischer Abgeordneter in einer neuen irischen Parteigruppe im Unterhaus. 1870 wurde von Isaac Butt, einem Rechtsanwalt, der zuvor Professor für Nationalökonomie am Trinity College in Dublin gewesen war, die ›Home Government Association‹ gegründet, die schon bald darauf in ›Liga für Selbstverwaltung‹ (Home Rule League) umbenannt wurde. Butt war früher einmal überzeugter Konservativer gewesen und hoffte nun, Konservative und Liberale, Protestanten und Katholiken in seiner neuen Bewegung zu vereinen, die anfangs keinerlei nationalistische Tendenzen aufwies. Er war der Ansicht, daß unter den bestehenden Voraussetzungen Sondermaßnahmen für Irland erforderlich seien. Zu ihnen sollte in erster Linie die Einsetzung eines irischen Parlaments gehören, das dem Parlament in Westminster untergeordnet sein und ausschließlich die national-irische Gesetzgebung übernehmen sollte. Ein derartiger Modellentwurf verlangte ein hohes Maß an Verständnis und gutem Willen, der auf beiden Seiten nicht vorhanden war. Mit seinen gemäßigten Anschauungen war Butt innerhalb seiner eigenen Bewegung ziemlich isoliert, weil die meisten Iren aus einem Gefühl der Verbitterung gegenüber der englischen Herrschaft in Irland für die Selbstverwaltung eintraten; die Engländer lehnten dieses Ziel im allgemeinen deswegen ab, weil es zur Auflösung der Union und zur Zersplitterung des Reiches (empire) führte. Unabhängig von allen offiziellen Einschränkungen und zurückhaltenden Forderungen wurde der Anspruch auf Selbstverwaltung sehr bald mit der Forderung nach einer nationalen Regierung gleichgesetzt. Dadurch konnte Butt seine Anhängerschaft vergrößern, da der irische Nationalismus wiederauflebte und da noch nicht das Problem bestand, die öffentliche Meinung in England zu beruhigen. Bei den Unterhauswahlen von 1874, die zum erstenmal in geheimem Wahlverfahren durchgeführt wurden, gelangten fast 60 Vertreter der home-rule-Bewegung als Abgeordnete ins Unterhaus. Sie faßten sofort den Entschluß, sich zu einer unabhängigen Fraktion zusammenzuschließen, die Forderung nach Selbstverwaltung hartnäckig immer wieder vorzubringen und sich weder mit der Regierung noch mit der Opposition in einer Koalition zu einigen. Die Konstituierung einer derartigen Partei, die die Mehrheit der irischen Abgeordneten umfaßte, war ein bemerkenswerter Erfolg, den Butt folgendermaßen kennzeichnete: ›Wir haben die Ausgangsbasis für das Gelingen unserer Vorhaben erreicht, wenn wir überlegt und gleichzeitig unerschrocken unsere Vorteile nutzen.‹ Er selber war allerdings mehr ein Freund von ›überlegtem‹ als von ›unerschrockenem‹ Vorgehen und nutzte die von ihm ins Leben gerufene Partei kaum für politische Schachzüge. Diese Mäßigung kostete ihn seine Führungsposition, als ein weit weniger zurückhaltender Rivale auftrat. Charles Stewart Parnell war 1875 als Abgeordneter der home-rule-Bewegung ins Unterhaus gewählt worden, und innerhalb weniger Jahre hatte er Butt von der Führungsspitze der Partei verdrängt. Er war Protestant, Gutsbesitzer und entstammte einer alten angloirischen Familie. Sein Patriotismus zehrte von seinem Haß gegen England, der vermutlich von seiner amerikanischen Mutter herrührte, und sein Machtstreben galt als das Hauptmotiv seines politischen Handelns. Butt hatte die Engländer mit Hilfe klarer Argumente davon zu überzeugen versucht, daß Irland eine eigene Regierung erhalten sollte. Parnell wollte die Engländer zu Konzessionen zwingen, indem er das bestehende Herrschaftssystem blokkierte. Er übernahm und erweiterte die schon vorher bekannte Obstruktionsmethode (Parlamentsbeschlüsse wurden durch überlange, zum Teil tage- und nächtelange Reden verhindert, Anm. d. Übers.), mit deren Hilfe die legislative Tätigkeit des Parlaments fast zum Erliegen kam. Obwohl schließlich neue Verfahrensregeln beschlossen wurden, die diese Praktiken verboten, hatte Parnell die irische Frage wenigstens so publik gemacht, daß es fraglich erscheint, ob der gemäßigte Butt den gleichen Erfolg bewirkt hätte.

Butt starb verbittert im Jahr 1879, und obwohl Parnell nicht sofort offiziell die Parteiführung übernahm, hatte sich doch herausgestellt, daß er der bei weitem wichtigste irische Abgeordnete war; es dauerte auch nicht lange, bis er zum mächtigsten Mann der irischen Poiltik wurde. Die irische Parteigruppe wuchs an Mitgliedern und Ansehen, aber Parnell verdankte seine Stärke nicht nur der Parteiorganisation, denn er hatte mit Führern der revolutionären Bewegung ein Abkommen geschlossen und mit der kürzlich gegründeten ›Land-Liga‹ ein Bündnis vereinbart. (Diese Politik bezeichnet man allgemein als den ›neuen Weg‹, Anm. d. Verf.) Inwieweit Parnell tatsächlich mit den Revolutionären zusammengearbeitet hat, ist nicht eindeutig festzustellen, aber die Ergebnisse der vorhandenen Kontakte sprechen für sich. Die Fenier in Amerika hatten sich von den Erfolgen der irischen Partei im Unterhaus so weit überzeugen lassen, daß sie es als lohnenswert erachteten, der legalen Bewegung eine Chance einzuräumen, wenn sie ihren Glauben an die Erfolge von Gewaltmaßnahmen auch nicht aufgaben. Im Lauf der nächsten Jahre erwies sich die finanzielle und propagandistische Hilfe für Parnell von den Amerikanern als außerordentlich nützlich. Die dritte Partei, die ihn unterstützte, war die Land-Liga, die 1879 von Michael Davitt gegründet worden war, um die Pachtbauern gegen Wucherzinsen und Kündigungen zu schützen. Davitt blieb der Organisator der Liga, aber Parnell trat als Präsident an ihre Spitze, und somit liefen die Auseinandersetzungen um die nationale Selbstverwaltung und der ›Landkrieg‹ in einer Führungsorganisation zusammen. Das ungewöhnlich rasche Anwachsen der Land-Liga und ihr großer Einfluß waren weitgehend auf die landwirtschaftliche Depression zurückzuführen, die in den späten siebziger Jahren ganz Großbritannien erfaßt hatte. In England wurde der Rückgang der landwirtschaftlichen Erträge durch den ununterbrochenen Anstieg der Industriegüterproduktion aufgefangen; in Irland gab es — mit Ausnahme des Nordostens — keinen derartigen wirtschaftlichen Ausgleich. Die Zahl gebrochener Pachtverträge stieg steil an, und die Umstellung vom Ackerbau auf Viehzucht machte schnellere Fortschritte als je zuvor.. Unter diesen Umständen war der Zulauf zur Land-Liga verständlicherweise stark, und die Begeisterung, die sie hervorrief, stärkte auch die home-rule-Bewegung, denn beide bildeten eine oppositionelle Front gegen die Macht der Grundbesitzer. Auf einleuchtende Weise wurde damit fast zum erstenmal der Masse der Bevölkerung ein politisches Programm vor Augen gehalten, das konsequente Folgerungen aus ihrer eigenen Notlage zog.

Im Verlauf des folgenden Jahrzehnts hatte Parnell eine Reihe schwieriger Fragen zu lösen. Im allgemeinen war es ihm völlig gleichgültig, was die Engländer von ihm hielten, aber wenn er die Selbstverwaltung Irlands auf verfassungsmäßige Weise durchsetzen wollte, mußte er sich die Unterstützung großer Wählerkreise in England sichern, die ihre Entscheidung sicherlich so lange hinauszögern würden, bis er sie davon überzeugt hatte, daß er weder für Gewalt noch für Verbrechen eintrat. Gleichzeitig mußte er sich das Vertrauen der revolutionären Republikaner und der extremistischen Ligavertreter erhalten, die scharf darüber wachten, daß keine Kompromißlösungen ausgehandelt wurden. Der Erfolg seines Taktierens war keineswegs ganz sicher, aber er konnte den Weg für ein Bündnis mit einer der britischen Parteien offenhalten, während er andererseits den Zusammenhalt zwischen seinen Anhängern wahrte. Die irischen Nationalisten erwiesen ihm jedenfalls ihr volles Vertrauen, und nach der Reformakte von 1884 (sie dehnte das aktive Wahlrecht auf alle Männer aus, die einen selbständigen Haushalt versorgten; die Wählerschaft in Irland verdreifachte sich daraufhin) stieg die Abgeordnetenzahl der Home-rule-Bewegung auf 86 Unterhausmitglieder; dazu gehörten 17 der insgesamt 33 Abgeordneten aus Ulster. Die allgemeinen Wahlen von 1885 stellten den Höhepunkt in der Machtposition Parnells dar. Er bestimmte das Gleichgewicht zwischen den beiden großen englischen Parteien, denn obwohl die Liberalen die Mehrheit besaßen, konnten sie keine Regierung bilden, wenn die Irischen Abgeordneten gegen sie stimmten. Unter diesen Umständen verkündete Gladstone seine Meinungsänderung zugunsten der Selbstverwaltung für Irland, und obwohl sofort gewisse Anzeichen gespannter Unruhe unter seinen Parteifreunden und Mitarbeitern im Kabinett bemerkbar waren, schien die irische Selbstverwaltung in greifbare Nähe gerückt. Diese Vision wurde rasch zerstört. Im Juni 1886 wurde ein Gesetzantrag auf Selbstverwaltung für Irland infolge einer Spaltung der Liberalen abgelehnt, und bei den nachfolgenden allgemeinen Wahlen errang Gladstone nur die Minorität der Stimmen. Die Nationalisten stellten wiederum die gleiche Zahl an Abgeordneten, aber ihre entscheidende Schlüsselstellung war verloren, denn da sie sich den Liberalen angeschlossen hatten, konnten sie nur mit ihrer Hilfe politische Siege erringen. Diese Abhängigkeit, die die Nationalisten auf Grund ihres Bündnisses mit den Liberalen auf sich genommen hatten, zeigte sich in ihrem ganzen Ausmaß während der Ereignisse von 1890. Infolge ihres Scheidungsprozesses wurde die schon seit langem bestehende Liaison zwischen Frau O'Shea – ihr Mann war lange Zeit ein Anhänger Parnells gewesen – und Parnell selber öffentlich bekannt. Seine Partei erklärte sofort, daß sie ihn weiterhin als Parteiführer anerkennen würde, aber als bekannt wurde, daß sich Gladstone und die Liberalen für seinen Rücktritt ausgesprochen hatten, wurde Parnell von der Mehrheit der Abgeordneten seiner Partei ebenfalls zum Rücktritt aufgefordert. Diese Rücktrittsforderung wurde sehr stark unterstützt von den katholischen Bischöfen in Irland, denen schon seit langem mißfiel, daß Parnell Protestant war; ursprünglich war diese Forderung jedoch von der britischen Öffentlichkeit gestellt worden. Mit der Unterstützung einiger loyaler Anhänger setzte Parnell seinen Kampf um die Parteiführung fort, und die Spaltung der Partei wurde erst lange nach seinem Tod (1891) überwunden. Da die Liberalen und die irischen Nationalisten auf Grund interner Macht- und Richtungskämpfe an Einfluß verloren, stellten die Konservativen mit nur einer Unterbrechung von 1886 bis 1905 die Regierung. Von 1892 bis 1895 gelangten die Liberalen doch noch einmal als Regierungspartei an die Macht, und Gladstone ließ einen zweiten Antrag auf irische Selbstverwaltung im Unterhaus einbringen. Er wurde angenommen, aber das Oberhaus lehnte ab und entschied in diesem Fall wahrscheinlich im Sinn der britischen Öffentlichkeit. Als die Liberalen 1906 als Wahlsieger hervorgingen, nahmen sie die irische Selbstverwaltung als einen festen Punkt in ihr politisches Programm auf. Ihre Mehrheit war jedoch zuerst noch nicht ganz gefestigt, und erst als die irischen Abgeordneten nach den Parlamentswahlen im Januar 1910 wiederum mit den Liberalen koalierten, wurde die Selbstverwaltungsfrage zu einem der umstrittensten politischen Themen.

Der Verlauf der Auseinandersetzungen um die Selbstverwaltung legt zwei zusammenhängende Fragen nahe: Warum gaben sich die irischen Nationalisten damit zufrieden, eine so eng begrenzte Forderung nach staatlicher Autonomie aufzustellen, und warum lehnten die Engländer diese Forderung ab? In allen Gesetzesvorlagen wurde die Oberhoheit des Parlaments in Westminster betont, und die Vollmachten, die dem irischen Parlament übertragen werden sollten, waren eher mit den erweiterten Rechten einer lokalen Verwaltung vergleichbar. Diese Zielsetzung blieb weit hinter den Forderungen O'Connells, die Union aufzuheben, zurück und war für die Revolutionäre, die für die nationale Unabhängigkeit kämpften, überhaupt nicht oder kaum von Bedeutung. Dagegen setzten die meisten Vertreter der home-rule-Bewegung ihren praktischen Sachverstand. Sie wollten das akzeptieren, was ihnen zugestanden wurde, und weitere Erfolge der Zukunft überlassen. Selbstverwaltung war nur ein erster Schritt: ›Kein Mensch‹, sagte Parnell, ›hat das Recht, einer Nation die Grenzen ihrer Bewegungsrichtung aufzuzwingen.‹ Zum Teil versuchte Parnell mit diesen etwas mysteriösen Gesichtspunkten das Mißtrauen seiner revolutionären Bündnispartner zu zerstreuen. Viele aber blieben argwöhnisch, und die republikanische Tradition setzte sich fort. Nach Parnells Tod, als das Ansehen der nationalistischen Parteigruppe immer mehr sank, gewann jene politische Richtung schrittweise wieder an Boden, die die englische Herrschaft gewaltsam überwinden und die völlige Unabhängigkeit Irlands durchsetzen wollte. Weniger gefährdet waren die Beziehungen der home-rule-Partei zur Land-Liga, denn die Abgeordneten waren ständig bereit, für die Rechte der Pachtbauern entweder im Parlament oder direkt bei der Konfrontation mit Gutsbesitzern einzutreten, und ihre Erfolge überzeugten die irische Öffentlichkeit von der Legitimität ihrer Tätigkeit. Gladstones zweite Landakte von 1881 kam den Forderungen der Pachtbauern sehr weit entgegen. Außerdem wurden die von ihm in Gang gesetzten Landkaufaktionen auch von den Konservativen fortgesetzt und sogar noch erweitert, so daß Irland in ein Agrarland mit bäuerlichen Landeigentümern umgewandelt wurde. Während ihrer langen Regierungszeit versuchten die Konservativen, eine unnachgiebige politische Praxis mit einer Politik ›der Zerstörung der home-rule-Bewegung durch Freundlichkeit‹ zu verbinden, und der unablässige Druck, den die irischen Abgeordneten auf das Parlament in Westminster ausübten, versetzte sie in die Lage, ihre soziale Gesetzgebung den Interessen und Wünschen der konservativen Wählerschaft anzupassen. Die Prinzipien des uneingeschränkten Wirtschaftsliberalismus hatte man nunmehr fallengelassen; stattdessen unterstützte die Regierung landwirtschaftliche Industrieunternehmen, Genossenschaften und Fischereibetriebe. Man kann nicht behaupten, daß Irland dabei reich wurde, denn nach wie vor war der – außer im Nordosten – vorherrschende Kapitalmangel das Grundübel der Wirtschaftsstruktur. Die wesentlichsten Forderungen der Pachtbauern hatte man jedoch verwirklicht, und dieses Verdienst wurde natürlich der home-rule-Partei zugute gehalten, die als Interessenvertretung der ländlichen Bevölkerung für deren Wünsche eingetreten war.

Der Widerstand der Engländer gegen die Selbstverwaltung erscheint auf den ersten Blick als paradox. Während des ganzen 19. Jahrhunderts waren sie stets dazu bereit gewesen, jene Forderungen der Griechen, Serben, Italiener, Ungarn und Polen nach staatlicher Autonomie politisch und propagandistisch zu unterstützen. Sie verstanden darüber hinaus auch durchaus den Wunsch der britischen Siedler in Australien, Südafrika und Kanada nach einer eigenen Regierung. Trotzdem blieb die feindselige Haltung gegenüber Irland bestehen, die ausschließlich von den Engländern eingenommen wurde, denn jene Regierung, die 1912 das Selbstverwaltungsgesetz für Irland durchsetzte, stützte sich dabei auf die Stimmen der irischen, schottischen und walisischen Abgeordneten. Die Haltung der Engländer wurde ganz offenbar zu einem Teil von egoistischen Motiven bestimmt. Irland war sowohl als Absatzmarkt wie auch als Versorgungsquelle für landwirtschaftliche Erzeugnisse außerordentlich nützlich, und der geographischen Lage der Insel kam für die Verteidigungsstrategie Englands lebensnotwendige Bedeutung zu. Die verschiedenen Gesetzesanträge enthielten daher auch Klauseln, die diese englischen Interessen berücksichtigten, um sachlichen Einwänden von vornherein den Boden zu entziehen. Die englische Öffentlichkeit war aber prinzipiell gegen jede Form staatlicher Unabhängigkeit für Irland, so viele Sicherheitsklauseln auch für eine ausreichende Interessenwahrnehmung sorgten. Stattdessen nahm sie lieber die Kosten und Schwierigkeiten einer Aufrechterhaltung der Union in Kauf. Dieser Widerstand wurde mit so hartnäckiger Vehemenz, gelegentlich auch mit derartiger Hysterie – verfochten, daß der Kontrast zu dem gewöhnlich ruhigen Verlauf der englischen Politik auffällig ist. Der englische Nationalismus war aktiviert worden, und wenn sich diese Haltung auch gelegentlich hinter Argumenten und politischen Vernunftmaßnahmen verbarg, war sie im Grund eine Folge der gänzlich irrationalen Entschlossenheit, die Ausdehnung des sogenannten Nationalterritoriums zu verteidigen und jeder oppositionellen Gruppe den eigenen Willen aufzuzwingen.

Dieser von eigensüchtigen Motiven diktierte englische Nationalismus hielt sich selber die Interessenverteidigung der in der Minderheit befindlichen irischen Unionsanhänger und besonders die Unterstützung der Sonderwünsche von Ulster zugute. Die konservative Partei jedoch, die den nationalistischen Sinn der Engländer am deutlichsten repräsentierte, betrachtete die positive Einstellung zur Union nur als ein Hilfsmittel der praktischen Politik. Lord Randolph Churchill gab dabei den Ton an. Während der Auseinandersetzungen um die erste home-rule-Gesetzesvorlage beschloß er, daß die ›orangefarbene Karte (das heißt die Trumpfkarte der Oranje-Bünde, deren Kennfarbe Orange war, Anm. d. Übers.) ausgespielt werden solle‹, und gab den Rat, gewaltsamen Widerstand zu leisten, wenn die Vorlage verabschiedet werden sollte. ›Ulster wird kämpfen, Ulster wird siegen‹, war das Schlagwort, das er 1886 bei seinem Besuch in Belfast verkündete. Die Protestanten aus Ulster nahmen diesen Rat möglicherweise ernster, als er gemeint war; ganz allgemein muß man jedoch feststellen, daß die Konservativen sowohl damals als auch später die Streitigkeiten zwischen den beiden Konfessionen verschärften, die separatistischen Bewegungen im Norden Irlands unterstützten und mit dieser Politik eine nationale Lösung des Irlandproblems so gut wie verhinderten. Eine Bewältigung dieses Problems auf nationaler Ebene war ohnedies schwierig genug. Fast zu Beginn der ersten ernstzunehmenden Anti-Unions-Bewegung hatten sich die meisten Protestanten aus Ulster nachdrücklich für die Beibehaltung der Union ausgesprochen; desgleichen wandten sie sich gegen die gemäßigteren Vorschläge für eine begrenzte staatliche Autonomie Irlands. Ihre unausrottbare Furcht vor der katholischen Kirche, die durch O'Connells Klerikalismus erneut Auftrieb erhalten hatte, konnte auch nicht durch den Umstand besänftigt werden, daß Butt und Parnell Protestanten waren und einige protestantische Anhänger besaßen. Die personelle Zusammensetzung, Organisation und politische Zielsetzung der home-rule-Partei bestärkte die Protestanten in dem Glauben, daß ›Selbstverwaltung Katholikenherrschaft‹ (home rule is Rome rule) sei. Hauptsächlich aus diesen Gründen traten fast alle irischen Protestanten für die Fortsetzung der Union ein; die nordirischen Protestanten brachten allerdings ein zwingendes Argument vor, das auf wirtschaftliche Entwicklung Bezug nahm.

Seit dem Unionsabkommen hatte sich Irland nicht als eine wirtschaftliche Einheit weiter entwickelt, sondern als ein von England abhängiges Wirtschaftsgebiet, so daß das ärmere Partnerland, Irland also, bei jeder Lockerung der wirtschaftlichen und konstitutionellen Bindungen Verluste hätte hinnehmen müssen. Die Gegenden mit vorwiegend landwirtschaftlicher Produktion hätten im Fall einer Loslösung Irlands von England keine Nachteile zu erwarten; für den industrialisierten Norden hätte das jedoch den wirtschaftlichen Ruin zur Folge gehabt, denn dieses Gebiet versorgte nicht den irischen Markt, sondern war als integraler Bestandteil der englischen Industrie auf England angewiesen, um die eigenen Industriegüter abzusetzen und die Versorgung mit notwendigen Zuliefererzeugnissen sicherzustellen. Der durchschnittliche Geschäftsmann in Ulster betrachtete die Aussicht auf Selbstverwaltung – abgesehen von der Frage, inwieweit die Unantastbarkeit seiner Konfession gewährleistet war – als eine Bedrohung seines Reichtums. Im Verlauf der Streitigkeiten um die Gesetzesvorlage von 1912 war eine Postkarte im Handel, die mit ›Belfast unter Selbstverwaltung‹ überschrieben war und eine der Hauptstraßen der Stadt zeigte; überall wucherte Gras, und vor dem leerstehenden Rathaus war ein Schild mit der Aufschrift ›zu vermieten‹ angebracht.

Der Konflikt zwischen Ulster, England und dem nationalistischen Teil der Insel erreichte wenige Jahre vor Ausbruch des ersten Weltkriegs seinen Höhepunkt. 1912 verabschiedete das Unterhaus eine Selbstverwaltungsakte; nach den Bestimmungen der Parlamentsakte von 1911 konnte das Oberhaus die Beschlußfassung über diese Vorlage nur bis 1914 hinauszögern, aber nicht ablehnen, so daß sich die Nationalisten ihres scheinbaren Sieges sicher waren. Die Opposition verschärfte dagegen einfach die Methoden ihres Widerstandes. Ihr Rückhalt lag eindeutig in Ulster, aber während die englischen Befürworter der Union das Ulsterproblem zum Anlaß für die endgültige Ablehnung der Selbstverwaltung nehmen wollten, setzten sich die Unionsanhänger in Ulster primär für den Schutz ihrer eigenen Interessen ein und erst in zweiter Linie für den Widerstand gegen die home-rule. Ihr Führer war Sir Edward Carson, ein Jurist aus Dublin und ehemaliger Generalstaatsanwalt, dessen Hauptbestreben darauf hinauslief, ganz Irland für die Union zu retten; die wahren Absichten der Protestanten in Ulster verkörperte dagegen sein Stellvertreter James Craig, der später als Lord Craigavon in den Peerstand erhoben wurde und der erster Ministerpräsident von Nordirland wurde. Unter Anleitung dieser beiden Männer wurde für Ulster eine provisorische Regierung ernannt, die ›an dem Tag ihre Tätigkeit aufnehmen sollte, an dem irgendeine home-rule-Akte zum Gesetz wird‹; außerdem wurde ein Freiwilligenheer aufgestellt, ausgebildet und mit deutschen Gewehren ausgerüstet. Die nordirischen Protestanten befanden sich in der vorteilhaften Lage, für ihren Widerstand keine Rechenschaft ablegen zu müssen; anders die englischen Konservativen, die ohne Ausnahme und ganz offen die Protestanten dabei unterstützten, die Autorität des Parlaments mit allen Mitteln lächerlich zu machen. Die Nationalisten, die mit einer kopflos handelnden Regierung verbündet waren, standen dieser Entwicklung weitgehend hilflos gegenüber, denn selbst wenn sie sich von den Liberalen getrennt hätten, wären sie der Selbstverwaltung um keinen Schritt näher gekommen. John Redmond, der Führer der Nationalisten, verlangte vergeblich, daß die radikalen Protestanten bestraft werden sollten. Da sich aber das Kabinett in einer Lage befand, für deren Bewältigung die parlamentarischen Verfahrenspraktiken keine Lösung anboten, war es geneigt, die künftige Entwicklung abzuwarten. Als es dann zu Gegenmaßnahmen kommen sollte, mußte es mit Bestürzung feststellen, daß die Heeresleitung den Gehorsam verweigerte. Die nationalistische Öffentlichkeit verdächtigte die Regierung, daß sie möglicherweise gar nicht einschreiten wollte, und wurde ungeduldig, weil sie die Probleme von Redmond und seiner Partei nicht durchschaute. In Ulster ging man zur Selbsthilfe über und organisierte ebenfalls Freiwilligenverbände; in diesem Fall waren es Nationalisten, deren Mehrheit Redmonds Führungsrolle anerkannte. Eine sehr aktive und einflußreiche Gruppe der Nationalisten lehnte jedoch auch weiterhin legales Vorgehen ab. Später trennte sie sich vom Gesamtverband, und während des Aufstands von 1916 kämpfte sie zusammen mit der radikaleren ›Bürgerarmee‹, die 1913 vom Dubliner Gewerkschaftsführer James Connolly aus Anlaß einer Streikwelle aufgestellt worden war. Der Bürgerkrieg, dem Irland offensichtlich zusteuerte, konnte durch den Ausbruch des ersten Weltkrieges vorerst noch einmal abgewendet werden. Redmond und Carson kamen überein, alle Feindseligkeiten einzustellen und die Regierung zu unterstützen; die Gesetzesvorlage für die Selbstverwaltung Irlands wurde für die Dauer des Krieges suspendiert, und der innenpolitische Friede in Irland schien wiederhergestellt. In Wahrheit wurde Redmond aber nicht mehr von dem extremistischen Flügel der Nationalisten anerkannt, die im Verlauf der nächsten Jahre seine Parteiführung und zugleich seine home-rule-Politik aufhoben, der er fast zum Erfolg verholfen hatte.

Wäre das Ulsterproblem auf friedliche Weise beigelegt worden und hätte die home-rule-Akte von 1914 sofort Gesetzeskraft erhalten, dann wären die konstitutionellen Beziehungen zwischen Großbritannien und Irland noch einmal erneuert worden, denn die Akte enthielt nur Übergangsbestimmungen und schränkte die Hoheitsrechte des Parlaments in Westminster, in dem Irland noch immer vertreten sein sollte, keineswegs ein. Es ist jedoch sehr unwahrscheinlich, daß diese Lösung den Vorstellungen der Iren entsprach. Schon um 1914 waren politische Kräfte am Werk, deren Pläne selbst im Fall der irischen Autonomie auf die vollständige Trennung von England hinausliefen. Die wichtigsten dieser Organisationen waren die ›Gälische Liga‹, die revolutionären Republikaner, die Gewerkschaften und ›Sinn Fein‹ (s. u.). Die Gälische Liga trat anfangs gar nicht für politische Ziele ein. Sie war 1892 von dem protestantischen Wissenschaftler Douglas Hyde gegründet worden, um das Interesse an der gälischen Literatur zu beleben, gälische Kampfspiele zu fördern und mit der Zeit Irisch zur Nationalsprache zu erheben. Wie in anderen europäischen Staaten war dieses kulturelle Programm auch in Irland Teil und Ausdruck des erstarkenden Nationalismus. Alle nationalen Wesensmerkmale, die Irland von England unterschieden, dienten dem Anspruch Irlands auf nationale Selbständigkeit, und selbst jene Mitglieder der Liga, die aus ihrem Kulturbewußtsein selber keine politischen Konsequenzen zogen, halfen anderen, die in die Politik eingriffen. Pearse beispielsweise, der zu den Hauptverantwortlichen für den Aufstand von 1916 zählt, hatte den Satz geprägt, daß die Gälische Liga ›die revolutionärste Kraft in der ganzen Geschichte Irlands war‹. Damit übertrieb er, aber es ist vermutlich wahr, daß die Mehrzahl der Nationalisten im Laufe des Kampfes, der zur Gründung des irischen Freistaates führte, unter den Einfluß der Liga geraten war.

Indirekt waren alle Aktionen der Gälischen Liga politischer Natur, und die von ihren Mitgliedern vertretenen Ansichten waren den Anschauungen der offiziellen nationalistischen Partei fremd. Dieser Gegensatz wurde den Parteiführern jedoch nicht deutlich genug bewußt, da sie sich vor allem bemühten, den Rückfall in revolutionäre Methoden zu verhindern. Oberflächlich betrachtet, herrschte also Eintracht, obwohl die ›Irisch-Republikanische Bruderschaft‹ wieder aktiv geworden war. Dennoch hatte sich das Verlangen nach einer vollständig unabhängigen Republik um 1914 weder in den Wahlergebnissen noch in irgendeiner Volksbewegung niedergeschlagen. Aber die Möglichkeit eines allgemeinen Aufrufes zu Gewaltmaßnahmen war durch den Widerstand der nordirischen Unionsanhänger wahrscheinlicher geworden. Manche Republikaner bewunderten diese Opposition der Ulster-Protestanten als mutige Ablehnung der vom englischen Parlament verabschiedeten Gesetze, und einige Extremisten träumten sogar von einem Bündnis mit Carson, das gegen die home-rule gerichtet sein sollte, die sie – wenn auch aus anderen Gründen – genau so ablehnten wie er. Diese Bewunderung verleitete zur Nachahmung, und so traten die Republikaner bei der Aufstellung der Irischen Freiwilligen ganz besonders hervor. Zur Zeit waren sie allerdings noch zu einflußlos, um selbständig handeln zu können; daher mußten sie noch zurückstehen und Redmond die Kontrolle des Freiwilligen-Komitees überlassen. Diese Kontrollfunktion wurde allerdings ständig von einer starken Minderheit abgelehnt, wie auch außer Frage steht, daß die Organisationsweise und Zweckbestimmung der Freiwilligen mit der offiziellen Konzeption der home-rule unvereinbar war. Selbst unter Redmonds zurückhaltender Führung entwickelten sich daher die Freiwilligen zu enthusiastischen und unversöhnlichen Nationalisten.

Außerhalb der Republikanischen Bruderschaft, eines Geheimbundes, der nur eingeschworenen Mitgliedern offenstand und von der katholischen Kirche offiziell abgelehnt wurde, war der Republikanismus eher eine vage Empfindung oder Bewußtseinsströmung als ein organisierter Zusammenschluß politisch Gleichgesinnter. Die eindeutig aktivste revolutionäre Kraft in Irland war vor 1914 die Gewerkschaftsbewegung, an deren Spitze James Connolly stand. Sie war ihrem Wesen und ihren Zielen nach sozialistisch, ihre Zeitung war die ›Arbeiterrepublik‹. Vor die Errichtung eines sozialistischen Staates setzte Connolly jedoch die Übernahme der nationalen Produktionsmittel durch die arbeitende Bevölkerung, und er war fest entschlossen, die wirtschaftliche Unabhängigkeit von England zu erkämpfen, um damit die wichtigste Voraussetzung für die Sozialisierung der irischen Gesellschaft zu erfüllen. Seine politische Bedeutung lag darin, daß er die Arbeiter aus den Städten in das Lager der Republikaner führte. Nach der Bewältigung des Landproblems hatte sich die Unzufriedenheit der Pachtbauern gelegt; an ihrer Stelle übten nun die notleidenden Teile der städtischen Bevölkerung politischen Druck aus. Es ist bezeichnend, daß die Aufstände von 1798 und 1848 auf dem Land ausgebrochen waren; die Kämpfe während des Osteraufstandes von 1916 konzentrierten sich hingegen in Dublin. Diese Tatsache läßt jedoch keine allgemeinen Schlußfolgerungen zu, denn in Irland hat sich der Einfluß der Landbevölkerung immer wieder bestätigt, und die Arbeiterrepublik, für deren Verwirklichung Connolly sein Leben einsetzte, scheint heutzutage noch utopischer zu sein als damals.

Connollys Bemühen um eine Synthese von Nationalismus und Sozialismus war zu seiner Zeit nicht sonderlich populär und wurde vor allem bekämpft von Sinn Fein (d. h. ›Wir Selbst‹, einer Gruppe, die sich nach ihrem Eintreten für politische und wirtschaftliche Eigenverantwortlichkeit bekannte, Anm. d. Verf.). Diese Partei, die aus dem Redaktionsstab des ›Vereinten Iren‹, einer wenige Jahre zuvor von Arthur Griffith gegründeten Zeitung, hervorgegangen war, wurde seit 1905 tätig. Griffiths großes Ziel war die Erneuerung der Verfassung von 1782. Er lehnte gewaltsame Revolutionen ab, weil Irland dafür nicht geeignet war; er hielt aber auch die verfassungskonformen Methoden der nationalistischen Unterhauspartei für zwecklos. Stattdessen befürwortete er den Austritt der irischen Abgeordneten aus dem Unterhaus in Westminster und die Konstituierung eines Parlaments von Freiwilligen; Schlichtungsausschüsse sollten das Land regieren und auf der Grundlage moralischer Prinzipien für Ruhe und Ordnung sorgen. Mit diesem Plan erwies sich Griffith als geistiger Nachfolger der Magyaren, die 1867 gegen Österreich die staatliche Autonomie Ungarns durchgesetzt hatten (eigener Reichstag, eigene Ministerien, Zoll- und Handelsbündnis mit Österreich; Außen-, Finanz- und Verteidigungspolitik blieben der österreichisch-ungarischen Monarchie unterstellt; alljährlich traten je 60 Abgeordnete abwechselnd in Wien oder Budapest zusammen, um über gemeinsame Angelegenheiten zu beraten; Anm. d. Übers.). Griffiths politisches Programm war daher auch unter der Bezeichnung ›ungarische Politik‹ allgemein bekannt geworden. Sinn Fein befaßte sich darüber hinaus auch mit Wirtschaftsfragen. Griffith glaubte, Irland könne Autarkie erlangen und mit der richtigen Planung und Zollsicherung Agrarland bleiben und Industrieland werden. Obwohl Gegner des Freihandels, verkörperte er in anderer Hinsicht die wirtschaftspolitischen Prinzipien des 19. Jahrhunderts. Er schätzte die Bedeutung des Kapitals sehr hoch ein und lehnte die Gewerkschaftsbewegung und die Streikwelle von 1913 strikt ab. In späteren Jahren änderten sich allerdings diese politischen Grundideen von Sinn Fein beträchtlich. Die Anwendung von Gewalt wurde gutgeheißen, die republikanische Staatsform an die Stelle der Verfassung von 1782 gesetzt und die Notwendigkeit sozialer Reformen anerkannt. Der Umstand, daß Connolly während des gleichen Zeitraums die nationalistischen Ziele seiner Organisation in den Vordergrund rückte, ermöglichte 1916 das Bündnis zwischen Sinn Fein und den Gewerkschaften.

Das Jahr 1916 leitete die letzte Phase der legislativen Union ein. Der Ausbruch des ersten Weltkrieges hatte in Irland zu einer vorübergehenden innenpolitischen Entspannung geführt; sowohl im Süden als auch im Norden wurde der Kriegsführung der Alliierten ein großes Maß ernster Anteilnahme entgegengebracht. Industrieunternehmen und Landwirtschaft verzeichneten steigende Einnahmen, und die Iren schienen entschlossen das Kriegsende abzuwarten: die Unionsanhänger in Ulster mit der nach wie vor gleichen Entschlossenheit, die irische Selbstverwaltung zu bekämpfen, die nationalistische Partei mit einem unzureichend begründeten Vertrauen auf die Bereitschaft und das Vermögen der britischen Regierung, die Forderungen der Nationalisten zu erfüllen. Die zahlenmäßig kleine Minderheit der Separatisten, die sich aus Republikanern, Sozialisten und Mitgliedern von Sinn Fein zusammensetzte, übte nur geringfügigen direkten Einfluß auf die öffentliche Meinung aus. Ideologisch näherten sich diese Gruppen jedoch immer stärker und gelangten mehr und mehr zu der Überzeugung, daß der Krieg eine günstige Voraussetzung für einen erfolgreichen Aufstand biete. Unter anderem planten sie, die Unterstützung Deutschlands für sich zu gewinnen; die hierfür notwendigen Verhandlungen führte Sir Roger Casement, ein ehemaliger britischer Kolonialbeamter. Es war jedoch allen Beteiligten klar, daß deutsche Hilfe – sofern sie überhaupt geleistet wurde – nur in geringem Umfang nach Irland gelangen konnte, solange England den Kanal kontrollierte. Als dann schließlich deutsche Gewehre an der Küste der Grafschaft Kerry entladen werden sollten, schlug das Unternehmen fehl. Trotz dieses Mißerfolgs ließen sich die Republikaner nicht entmutigen. Im Bewußtsein ihrer militärischen Schwäche konzentrierten sie sich jedoch auf Propagandaaktionen. ›In der irischen Geschichte‹, schrieb Patrick Pearse, ›gab es kein fürchterlicheres Ereignis als das Versagen der vorigen Generation.‹ Er selber und seine Mitkämpfer waren überzeugt, nur ein Blutopfer könnte diese historische Schuld tilgen. Unter diesem Aspekt war der Aufstand von 1916 nicht die Folge unerträglicher Unterdrückung, und militärische Siege waren so gut wie nicht zu erwarten, doch obwohl die Kämpfe nach einer Woche beendet waren, hätte keine noch so scharfsinnige politische Berechnung eine wirkungsvollere Möglichkeit finden können, die geschlossene Anteilnahme der irischen Nation hervorzurufen.

Für ganz kurze Zeit schien es, als hätte der Aufstand seinen Zweck verfehlt, denn vorerst hielten die irischen Nationalisten die Ereignisse der Osterwoche 1916 für ein unüberlegtes Verbrechen. Das Verhalten der Regierung – so verständlich es unter diesen Umständen auch gewesen sein mag – rief jedoch einen plötzlichen Gefühlsumschwung hervor. Fünfzehn Aufständische wurden nach dem Kriegsrecht verurteilt und erschossen. Wäre diese Maßnahme unmittelbar nach dem Aufstand erfolgt, hätte die irische Öffentlichkeit aller Wahrscheinlichkeit nach eingesehen, daß die Regierung zu diesem Schritt gezwungen war, weil sie um ihre Existenz kämpfte. Die Hinrichtungen wurden jedoch mehrere Tage lang immer wieder verschoben – sogar als die akute Bedrohung bereits vorüber war. Diesen Umstand nutzten einige Anhänger der Republikaner propagandistisch aus, die von der radikal anti-englischen Presse in Amerika unterstützt wurden. Innerhalb kurzer Zeit verehrten daraufhin diejenigen, die den Aufstand verdammt hatten, die hingerichteten Rebellenführer als Märtyrer. Das politische Klima in Irland hatte sich plötzlich von Grund auf verändert, und der Argwohn, mit dem viele Iren die home-rule-Politik verfolgt hatten, wandelte sich in Verachtung: Der Republikanismus einer Minderheit war zum beherrschenden politischen Credo der Menge geworden.

Der Aufstand war in erster Linie das Werk der Irisch-Republikanischen Bruderschaft und der Bürgerarmee gewesen; Sinn Fein stellte jedoch die Parteiorganisation zur Verfügung, die die Umwandlung der um sich greifenden republikanischen Ideen zu politischer Macht ermöglichte. In einer Nachwahl nach der anderen wurden Sinn-Fein-Kandidaten gewählt, und die home-rule-Partei beschleunigte ihren eigenen Untergang, indem sie die allgemeine englandfeindliche Haltung noch anstachelte und einen ergebnislosen Versuch unternahm, ihre Abgeordneten von den Unterhaussitzungen abzuhalten, was fast einem Bekenntnis des eigenen Versagens gleichkam, da sich ja die Partei zur konstitutionellen Reform bekannt hatte. Der Vorschlag der Regierung von 1918, die allgemeine Wehrpflicht auf Irland auszudehnen, führte zu einer vorübergehenden Allianz zwischen der nationalistischen Partei und Sinn Fein, von der letztlich nur Sinn Fein profitierte. Die von der gesamten katholischen Bevölkerung praktizierte Wehrdienstverweigerung zerstörte weitgehend das verbliebene Vertrauen gegenüber England und schränkte somit das Ansehen der nationalistischen Partei noch stärker ein. Diese Entwicklung zeigte sich deutlich am Ausgang der Unterhauswahlen von 1918. Von den 105 irischen Sitzen gewann Sinn Fein 73, die Unionsanhänger 26 (nur drei Befürworter der Union waren außerhalb Ulsters gewählt worden) und die home-rule-Partei nur sechs. Damit war ein klares Urteil gegen home-rule gefällt worden, weniger für die Republik, wobei dieses Wahlergebnis auch infolge einer gewissen Einschüchterung der Wähler zustande gekommen war. Es bezeichnete aber den Niedergang der alten nationalistischen Partei und übertrug Sinn Fein das Recht, den Willen der Iren zu repräsentieren. Vor dieser Katastrophe seines politischen Lebenswerks war Redmond gestorben; er hinterließ seinen Namen auf der imaginären Gedenktafel gescheiterter Parteiführer Irlands.

Sinn Fein hatte zu diesem Zeitpunkt sowohl den Widerstand gegen die Gewaltanwendung als auch die Verpflichtung zur Verfassungsmäßigkeit aufgegeben und war nun bereit, nötigenfalls für eine unabhängige Republik Irland zu kämpfen. Einige Ziele der ›ungarischen Politik‹ (s. o.) wurden aber beibehalten, und so weigerten sich die Abgeordneten von Sinn Fein nach den Wahlen, ihre Sitze im Unterhaus einzunehmen. Stattdessen versammelten sie sich in Dublin, gaben sich die Bezeichnung ›Dail Eireann‹ (Versammlung von Irland) und verkündeten ihre Treuepflicht gegenüber der Republik, die 1916 von den Aufständischen proklamiert worden war. Eamon de Valera, der bedeutendste überlebende Mitkämpfer von 1916, wurde zum Präsidenten gewählt, und es konstituierte sich ein

Kabinett, mit dem Anspruch, als legitime Regierung von Irland zu fungieren. Die Republikaner setzten ihre Hoffnungen großenteils auf den Einfluß der Öffentlichkeit in anderen Staaten, besonders in Amerika, und eine ihrer ersten Handlungen war die Wahl von Delegierten, die an der Pariser Friedenskonferenz teilnehmen sollten. Weder Wilson noch Clemenceau wünschten jedoch, die britische Regierung vor den Kopf zu stoßen, so daß die Delegierten nicht als offizielle Vertreter Irlands anerkannt wurden. In Irland selber konnten die Republikaner allerdings Erfolge für sich verbuchen. Sie beherrschten die Mehrheit jener vielen Gruppen, die ihrerseits die Gemeindeverwaltungen kontrollierten, und in vielen Gegenden praktizierten Schiedsgerichtshöfe, die die Hoheitsrechte des ›Dail‹ anerkannten, eine weitaus wirkungsvollere Rechtsprechung als die Gerichtshöfe der Krone. Diese Situation mußte auf die Dauer dazu führen, daß der Herrschaftsanspruch der Engländer ganz offen und mit militärischen Mitteln bekämpft wurde. Vom Beginn des Jahres 1919 an häuften sich bewaffnete Auseinandersetzungen zwischen den Republikanern und den Truppen der Krone, und sie erreichten derartige Ausmaße, daß man 1921 einen Waffenstillstand vereinbarte, um die erste Voraussetzung für eine dauerhafte Lösung zu erfüllen.

Historiker und Politiker haben die Ereignisse dieser Jahre häufig als den ›anglo-irischen Krieg‹ bezeichnet. Das Volk sprach dagegen einfach – vermutlich auch richtiger – von Unruhen. Die Kämpfe wurden weniger zwischen zwei Regierungen oder zwei Völkern ausgetragen als vielmehr zwischen zwei Streitmächten, die weitgehend auf eigene Verantwortung handelten. Die britische Regierung hatte die größten Schwierigkeiten, die Hilfspolizei und die ›Schwarz-Braunen‹ (eine Spezialtruppe aus britischen Reservisten; ihre Bezeichnung rührte von ihrer Kleidung her: braune Jacke, die der militärischen Dienstbekleidung entsprach, und die schwarze Hose der Polizei, Anm. d. Verf.) unter Kontrolle zu halten, die die Hauptlast der Kämpfe zu tragen hatten, und dem ›Dail‹ blieb nichts anderes übrig, als der ›Irisch-Republikanischen Armee‹ freie Hand zu lassen. Erst im April 1921, als die Kämpfe fast beendet waren, übernahm de Valera im Namen des ›Dail‹ die volle Verantwortung für die Maßnahmen der republikanischen Armee. Dieser Mangel an zentraler Kontrollgewalt führte dann auch nach Abzug der britischen Truppen zum Bürgerkrieg. Heutige Generationen, die mit der Tätigkeit geheimer Widerstandsorganisationen eher vertraut sind, können die damaligen Schwierigkeiten sowohl auf irischer als auch auf englischer Seite besser verstehen als die Menschen um 1920. Die britische Regierung hatte die moralische Verpflichtung, Ordnung zu wahren, die Besitzverhältnisse zu verteidigen und die Restbestände der Verwaltungsorganisation intakt zu halten, wogegen die Mehrzahl der Iren offen oder versteckt Widerstand leistete. Wären die Engländer bereit gewesen, Irland als Feindgebiet zu betrachten, hätten sie diesen Widerstand mühelos brechen und eine straffe Militärregierung einsetzen können. Damit hätten sie aber ihren Anspruch auf ihr moralisches Anrecht aufgegeben, überhaupt in Irland präsent zu sein. Auf republikanischer Seite häuften sich die Schwierigkeiten infolge Mangels an Geld, Waffen und Munition; darüber hinaus mußten sie als eine illegale Organisation ihren Regierungsanspruch aus dem Untergrund heraus durchsetzen. Auf Grund genauer Untersuchungen steht fest, daß die Verbände der Republikaner niemals mehr als 3000 Mann zählten, und daß sie deswegen nicht in der Lage waren, als reguläre Truppen aufzutreten, wozu sie ja in diesem Kampf ohne Fronten auch keineswegs genötigt waren. Sie verwickelten die Regierungseinheiten stattdessen in kleinere Gefechte, und da sie nicht uniformiert waren, konnten sie leicht in der Zivilbevölkerung untertauchen. Die Verbände der Krone, die durch das Verhalten ihrer erbarmungslosen und nicht zu fassenden Gegner nervös geworden waren, unternahmen Vergeltungsaktionen, über die ihre vorgesetzten Dienststellen zum Teil nicht informiert waren. Es war ein Krieg, der ohne Sieger bleiben mußte. Die Engländer hätten möglicherweise Ruhe und Ordnung wiederherstellen können, aber es wäre ihnen nicht gelungen, so viel gegenseitiges Vertrauen zu erwecken, daß eine demokratische Regierung handlungsfähig gewesen wäre. Es lag in der Macht der Republikaner, die normale Verwaltungstätigkeit entscheidend zu stören, und diese Macht nutzten sie auch aus. Auf sich gestellt, hätten sie aber die Engländer niemals zum Verlassen des Landes zwingen können. Aus diesem Grund wurde der Krieg auch nicht deswegen beendet, weil militärische Entscheidungen gefallen waren, sondern weil die britische Öffentlichkeit den Frieden mit Irland wünschte. Nur dem Krieg war es zu verdanken, daß beide Seiten die notwendige Kompromißbereitschaft entwickelten.

Der Zwang, eine Kompromißlösung zu finden, bezog sich in erster Linie auf das Ulster-Problem. Im übrigen Irland hatten sich die Unionsanhänger zerstreut, in Ulster jedoch waren sie einflußreicher als zuvor, und die Kampfmethoden der republikanischen Verbände bestärkten die Unionisten noch mehr, so daß die ideologische Kluft zwischen Nord- und Südirland noch unüberbrückbarer wurde. Die englische Regierung, an einer möglichst raschen Beilegung des Irland-Problems interessiert, hatte 1920 eine Akte verabschieden lassen, die zwei irische Parlamente vorsah: eines im Norden, das andere im Süden. Das nordirische Parlament mit Sitz in Belfast wurde mit der Gesetzgebung für die Grafschaften Antrim, Armagh, Down, Fermanagh, Londonderry und Tyrone beauftragt, die eine mehrheitlich protestantische Bevölkerung aufwiesen; die nordirischen Katholiken bildeten aber eine starke Minderheitengruppe, und in manchen Gegenden übertrafen sie zahlenmäßig die Protestanten. Das andere Parlament in Dublin sollte die legislative Gewalt für das übrige Irland übernehmen, und ein ›Rat von Irland‹ sollte für alle gemeinsamen Angelegenheiten zuständig sein. Die Vollmachten dieser beiden gesetzgebenden Körperschaften entsprachen im Modell der home-rule-Akte von 1914, und die Vertretung Irlands im Parlament von Westminster sollte beibehalten werden. Auf diese Weise kam 1921 der neue Staat Nordirland auf Beschluß des englischen Parlaments zustande.

Mit der Akte von 1921 kamen die Engländer nur den Unionsanhängern in Ulster entgegen, denn im Süden wurde die Akte strikt abgelehnt, und die Unruhen dauerten an. Außerdem unternahmen die Republikaner große Anstrengungen, die Regierung in Nordirland zu stören. Sogar schon vor ihrer Amtsübernahme wurden Belfast und einige andere Gegenden in Ulster von schweren Unruhen heimgesucht, die auf Grund konfessioneller Streitigkeiten ausgebrochen waren und in deren Verlauf die Katholiken als die zahlenmäßig unterlegene Gruppe schwere Verluste hinnehmen mußten. Nach dem Inkrafttreten der Akte von 1921 bemühten sich die Republikaner um organisierte Störaktionen, die vom Generalstab der Irisch-Republikanischen Armee geplant wurden, um alle Verwaltungsbehörden an der Ausübung ihrer Tätigkeit zu hindern. Weil sich die Katholiken anfangs geweigert hatten, die Regierung des neuen Staates zu unterstützen, gerieten sie in Verdacht, als Verbündete an den Unternehmungen der Republikaner beteiligt zu sein. Die Regierung von Nordirland war jedoch mit Hilfe englischer Soldaten in der Lage, die innenpolitische Ordnung wiederherzustellen und ihre Autorität durchzusetzen. Diesem langen und erbittert geführten Kampf verdankte aber das nordirische Herrschaftssystem eine Reihe bleibender Wesensmerkmale.

Nachdem die britische Regierung im Hinblick auf Ulster ihr Gewissen erleichtert hatte, strebte sie eine Kompromißlösung mit den Republikanern an. Ausländische Pressestimmen besonders aus Amerika nahmen immer entscheidender gegen England Stellung, und es wurde geradezu unmöglich, eine ungläubige Welt von der Legitimität der englischen Rechtsansprüche auf Irland zu überzeugen. In England selber war die Öffentlichkeit über Art und Ziel der Kriegsführung beunruhigt, die gegen das Prinzip der Selbstbestimmung gerichtet erschien. Die Zeitungsberichte mögen übertrieben, einseitig und unzuverlässig gewesen sein, aber sie weckten den Gerechtigkeitssinn der Engländer, die sich nicht mehr mit der Versicherung zufriedengaben, die Republikaner handelten grausamer als die ›Schwarz-Braunen‹. Die Republikaner waren von sich aus mit einer Kampfpause einverstanden. Ihre Verbände waren durch Tote und Gefangene stark dezimiert, sie waren wachsenden Schwierigkeiten beim Nachschub von Waffen und Munition ausgesetzt, und das Land wurde der ständigen Kämpfe überdrüssig. Als im Juni 1921 das ziemlich überraschende Verhandlungsangebot von Lloyd George bekannt wurde, waren die Republikaner fast am Ende ihrer Kräfte. Anfang Juli wurde ein Waffenstillstand beschlossen, und darauf begann man mit den Verhandlungen über eine Kompromißlösung.

Die Geschichte dieser Beratungen, die sich über einen Zeitraum von mehreren Monaten erstreckten, ist verwikkelt und auf irischer Seite heftig umstritten. Aber von Anfang an waren zwei Grundvoraussetzungen allen vernünftig denkenden Menschen bekannt: Beide Seiten mußten beträchtliche Abstriche von ihren Forderungen hinnehmen, und die einzige Alternative zur Beilegung des Konflikts war der erneute Ausbruch des Krieges. Lloyd George hatte ausdrücklich darauf hingewiesen, daß Irland nicht vollständig aus dem Verband des Empire ausscheiden, und daß Ulster nicht zur Annahme einer nachteiligen Lösung gezwungen werden dürfe. Wenn diese Bedingungen einmal anerkannt waren, dann stand jedes andere Thema zur freien Diskussion. Arthur Griffith und Michael Collins, die Leiter der irischen Delegation, waren Politiker mit praktischem Sachverstand. Griffith hatte Gewalt noch nie geschätzt und war stattdessen primär an Wirtschafts- und Verwaltungsproblemen interessiert. Er sah in Lloyd Georges Vorschlag, Irland den Status eines Dominion (d. h. völlige innenpolitische Selbständigkeit und Anerkennung der britischen Krone, Anm. d. Übers.) zuzuweisen, eine Parallele zu seiner eigenen ›ungarischen Politik‹, und er trug wenigstens teilweise die Verantwortung dafür, daß er die anderen Delegationsmitglieder zur Annahme dieses

Vorschlags bewog. Collins hatte vor den Verhandlungen eine wichtige Rolle als General der republikanischen Truppen gespielt und auf Grund der dabei bewiesenen Tapferkeit hohes Ansehen gewonnen. Ihm war bekannt, wie stark die republikanischen Verbände gefährdet waren und wie schwierig es sein würde, die Kämpfe fortzusetzen, wenn die englische Regierung beschließen sollte, ihre ganze militärische Stärke ins Spiel zu bringen. Unter diesen Umständen wurde am 6. Dezember 1921 ein Vertrag unterzeichnet. (Auf britischer Seite wurde die offizielle Bezeichnung ›Artikel des Übereinkommens‹ beibehalten; ›Vertrag‹ kam dagegen im allgemeinen Sprachgebrauch häufiger vor, und die Iren bestanden auf dieser Benennung, weil sie den souveränen Status der republikanischen Regierung implizierte, Anm. d. Verf.). Irland sollte ein sich selbst regierender Staatskörper innerhalb des Britischen Commonwealth werden, die offizielle Namensgebung lautete ›Freistaat Irland‹, und im Vertragstext wurde besonders berücksichtigt, daß Irland auf die gleichen Unabhängigkeitsrechte Anspruch hatte wie das Dominion Kanada. Im Ergebnis kam diese Regelung den Vorstellungen der Republikaner sehr weit entgegen, aber die Delegierten mußten drei Einschränkungen akzeptieren, die sie im Grunde ablehnten: Mitglieder des Parlaments mußten einen Eid auf die Krone schwören, da Irland ein Mitglied des Commonwealth werden sollte; Nordirland sollte frei darüber entscheiden, ob es verfassungsrechtlich weiterhin zum Vereinigten Königreich gehören wolle, oder den Anschluß an den Freistaat wünschte; die englische Regierung behielt einige ihrer irischen Marinestützpunkte mit einer friedensmäßigen Besatzungsstärke. Diese drei Bedingungen — vor allem die erste — riefen den größten Widerstand hervor, als der Vertrag im ›Dail‹ debattiert wurde. De Valera, der in den letzten Phasen der Verhandlungen seinen Einfluß gar nicht geltend gemacht hatte, trat als Wortführer der Vertragsgegner auf und verlieh damit der Opposition den Glanz seines Ansehens und die ganze emotionale Gewalt seiner Berufung auf die unverletzlichen Hoheitsrechte der Republik. Griffith, der die Hauptlast der Rechtfertigung zu tragen hatte, neigte weniger zu juristischem Kleinkrämertum und gefühlsbetonten Grundsatzerklärungen. Er beschränkte sich auf die einsichtige Verteidigung, daß seine Kollegen und er nicht ›als republikanische Doktrinäre‹ nach London geschickt worden seien, ›sondern um sich um die Durchsetzung von Freiheit und Unabhängigkeit zu bemühen‹. Seiner Meinung nach schuf der Vertrag trotz gewisser Einschränkungen die Grundlagen für die Freiheit Irlands, und außerdem brauche man ihn ja nicht als Endlösung zu betrachten. Nach langwierigen und heftigen Debatten, die bis zum Januar 1922 andauerten, wurde der Vertrag vom ›Dail‹ angenommen, und eine Woche später trat eine provisorische Regierung unter dem Vorsitz von Michael Collins zusammen, um die Regierungsgeschäfte von den Engländern zu übernehmen. Es mußte noch eine Reihe anderer Formalitäten erledigt werden, aber staatsrechtlich war das Ende der 120 Jahre lang umstrittenen Union unwiderruflich besiegelt.

Für die irischen Nationalisten war und ist die Zeit der Union eine Zeit der Unterdrückung und der moralischen Knechtschaft, für die Unionsanhänger hingegen ein großartiges aber fehlgeschlagenes Experiment. Für den Historiker aber bildet die Union die fundamentale Voraussetzung für die irische Nation der Gegenwart. Indem die protestantischen Gutsbesitzer 1800 einen Teil ihrer Rechte aufgaben, gewannen sie kurzfristig Sicherheit für ihre sozialen Vorrechte, beraubten sich aber selber der Machtgrundlagen für die zukünftige Verteidigung ihrer Sonderstellung, die infolge der Reformtätigkeit englischer Regierungen immer stärker eingeschränkt wurde und schließlich dem Aufstieg der katholischen Bauern und des katholischen Mittelstandes zum Opfer fiel. Um 1800 gab es nur zwei Auswege, wenn man die Union ablehnte: entweder die Fortsetzung der oligarchischen Herrschaft der protestantischen Landbesitzer oder die Gründung eines republikanischen irischen Staates, der nach den Prinzipien der Französischen Revolution regiert wurde. Die von England erzwungene friedliche Entwicklung ermöglichte Irlands Metamorphose zur katholischen Nation, die sich gegen den Führungsanspruch der Protestanten und den Terror der Revolution durchsetzen und ihre eigenen Wesensmerkmale ausprägen konnte. ›Als ich ein Junge war‹, schrieb ein Familienmitglied der Beresford um 1850, ›waren mit dem irischen Volk die Protestanten gemeint; nun sind es die Katholiken‹. Die mit dieser Umwandlung einhergehende Strukturveränderung der sozialen und politischen Verhältnisse war das überragende Vermächtnis der Union an Irland.

IRLAND SEIT DEM UNABHÄNGIGKEITSVERTRAG

Die legislative Union war beschlossen worden, als England in die Napoleonischen Kriege verwickelt war; dementsprechend waren auf englischer Seite strategische Erwägungen das Hauptmotiv für den Vertragsschluß. Die Auflösung der Union erfolgte zu einem Zeitpunkt, als der erste Weltkrieg siegreich zu Ende geführt worden war, und als das dadurch gesteigerte Selbstvertrauen der Engländer eine besonders günstige Voraussetzung für eine großzügige Lösung des Irlandproblems bot. In den Jahren 1920 und 1921 bestand daher der aufrichtige Wunsch, die Forderungen der Iren zu erfüllen – ein Umstand, der 1800 so gut wie nicht vorhanden gewesen war. Trotz dieses Unterschieds standen Beginn und Ende der Union unter dem gleichen negativen Vorzeichen, denn beide Male konnte man jene Grundprobleme nicht lösen, die einer friedlichen und dauerhaften Reorganisation des irischen Staatswesens im Wege standen: das innenpolitische Problem der Beziehungen zwischen Katholiken und Protestanten und das außenpolitische Problem der Kompetenzenregelung zwischen Irland und Großbritannien. Beides wurde durch die Gründung des nordirischen Staates und des Freistaates in der Form verändert, die Schwierigkeiten blieben prinzipiell jedoch bestehen. Der einstige Interessenkonflikt zwischen der Vorherrschaft der Protestanten und der Masse der katholischen Bauern war beigelegt; diese Gegensätze fanden aber in der Feindschaft zwischen Nordirland mit seiner vorwiegend protestantischen Bevölkerung und dem Süden eine Fortsetzung auf staatspolitischer Ebene. Außerdem führten die im Norden herrschende Furcht und das gegenseitige Mißtrauen zu fortwährenden Streitigkeiten zwischen den beiden Konfessionen. Diese unablässigen Unruhen belasteten verständlicherweise das Verhältnis zu England, das ansonsten infolge gemeinsamer Wirtschaftsinteressen nicht zu erschüttern war. Die daraus resultierende wirtschaftliche Bindung der beiden irischen Staaten an England, die von einigen Iren als Restbestand des britischen Imperialismus abgelehnt wurde, war so fest verankert, daß sich auf die Dauer keine Regierung in Dublin über diesen Interessenzwang hinwegsetzen konnte. Wenn der Vertrag von 1921 auch keine Einmütigkeit zwischen England und dem irischen Freistaat zustande gebracht hatte, so bewirkten wirtschaftspolitische Faktoren doch, daß die Beziehungen nicht vollständig abgebrochen wurden.

Die Unterzeichnung des Unabhängigkeitsvertrages führte noch nicht zur Beendigung der Kämpfe. Im Norden setzte die I.R.A. (›Irisch-Republikanische Armee‹) ihren gewaltsamen Widerstand gegen das neue Regierungssystem fort, selbst nachdem sich Collins im März 1922 damit einverstanden erklärt hatte, seine Verbände zurückzuziehen. Im Freistaat brach innerhalb weniger Monate ein Bürgerkrieg aus, weil die unterschiedliche Beurteilung der Vertragsartikel zu grundsätzlichen Meinungsverschiedenheiten geführt hatte. War man zuerst erleichtert über die endlich erreichte Selbständigkeit, so setzten sich dagegen allmählich die extremistischen Republikaner durch, die in der politischen Führungsspitze des Landes und in der I.R.A. ihre Hochburgen hatten. Obwohl das ›Dail‹ dem Vertrag zugestimmt hatte, nachdem um die einzelnen Artikel lange und erbittert gekämpft worden war, und obwohl nach den allgemeinen Wahlen vom Juni 1922 eine Mehrheit der Befürworter des Vertrages zustande gekommen war, weigerten sich die Republikaner hartnäckig, diese Willensäußerung anzuerkennen. Ihr politischer Führer war de Valera, ihr militärischer Einflußbereich erstreckte sich vor allem auf die I.R.A. Daher waren die politischen Gegensätze innerhalb der Armee viel ausschlaggebender als die Meinungskonflikte unter der Bevölkerung und den Politikern. Die von Griffith und Collins geführte Regierung des Freistaates weigerte sich zuerst, eine Entscheidung zu erzwingen, aber da ihnen die aggressive Haltung ihrer Gegner keine andere Wahl ließ, brachen gegen Ende Juni die ersten offenen Kämpfe aus.

Die Republikaner bedienten sich im Verlauf der Auseinandersetzungen derselben Methoden, die während der vorangegangenen Jahre im Kampf gegen die Engländer zum Erfolg geführt hatten. Jetzt konnten sie allerdings nicht mehr auf die gleiche Hilfe bei der Bevölkerung zählen, denn ihre Mißachtung aller Eigentumsrechte, ihre häufigen Banküberfälle und die ihnen unterstellte sozialistische Agrarpolitik brachten die Bevölkerung, die der militärischen Gewaltherrschaft überdrüssig war, immer stärker gegen die Republikaner auf. Überdies bewies die Regierung Mut und Entschlossenheit, vor allem aber eine Unnachgiebigkeit, die die Engländer niemals gezeigt hätten. (Nach den Untersuchungen von D. Macardle, The Irish Republic, Dublin 1951, s. 1023–1025 ließen die Engländer während der Jahre 1916–1921 40 Republikaner hinrichten; 77 wurden zwischen 1922 und 1923 von der Regierung des Freistaates zum Tode verurteilt, Anm. d. Verf.). Außerdem überließen sie die Teilnehmer an Hungerstreiks bedenkenlos dem Tod. Diese Maßnahmen hatten Erfolg, und im Mai 1923 kündigte de Valera das Ende des republikanischen Widerstandes an. Seine Macht reichte jedoch nicht aus, um die seit Jahren kämpfenden Truppen der I.R.A. zum Frieden zu zwingen, und die Anwendung militärischer Gewalt als Mittel der politischen Veränderung wurde niemals ganz aufgegeben.

Der Bürgerkrieg hatte zur Folge gehabt, daß der Druck der Republikaner auf den Norden ständig nachließ, und auch hier war 1923 eine entschlossene Regierung an die Macht gelangt. Die Auseinandersetzungen in Nordirland trugen erwartungsgemäß konfessionell gefärbte Züge. Für die Protestanten stellte der unabhängige Status der sechs Grafschaften die einzige Sicherheitsgarantie gegenüber den Herrschaftsansprüchen des Dubliner Parlaments dar. Für die Katholiken ergab sich daraus jedoch der Schluß, daß sie zu einem nie endenden Minderheitendasein verdammt waren. Daher war es nur zu verständlich, daß viele Katholiken die Aktionen der Republikaner unterstützten, die in den überwiegend katholischen Gegenden ihre Hochburgen hatten. Die Protestanten in Ulster waren seit Jahrhunderten der Ansicht, daß die Katholiken ›unloyal‹ seien, und bewerteten die Ereignisse nach 1920 als eindeutige Bestätigung dieser Überzeugung. Als dann schließlich der innere Frieden wieder hergestellt war, schien eine Versöhnung der beiden Konfessionsgruppen in noch weiterer Ferne zu liegen als jemals zuvor. Die traditionelle Gleichsetzung der Protestanten mit den Unionsanhängern und der Katholiken mit den Nationalisten blieb bestehen, was in den abgelegenen Gegenden in Nordirland zwangsläufig zu einer Art Simplifizierung der politischen Meinungsbildung führte.

Unberührt von allen Zeiterscheinungen beharrten die politischen Führer beider Seiten auf ihren traditionellen Maximen. Das Hauptziel der Unionisten war die Sicherung der protestantischen Wählerstimmen für ihre Partei; sie dachten kaum daran, ihre Machtbasis zu erweitern, indem sie sich auch an die Katholiken wandten. Die Nationalisten verhielten sich nicht weniger sektiererhaft. Sie stützten sich ausnahmslos auf die Gebiete mit katholischer Bevölkerungsmehrheit, und die Abgeordneten der katholischen Wahlkreise sahen ihre Hauptaufgabe in der Verteidigung katholischer Interessen. Diese Aufspaltung in zwei gegnerische politische Lager war nicht zu durchbrechen, so daß alternative Kräfte nicht zur Geltung kamen. Eine in sich selbst zerstrittene Labour Partei stellte einige Abgeordnete, die aber an der Parteistruktur nichts ändern konnten.

Diese Konstellation der politischen Gruppenbildung war seit Generationen nichts Neues. Seit 1920 hatten sich jedoch die Verhältnisse insofern gewandelt, als die Protestanten fortan eine ununterbrochene Kontrolle über alle Regierungsämter und Verwaltungsbehörden ausübten. Zusammen mit ihrer wirtschaftlich-sozialen Überlegenheit setzten sie dieses Machtmittel gezielt dafür ein, ihre eigene Vormachtstellung abzusichern und dafür zu sorgen, daß sich das Zahlenverhältnis der Bevölkerungsgruppen nicht zu ihren Ungunsten veränderte. Ein Katholik, der Arbeit oder eine Wohnung suchte, oder sich in seinem Beruf verbessern wollte, war gewöhnlich im Wettbewerb mit Protestanten stark benachteiligt, so daß viele nordirische Katholiken auswanderten. Daher wies der katholische Bevölkerungsanteil nur eine geringe Steigerungsrate auf, obwohl die Geburtenziffer bei Katholiken höher lag als bei den Protestanten. Vom Standpunkt der Unionisten aus betrachtet, war das allgemeine Mißtrauen gegenüber den Katholiken dadurch gerechtfertigt, daß sie sich in der Vergangenheit als Feinde der Protestanten erwiesen hatten und seit Beginn der nordirischen Selbständigkeit fortgesetzt für den Zusammenschluß mit dem Freistaat eintraten. Auch wenn diese Argumentation eine gewisse Überzeugungskraft beanspruchen durfte, so veranlaßte das Programm der Unionspartei die Nationalisten keineswegs dazu, ihre Ansichten zu ändern oder die bestehende Ordnung als endgültig zu akzeptieren. Der in den frühen zwanziger Jahren erreichte Frieden verschärfte daher nur die traditionellen Gruppenkonflikte. Auf beiden Seiten gaben jene Politiker den Ton an, die im Verlauf der bitteren Auseinandersetzungen um die Selbstverwaltungsfrage ihre politischen Vorstellungen entwickelt hatten. Der erste Premierminister von Nordirland war Sir James Craig (1927 als Viscount Craigavon in den Peersstand erhoben, Anm. d. Verf.), der als Stellvertreter von Carson zu den maßgeblichsten Gegnern der home-rule-Bewegung gehört hatte; der Hauptvertreter der nationalistischen Minderheit war Joseph Devlin, vor 1921 ein populäres Mitglied der home-rule-Partei. Obwohl beide erfahrene und sachlich denkende Politiker waren, konnten sie dem vorherrschenden Ideologiezwang kaum entrinnen: Craig durfte sich nicht von der ideellen Basis entfernen, auf deren Einhaltung sich die Unionisten seit 1920 versteift hatten, und Devlin fungierte eher als Sprecher der katholischen Minderheit denn als Führer einer politischen Organisation.

Auch im Süden setzten sich jene politischen Traditionalismen fort, die schon zur militärischen Konfrontation während des Bürgerkrieges geführt hatten. Auf diese Weise wurde in beiden Teilen der Insel eine gegenwartsorientierte Politik verhindert, denn die Wählerschaft war leichter zu beeinflussen, wenn man sich auf historische Ereignisse und Persönlichkeiten berief, als wenn man auf die Probleme des täglichen Lebens einging.

Diese fast vollständige Stagnation der politischen Entwicklung hielt vor allem deswegen so lange an, weil alle Parteien der Frage der Grenzziehung eine Bedeutung beimaßen, die sie während des Bürgerkrieges noch nicht besessen hatte, denn damals meinte man, dieses Problem würde sich von selber erledigen. Die im Vertrag von 1921 vorgesehene Veränderung des Grenzverlaufs zwischen Nordirland und dem Freistaat verführte Nationalisten der verschiedensten politischen Richtungen zu der Annahme, daß Nordirland in diesem Fall rasch seine staatliche Eigenständigkeit einbüßen und von der politischen Landkarte verschwinden würde. Als später eine Kommission ernannt wurde, die die neue Grenze festlegen sollte, verlief dieses Vorhaben ergebnislos, bis 1925 die bestehenden Grenzen von den Regierungen Englands, Nordirlands und des Freistaates als endgültig anerkannt wurden. Trotz dieser Übereinkunft forderten die späteren Regierungen des Freistaats immer wieder das Ende der Landesteilung und die Integration der sechs Grafschaften in den Staatsverband des Freistaats. Solange man in Dublin diese Ziele vor Augen hatte, konnten sich die Einwohner von Ulster nicht sicher fühlen, zumal die nordirischen Nationalisten ihre Hoffnungen auch nicht aufgaben. Sicher war jedenfalls nur, daß keine Seite die Notwendigkeit einer Kompromißlösung einsah.

Obwohl die Probleme aus der Existenz zweier irischer Staaten durchaus von zentraler Bedeutung waren, darf andererseits nicht gefolgert werden, daß die Teilung die tiefere Ursache für die verfahrene Situation der irischen Politik war; die Teilung war nicht der Grund für die ideologisch-politischen Gegensätze, sondern höchstens ihr

Gradmesser. Sie war von der britischen Regierung durchgesetzt worden, um ein uraltes Problem zu lösen, und obwohl dieses Bemühen scheiterte, kann man dieses Problem — so sehr sich seine äußerlichen Merkmale inzwischen verändert haben mögen — auch jetzt noch nicht dadurch bewältigen wollen, daß man die bisherige Politik einfach aufgibt. Eine erzwungene Einbürgerung der nordirischen Protestanten in einen irischen Einheitsstaat würde einen Bürgerkrieg zur Folge haben, dessen zerstörerische Auswirkungen leicht abzuschätzen sind, dessen Dauer aber unvorhersehbar ist. Einige zeitgenössische Beobachter zeigten sich von der Tatsache beeindruckt, daß die protestantische Minderheit im Süden die neue Regierung anerkannte und nicht benachteiligt wurde. Die südirischen Protestanten bildeten aber eine zu kleine Gruppe, um auf politischer Ebene von Bedeutung zu sein. Außerdem steht fest, daß ihr prozentualer Anteil an der Bevölkerung Südirlands nach der Gründung des Freistaates rapide sank, und es schien, als seien sie nach einigen Generationen zum Aussterben verurteilt. Mit der fest zusammenhaltenden und anwachsenden protestantischen Bevölkerung im Norden der Insel verhielt es sich allerdings ganz anders.

So wenig die Frage der Teilung zu echtem Nachdenken anregte, so gelegen kam sie des öfteren den Politikern beider Seiten, die ihrer Wählerschaft nie gestatteten, die Teilung Irlands für längere Zeit aus ihrem Gedächtnis zu verbannen. Außerdem waren jedoch die normalen Regierungsgeschäfte zu erledigen, und im Verlauf des halben Jahrhunderts, das auf den Abschluß des Vertrages von 1921 folgte, machte Irland eine Reihe wesentlicher sozialer und wirtschaftlicher Veränderungen durch. In bezug auf Nordirland wurden alle wichtigen Entscheidungen in Westminster getroffen, und die nordirische Regierung konnte nur einen geringfügigen Einfluß auf die wirtschaftspolitische Entwicklung ausüben. Innerhalb der ziemlich eng gesteckten Grenzen ihres Kompetenzbereiches konnte sie allerdings bestimmte Maßnahmen anregen und tat dies auch. Die Agrarpolitik der nordirischen Regierung führte zu einer erheblichen Verbesserung der Anbaumethoden, und ihre unablässigen Bemühungen um die Ansiedlung moderner Industrieunternehmen reduzierte die volkswirtschaftliche Abhängigkeit von der traditionellen Textilindustrie, der Schwerindustrie und dem Schiffsbau, die rückläufige Tendenzen aufwiesen. In der Sozialgesetzgebung hatte die Regierung freiere Hand, aber die herrschende Unionspartei folgte einer ›Politik der kleinen Schritte‹, was bedeutete, daß sie dem Vorbild Englands ziemlich genau folgte. Gewisse Abweichungen waren teils auf lokale Besonderheiten, teils aber auch auf die äußerst konservativen Vorstellungen der Unionspolitiker zurückzuführen; im großen und ganzen verlief jedoch die wirtschaftlich-soziale Entwicklung in Nordirland nach dem englischen Modellplan. Zu eigenständigen sozialen Reformen gab es kaum Gelegenheit, selbst wenn Wünsche in dieser Richtung angemeldet worden wären. Im Süden verlief der Veränderungsprozeß ganz anders. Obwohl der Widerstand gegen die Vertragsartikel auch nach 1923 fortgesetzt wurde, war das Leben im Freistaat viel entscheidender von wirtschaftlichen und sozialen Neuerungen geprägt, die alle Parteigruppen billigten.

Der Freistaat wechselte noch während des Bürgerkriegs seine Führungsspitze. Griffith war 1922 gestorben, und Collins wurde bei einem Überfall im gleichen Jahr getötet. Der neue Ministerpräsident wurde William Cosgrave, ein ruhiger und sehr fähiger Verwaltungsfachmann. Er besaß nicht das Temperament von Collins oder de Valera, der sein Nachfolger werden sollte, aber im Verlauf der zehn unruhigen Jahre seiner Amtszeit gab er dem Freistaat eine innere Festigkeit, die er unter einer gewagteren Führung vermutlich nicht erlangt hätte. Das mit Abstand bekannteste Kabinettsmitglied seiner Regierung war der Justizminister Kevin O'Higgins, dessen unnachgiebige Maßnahmen zur endgültigen Beseitigung politischer Verbrechen führte, wenn er auch 1927 einem Mordanschlag zum Opfer fiel. In diesem Jahr wurden ebenfalls die Weichen für die Normalisierung der politischen Verhältnisse gestellt. De

Valera und seine Anhänger, die die zahlenmäßig größte Oppositionspartei bildeten, waren bisher von der Teilnahme am ›Dail‹ ausgeschlossen gewesen, weil sie den im Vertrag vorgeschriebenen Treueeid verweigert hatten. Später änderten sie ihre Haltung – nicht hingegen ihre Einstellung – und nahmen nach den allgemeinen Wahlen von 1927 ihre Plätze im ›Dail‹ ein. (Dem Beispiel de Valeras waren nicht alle Gegner des Vertrags gefolgt. Diejenigen, die den Eid leisteten, wurden Mitglieder der später gegründeten ›Fianna Fail‹ Partei. Cosgraves Partei war unter der Bezeichnung ›Cumann nan Gaedheal‹ bekannt, später nannte sie sich ›Fine Gael‹, Anm. d. Verf.) Ihre Teilnahme an den Entscheidungen der Legislative schränkte die Machtgrundlagen der Regierung Cosgrave ein, die nun mit anderen Parteien Koalitionsverträge abschließen mußte; die Grundlinien der späteren politischen Entwicklung war aber bereits vorgezeichnet.

Drei Zielvorstellungen lassen sich in diesem politischen Konzept eindeutig analysieren: Erstens: die verfassungsrechtliche Bindung an England sollte gelockert und die eigene Souveränität betont werden; zweitens: die verarbeitende Industrie sollte unterstützt werden, um die Einfuhren aus England zu verringern; drittens: der Prozeß der ›Gälisierung‹ der irischen Gesellschaft sollte beschleunigt werden. Bei der Verwirklichung des ersten Zieles hielt sich die Regierung Cosgrave streng an die Vorschriften des Unabhängigkeitsvertrages. So beteiligte sie sich beispielsweise an den Verhandlungen, die dem ›Westminster-Statut‹ (1931) vorangingen, in dem der souveräne Status der Dominions anerkannt wurde; der Treueeid wurde jedoch nicht abgeschafft. Gleichzeitig bestand das Kabinett Cosgrave auf der Feststellung, daß die Beziehungen des Freistaats zur Krone nur formaler Art sein sollten, und ausschließlich auf direktem Wege mit der Krone bestanden, ohne daß die englische Regierung diese Beziehungen auf irgendeine Weise überwachen konnte. Diese Absicherung gegenüber den Einflußmöglichkeiten Englands war im Resultat ziemlich bedeutungslos; wesentlich war vielmehr die Tatsache, daß die Regierung Cosgrave ihr Ansehen bei den Iren erhöhte, indem sie England gegenüber eine indifferente, sogar ablehnende Haltung einnahm. Im Bereich der Innenpolitik fielen allerdings die bei weitem wichtigsten Entscheidungen, die das Irland von 1925 genau so prägten wie das der Gegenwart.

Griffith hatte die politische Unabhängigkeit des Freistaats als Mittel zur Durchsetzung wirtschaftlicher Autonomie verstanden, und gemäß diesem Grundsatz hatte die Regierung eine Vielzahl von Schutzzöllen erlassen. Eine Folge dieser Wirtschaftspolitik war die Gründung einiger neuer Industrieunternehmen, denn ein Teil der englischen Unternehmerschaft war stark daran interessiert, die bisherigen Anteile am irischen Markt zu halten, so daß sie irische Tochtergesellschaften ins Leben riefen. In Irland herrschte jedoch noch immer ein beträchtlicher Mangel an Kapital und geeigneten Arbeitskräften. Außerdem war die britische und irische Wirtschaft nach wie vor derartig verflochten und die Überlegenheit der Engländer auf diesem Gebiet so fest verankert, daß ein grundlegender Wandel nur dann eintreten konnte, wenn sich eine irische Regierung zu einer viel radikaleren Wirtschaftspolitik entschließen würde, was aber nicht zu erwarten war. Cosgraves Anstrengungen und die seiner Nachfolger blieben nicht ohne Erfolg, und die irische Volkswirtschaft begann sich allmählich zu differenzieren; der Traum von einem Irland mit einer umfassenden und expansiven Industrieproduktion, einer ständig wachsenden Bevölkerungszahl wurde jedoch nur bedingt verwirklicht.

War Griffith der geistige Urheber der Wirtschaftspolitik des Freistaats gewesen, so wurde seine Kulturpolitik von Patrick Pearse inspiriert, der ein Idealbild von Irland gezeichnet hatte, das ›nicht nur frei, sondern auch gälisch‹ sein sollte. Die Regierung setzte sich daher zum Ziel, nahezu alle Bereiche des Lebens mit dem Geist der gälischen Kulturtradition zu erfüllen und vor allem den Sprachgebrauch des Irischen zu erweitern. Irisch wurde zu einem Hauptbestandteil der Lehrpläne an allen staatlich

subventionierten Schulen, und man bemühte sich eifrig um die Förderung des Irischen als allgemeine Umgangssprache. Alle Beamten mußten irische Sprachkenntnisse nachweisen können, wenn sie sich um die Einstellung in den öffentlichen Dienst bewarben, und auf irisch wurden auch die Akten, Urkunden und Publikationen der Regierung abgefaßt. Diese Bemühungen verliefen offensichtlich erfolglos, denn das Englische blieb Umgangssprache — mit Ausnahme jener abgelegenen Gebiete im Westen der Insel, die eine ununterbrochene gälische Sprachtradition beibehalten hatten. Trotzdem blieb der Zwang, irisch zu erlernen, nicht ganz ergebnislos, zumal auch die irische Geschichte unter dem Aspekt der gälischen Tradition gelehrt wurde. Auf diese Weise gewöhnten sich selbst die Menschen, die irisch nur selten sprachen und vielleicht nur schlecht verstanden, an die Idee ihrer gälisch-nationalen Besonderheit. Der von Pearse projektierte Idealzustand war damit nicht erreicht worden, der Wechsel im kulturellen Allgemeinbewußtsein aber unverkennbar.
Die politischen Ziele, die von der Regierung Cosgrave geplant und teilweise verwirklicht worden waren, wurden von der nachfolgenden Regierung übernommen und erweitert. Aus den allgemeinen Wahlen von 1932 war de Valeras ›Fianna Fail‹ Partei als Sieger hervorgegangen; die absolute Mehrheit im Dail konnte sie zwar nicht erreichen, aber de Valera fand bei kleineren Parteien genügend Unterstützung, um eine Regierung zu bilden, die er ununterbrochen bis 1948 leitete.

Das auffälligste Merkmal dieser langen Amtsperiode war die ständige Lockerung der Bindung an England. De Valera war im Gegensatz zu seinem Vorgänger nicht an die strikte Einhaltung der Vertragsartikel von 1923 gebunden. Eine der ersten Handlungen seiner Regierung war daher auch die Aufhebung der Eidespflicht, der laut Verfassung die Abgeordneten des Dail unterworfen waren. Fast zur gleichen Zeit geriet er in eine Auseinandersetzung mit der englischen Regierung, weil er 1932 die Zahlungen des Freistaats an England einstellte, die Irland auf Grund der Finanzverträge von 1923 und 1926 leisten mußte. (Hierzu gehörten in erster Linie die jährlichen Zahlungen der irischen Bauern für ihre von der damaligen englischen Regierung finanzierten Landkäufe, Anm. d. Verf.). England erhob daraufhin Einfuhrzölle auf irische Waren, die in das Vereinigte Königreich eingeführt wurden, und der Streit weitete sich zum ›Wirtschaftskrieg‹ aus. De Valeras Regierung nutzte diese Gelegenheit für ihre auf freie Entscheidungsgewalt abzielende Wirtschaftspolitik und unternahm beträchtliche Anstrengungen, um England vom irischen Außenhandel auszuschließen. Wenn es auch verhältnismäßig einfach war, andere Länder als Importpartner zu finden, erwies es sich als fast unmöglich, außerhalb Englands neue Absatzmärkte für irische Exportgüter zu erschließen. Die Politik der wirtschaftlichen Loslösung von England führte damit nur zu vorübergehenden Teilerfolgen; die gleichzeitige verfassungsrechtliche Unabhängigkeitsbewegung wies dauerhaftere Erfolg auf. 1936 nahm die Regierung des Freistaats die Abdankung Eduards VIII. zum Anlaß, die Außenpolitik-Akte zu verabschieden, die mit Ausnahme der formellen diplomatischen Vertretung des Freistaats durch das Auswärtige Amt des Commonwealth in London die Krone als konstitutives Verfassungselement aus der irischen Verfassung herauslöste. Im nächsten Jahr erfolgte der nächste Schritt, als eine vollständig neue Verfassung verkündet wurde, die in allen wesentlichen Bestimmungen eine republikanische, keine monarchische Ordnung vorschrieb, obwohl die Bezeichnung ›Republik‹ nicht darin vorkam und obwohl der Krone wiederum jene Funktionen übertragen wurden, die schon die Akte von 1936 vorgesehen hatte. Von größter Bedeutung war die Tatsache, daß die Verfassung für das ganze Land gelten sollte, was darin zum Ausdruck kam, daß die Bezeichnung ›Freistaat Irland‹ durch ›Irland‹ (Eire) ersetzt worden war. (Der Verfassungstext wurde in englischer und irischer Sprache veröffentlicht. In der englischen Version wurde ›Irland‹ angegeben; ›Eire‹ wurde aber in den englischen Sprachgebrauch übernommen und bezeichnete fortan das Territorium der 26 südirischen Grafschaften, Anm. d. Verf.). Die britische Regierung wies die Vorstellung zurück, daß diese Staatsbezeichnung auf irgendeine Weise die staatliche Existenz von Nordirland berühren könne; im übrigen war sie bereit, die Verfassung anzuerkennen. Beide Seiten waren mittlerweile bemüht, alle Gegensätze beizulegen, und 1938 erreichten Chamberlain und de Valera eine umfassende Übereinkunft. Der Streit um die Finanzabgaben wurde durch eine Kompromißvereinbarung behoben, und die englische Regierung erklärte sich bereit, ihre ›Vertragshäfen‹ (s. o.) aufzugeben — ein Zugeständnis, dessen tatsächliche Bedeutung erst deutlich wurde, als England in den zweiten Weltkrieg eintrat.

Eires Neutralität während des Weltkrieges war ein anschaulicher Beweise ihrer Loslösung von Großbritannien und dem Commonwealth. Unter den gegebenen Umständen war die Neutralitätspolitik nur allzu verständlich, denn die Gründe, die England zum Kriegseintritt gezwungen hatten, trafen auf Eire nur in einem ganz geringen Umfang zu. Außerdem war immer noch eine Gruppe republikanischer Extremisten aktiv, die de Valeras Entschluß zur konstitutionellen Politik nie anerkannt hatten, England als ›Erbfeind‹ betrachteten und ihre militärische Organisation, die I. R. A., noch nicht aufgelöst hatten. Jeder Versuch, Eire auf Seiten der Alliierten in den Krieg zu verwickeln, hätte einen derart heftigen Widerstand hervorrufen können, daß die Regierung möglicherweise ausgeschaltet worden wäre. Ein Staat, der auf Grund illegaler Unternehmungen zustande gekommen war, kann sich solche Risiken in den seltensten Fällen leisten, und die Neutralität war unter diesem Aspekt sicher eine verständliche Entscheidung. Für England brachte diese Neutralität eine entscheidende Schwächung der Westflanke, zumal ja die ›Vertragshäfen‹ nicht mehr zur Verfügung standen, und daher fanden in London Beratungen über eine mögliche militärische Besetzung Eires statt. Nur die Tatsache, daß Nordirland im Staatsverband des Vereinigten Königreiches integriert war, verhinderte die Verwirklichung des

Invasionsplanes. Auf diese Weise entging der größte Teil der irischen Bevölkerung dank der Teilung ihres Landes den Auswirkungen des Krieges, wenn auch Tausende von Kriegsfreiwilligen aus Eire in die britischen Truppenverbände eingetreten waren.

Eires Neutralität bestätigte den nordirischen Unionisten wieder einmal, wie gerechtfertigt ihr Widerspruch gegen ein Ausscheiden aus dem Vereinigten Königreich war. Schon lange zuvor hatte de Valeras Politik sie in ihrer Überzeugung bestärkt, daß sie mit der Mehrheit ihrer Nachbarn wenig gemeinsam hatten. Ihre Wirtschaft war so eng an die Englands angeschlossen, daß sie es sich nicht erlauben konnten Zollbarrieren aufzurichten, und die von Eire vorangetriebene fortschreitende Auflösung der konstitutionellen Bindungen an England machte es vollends unwahrscheinlich, daß sie sich dem Süden anschließen würden, da der Entfremdungsprozeß gegenüber den anderen Staaten des Commonwealth immer größere Ausmaße annahm. Aber ganz unabhängig von diesen Erwägungen gab es aus protestantischer Sicht seit 1922 in der Dubliner Regierungspolitik Anzeichen dafür, daß Irland in einen vorwiegend gälisch-katholischen Staat umgewandelt werden sollte. Die staatliche Förderung des Irischen wurde unter de Valera noch intensiviert, aber auch jetzt blieben eindeutige Erfolge aus. Was die Religionspolitik anlangte, so schienen die beiden ersten Regierungen eine tolerante Haltung eingenommen zu haben, obwohl die Ablehnung der zivilrechtlichen Scheidung (1925) eine gewisse Bereitschaft vermuten ließ, die Gesetze des Staates der katholischen Kirchenlehre anzugleichen. Aber in der Verfassung von 1937 setzte sich eine Politik durch, die der katholischen Kirche einen Sonderstatus einräumte. Für den Bereich Südirlands war dieser Schritt durchaus verständlich; es wurde zwar Kritik geäußert, aber ernstlicher Widerstand erhob sich nicht. Da jedoch die Verfassung für ganz Irland gültig sein sollte, glaubten die nordirischen Protestanten klar erkennen zu können, was sie als Minderheit zu erwarten hätten, wenn beide Staaten wiedervereinigt sein sollten.

Betrachtet man die Haltung beider irischen Regierungen, so kommt man nicht um die Feststellung herum, daß sie ungeachtet aller sonstigen Unterschiede dieselbe Gedankenlosigkeit gegenüber dem Minderheitenproblem bewiesen. Das Kabinett in Belfast regierte Nordirland auf eine Weise, als sollte sich die gesamte Bevölkerung zu den von der protestantischen und unionistischen Mehrheit aufgestellten Maßstäben bekehren oder sie wenigstens als allgemein verbindlich anerkennen. Die Regierung in Dublin ihrerseits plante ein neues und vereinigtes Irland und erwartete dabei von den nordirischen Protestanten, daß sie ihre charakteristische Lebens- und Denkweise aufgeben und sich einer Staatsgemeinschaft unterordnen sollten, die sich dem Katholizismus und der gälischen Kulturtradition verbunden fühlte. Wolfe Tone mochte im Norden verdammt und im Süden verehrt werden, aber seine Forderung nach uneingeschränkter Toleranz wurde in beiden Teilen des Landes gleichermaßen mißachtet.

De Valera artikulierte seine politischen Grundsätze vielleicht deswegen nicht in Form einer Ausrufung der Republik, weil er die letzte Brücke zu den anderen Staaten im Commonwealth nicht abbrechen wollte, so wenig tragfähig sie auch war. Diese Inkonsequenz bestärkte die extremistischen Republikaner in ihrer Ablehnung seiner Regierung, und diese oppositionelle Haltung war einer der Gründe für seine Niederlage bei den allgemeinen Wahlen vom Februar 1948, obwohl diese Wahlniederlage in erster Linie der Reaktion der Öffentlichkeit auf die 16 Jahre währende Alleinherrschaft einer Partei oder vielmehr eines Mannes zuzuschreiben war, denn de Valera beherrschte nicht nur die ›Fianna-Fail‹-Partei, sondern auch das Land. ›Fianna Fail‹ stellte zwar nach der Wahl die relative Mehrheit der Abgeordneten, aber der Wunsch nach einem Regierungswechsel war so allgemein und so stark, daß alle anderen Parteien trotz ihrer unterschiedlichen Programme eine Koalition bildeten, die ausschließlich vom Willen zusammengehalten wurde, de Valeras Regierungsführung zu verhindern.

Zur Überraschung und Verärgerung vieler Wähler entschloß sich die Koalitionsregierung für den letzten Schritt: zur völligen Unabhängigkeit. Im September 1948 kündigte der damalige Ministerpräsident J. A. Costello während eines Staatsbesuches in Kanada an, daß in Kürze ein Gesetzentwurf vorgelegt werden würde, der die Aufhebung der letzten verfassungsrechtlichen Bindung zwischen Eire und Großbritannien vorsähe. Noch vor Ende des Jahres war das Gesetz verabschiedet, und am Ostermontag 1949 wurde Eire zur Republik erklärt. Dieser Schritt, dem nach übereinstimmender Meinung nur formale Bedeutung zukam, rief in Irland kaum Begeisterung hervor und in England keinerlei Ablehnung. Die Herauslösung der Krone aus der Verfassung führte nur zu geringfügigen Veränderungen innerhalb der staatspolitischen Praxis; ansonsten blieb alles andere unverändert. Auf Grund eines zwischen London und Dublin getroffenen Übereinkommens sollten Staatsbürger der Republik Irland im Bereich des Vereinigten Königreiches nicht als Ausländer betrachtet werden; das gleiche galt für Engländer in Eire. Obwohl die diplomatischen Vertreter beider Länder nun nicht mehr als Hochkommissare, sondern als Botschafter fungierten, wurden die auswärtigen Angelegenheiten der Republik noch so lange vom Auswärtigen Amt des Commonwealth wahrgenommen, bis ihr Ausscheiden aus dem Commonwealth rechtswirksam wurde. Es überrascht vielleicht kaum, daß die I. R. A. und ihre Anhänger es ablehnten, die Republik von 1949 als Ersatz für die nie verwirklichte Republik von 1916 anzuerkennen, der allein sie die Treue geschworen hatten, so daß auch diese Regierung den Ausbruch von Unruhen zu befürchten hatte.

Die politischen Vorgänge im Süden wurden in Nordirland mit wachsender Sorge verfolgt. Obwohl der Übergang zur Republik nur eine Formsache gewesen war, hatte die Dubliner Regierung bei dieser Gelegenheit ihren Autoritätsanspruch auf die ganze Insel wiederholt und eine heftige Propagandaaktion gegen die Teilung in Gang gesetzt, die von Anschuldigungen gegen die Unionspartei begleitet wurde. Die Ergebnisse dieses Unternehmens zeigten sich in Nordirland bei den Wahlen von 1949, als das Auftreten von Kandidaten, die sich gegen die Teilung aussprachen und Wahlgelder aus südirischen Fonds bezogen, nur zu einem ungewöhnlich hohen Wahlsieg der Unionspartei und einer Stärkung ihrer Regierung im Parlament führte. Die Unionisten hatten in Wirklichkeit nur den negativen Eindruck zu befürchten, der infolge dieser Propagandawelle in England entstehen könnte. Es kam hinzu, daß sie seit 1945 mit einer Labour-Regierung zusammenarbeiten mußten, und die Labour-Partei war nicht nur seit jeher ein Sympathisant des irischen Nationalismus, sondern verdankte auch viele ihrer Sitze den Wählerstimmen der irischen Einwanderer. Die Befürchtungen der Unionisten erwiesen sich jedoch als grundlos, und in den Gesetzen, die das britische Parlament 1949 für die Regulierung der staatsrechtlichen Beziehungen zur Republik verabschiedete, wurde ausdrücklich darauf hingewiesen, daß eine Änderung der nordirischen Verfassung nur mit Zustimmung des Parlaments in Belfast erfolgen könne.

In gewisser Hinsicht symbolisierte das Jahr 1949 in bezug auf die 26 Grafschaften Südirlands das Ende einer Epoche: Der Vertrag von 1921 war nicht mehr gültig, das letzte Relikt der einstigen britischen Herrschaft war verschwunden, und die Republik konnte uneingeschränkt ihre eigenen Ziele verfolgen. Geblieben war nur die Teilung des Landes. Nach Ansicht der Engländer mußte dieses Problem von den beiden irischen Staaten bewältigt werden, und wenn das Parlament von Nordirland den Wunsch nach einem Anschluß an die Republik äußern sollte, dann stünde der Verwirklichung dieses Entschlusses nichts im Wege. Die Regierung der Republik war anderer Meinung. Sie verfocht die Anschauung, daß die Teilung ein Ergebnis britischer Politik sei, und erkannte weder den staatsrechtlichen Status Nordirlands an noch akzeptierte sie die legislativen Hoheitsrechte des nordirischen Parlaments; sie stellte vor allem das Recht dieses Parlaments in Abrede, über die Zukunft von Ulster zu entscheiden. Diese gegensätzlichen Ansichten beeinflußten die englisch-irischen Beziehungen nur in geringem Maß. Die Republik brachte immer wieder ihre Enttäuschung über die bestehende Lage zum Ausdruck, aber sie konnte oder wollte keine Vorstöße in diese Richtung unternehmen, und die Frage der Teilung geriet allmählich in den Bereich der Irrationalität. Die Politiker im republikanischen Süden redeten weiterhin über die Teilung, aber sie störten sich nicht weiter an ihrer Realität und handelten, als sollte Irland für immer geteilt bleiben.

Dieses stillschweigende Einverständnis mit der besonderen Situation rief natürlich den Widerstand der extremen republikanischen Gruppen hervor, unter denen die I. R. A. am mächtigsten war. Ihre eigenen Anstrengungen verliefen jedoch so ergebnislos, daß sie nur zur Illustration des inzwischen eingetretenen Umschwungs der politischen Atmosphäre dienen können. Während der fünfziger Jahre unternahmen sie gelegentlich Terroraktionen in Nordirland, wobei sie feststellen mußten, daß sie nicht nur von den Führern der nordirischen Nationalisten angegriffen wurden, von denen sie sich Unterstützung erhofft hatten, sondern auch kein Verständnis bei der Bevölkerung Südirlands fanden, wo die Regierung darüber hinaus streng gegen sie vorging. Damals schien es, als wären die alten Streitigkeiten begraben und als bewege sich Irland auf einen nationalen Ausgleich hin, der auf der Anerkennung des status quo basierte.

Zu dieser friedlichen Entwicklung hatte die Zeit viel beigetragen. Im Jahr 1960 bestand die Grenze seit 40 Jahren, und die Auswirkungen dieser langen Teilung in zwei Staaten konnten nicht unbemerkt bleiben. Andere Faktoren kamen hinzu. So hatte sich trotz der Unabhängigkeit des Südens nichts an der Tatsache geändert, daß ganz Irland Teil des britischen Wirtschaftssystems war. (1960 betrug der Gesamtwert der Exporte aus Eire rund 152 Mill. Pfund Sterling; davon entfielen auf den Export nach England 91 Mill. Pfund, nach Nordirland 19 Mill. Pfund und in die USA 11 Mill. Pfund. Die Republik importierte im gleichen

Jahr Güter im Wert von 226 Mill. Pfund; davon entfielen 104 Mill. Pfund auf England und 13 Mill. Pfund auf Nordirland. England führte für insgesamt 3000 Mill. Pfund Waren aus Nordirland für 335 Mill. Pfund; Anm. d. Verf.) Der in den dreißiger Jahren unternommene Versuch, die wirtschaftliche Einflußsphäre Englands einzuschränken, war gescheitert; während der fünfziger und sechziger Jahre hatten wechselnde Regierungen in Dublin nicht nur ihre Bereitschaft gezeigt, die bestehenden wirtschaftspolitischen Verhältnisse unangetastet zu lassen, sie waren darüber hinaus um einen engeren Anschluß an die englische Wirtschaft bemüht. 1965 schloß Sean Lemass, der inzwischen die Führung der ›Fianna-Fail‹-Partei von de Valera übernommen hatte, einen umfassenden Wirtschaftsvertrag mit England ab. Dieses Abkommen sah eine fortschreitende Verringerung der englischen und irischen Zolltarife und den allmählichen Ausbau einer anglo-irischen Freihandelszone bis zum Jahr 1975 vor.

Die Bereitschaft der republikanischen Regierung, die wirtschaftlichen Beziehungen zu England zu intensivieren, ohne dabei ein Entgegenkommen in der Frage der Teilung zu erwarten, spiegelte eine zeittypische politische Erscheinung wieder. Man gab zwar den Anspruch auf die sechs Grafschaften nicht auf, änderte auch nicht Umfang und Art der Forderungen, aber allmählich und ganz allgemein geriet die Teilung in Vergessenheit. Damit nahm der politische Einfluß der Republik auf die Spannungen innerhalb der nordirischen Region schrittweise ab, so daß sich hinter den Unionisten eine Gruppe bilden konnte, die die Ansicht vertrat, die Verfassung könne auch ohne Zuhilfenahme der alten Schlagworte aufrechterhalten werden und man müsse sich durch Zugeständnisse an die Minderheit um ihre Kooperation bemühen. Auch unter den Katholiken bestand eine stärkere Bereitschaft zur Mitarbeit an staatlichen Aufgaben als früher. Obwohl die meisten Katholiken ein vereinigtes Irland anstrebten, hatten viele eingesehen, daß die Verwirklichung dieses Zieles in weiter Ferne lag und daß man daher die augenblickliche Lage zur

Kenntnis nehmen und verbessern sollte. Dieser ausgleichende Geist, der die Konfessionen einander näherbrachte, wurde vor allem von der ökumenischen Bewegung getragen, die auch in Irland Eingang gefunden hatte.

Ein Wechsel in der Regierungsspitze Nordirlands 1963 stand am Anfang einer kritischen Phase dieses geistigen Annäherungsprozesses. Der zurückgetretene Premierminister Lord Brookeborough hatte die Regierung in Nordirland seit 1941 geführt, und viele Iren hielten ihn für eine Verkörperung jener unionistischen Grundideen, die im Feuer der Auseinandersetzungen nach 1920 gehärtet worden waren. Sein Nachfolger, der Hauptmann Terence O'Neill, war ein weit jüngerer Mann, der mit Gegenwarts- und Zukunftsproblemen viel besser vertraut war als mit der politischen Existenzangst früherer Jahre. Er betonte die Notwendigkeit sowohl einer Aussöhnung mit der katholischen Minderheit als auch der Herbeiführung engerer Beziehungen mit dem Süden und vereinbarte zu diesem Zweck eine Reihe gegenseitiger Staatsbesuche mit dem Ministerpräsidenten der Republik. Damit schien eine neue Ära des Friedens und guten Willens in erreichbare Nähe gerückt.

Jeder Versuch zur Änderung politischer Verhaltensmuster ist ein gefährliches Unterfangen. Das galt in besonderem Maß für Nordirland, wo die Unionspartei 40 Jahre lang an die Vorurteile der Protestanten appelliert und alles unternommen hatte, den politischen Einfluß der Katholiken einzuschränken. Jetzt konnte sie nicht einfach einen Richtungswechsel vornehmen, ohne auf seiten der Partei und ihrer Wähler Furcht zu verbreiten und auf katholischer Seite eine gespannte Erwartungshaltung hervorzurufen. Die Mehrheit der Mitglieder und Anhänger der Unionspartei sahen in O'Neills Politik eine Gefährdung ihres eigenen Machtmonopols und die Katholiken bestanden immer nachdrücklicher darauf, daß der gute Wille in Reformen umgesetzt werden sollte: besonders auf dem Gebiet der Gemeindeverwaltungen, die bislang so organisiert waren, daß die Katholiken keine wirksame Kontrolle über ihre Tätigkeit ausüben konnten, nicht einmal in den Gemeinden mit einer überwiegend katholischen Bevölkerung. Geradezu plötzlich wandelte sich eine Entwicklung, die hoffnungsvoll begonnen hatte, in eine erbitterte Auseinandersetzung um. Furcht auf der einen und Ungeduld auf der anderen Seite verhinderten die Bemühungen jener Politiker, die ihre Hoffnungen auf ein allmähliches Wachsen von wechselseitigem Verständnis und Vertrauen gesetzt hatten.

Seit Beginn seiner Regierung hatte O'Neills Verhalten unter einigen rechtsgerichteten Unionisten Besorgnis ausgelöst. Diese wurde von Ian Paisley, einem protestantischen Pfarrer, der die Sekte der ›Freien Presbyterianischen Kirche von Ulster‹ gegründet hatte, auf militante Weise propagiert. Paisley appellierte zugleich an die Furcht vor einem ›romfreundlichen Trend‹, den er bei den Anglikanern und Presbyterianern entdeckt zu haben glaubte, und an den Verdacht, daß eine katholische Verschwörung das Ziel verfolge, Nordirland gewaltsam in die Republik einzugliedern. Die Reaktion eines Teiles der Öffentlichkeit auf diese Hetzreden blieb sicherlich nicht ohne Einfluß auf einige Abgeordnete, die vor dem Auftreten Paisleys bereit gewesen waren, O'Neills Politik zu unterstützen. Daneben organisierten sich diejenigen, die sofortige Reformen verlangten, nach amerikanischem Vorbild in einer Bürgerrechtsbewegung und führten eine Reihe von Protestmärschen und Demonstrationszügen durch. Im Verlauf des Jahres 1968 stießen diese beiden Gruppen wiederholt miteinander und mit der Polizei zusammen, und im Oktober dieses Jahres brach in Londonderry ein Aufstand auf, der eine Serie von Unruhen vor allen in Belfast auslöste.

Mit dem Anwachsen gewalttätiger Aktionen verschoben sich auch die Ziele und Methoden der maßgeblichen Gruppen. Anfangs hatte die Bürgerrechtsbewegung eine beträchtliche protestantische Anhängerschaft besessen und war hauptsächlich an bestimmten Reformen interessiert gewesen, in erster Linie an der Ausweitung des Wahlrechts bei Gemeindewahlen. Ihrer Zusammensetzung, nicht jedoch ihren Grundsätzen nach wandelte sie sich ziemlich bald in eine katholische Vereinigung, und ihre Ziele wurden einerseits verschwommener und andererseits immer umfassender. Viele Bürgerrechtler und viele Organisationen, die mit ihnen mehr oder weniger eng zusammenarbeiteten, waren nicht mehr bereit, sich mit irgendwelchen Reformen zufrieden zu geben, ohne daß die verfassungsrechtlichen Grundlagen Nordirlands entscheidend verändert wurden. Im allgemeinen waren sie übereinstimmend der Meinung, daß die bisherige Unionspolitik aufgegeben werden müsse; stattdessen sollte Nordirland nach dem Modell, das James Connolly ein halbes Jahrhundert vorher entworfen hatte, in eine Arbeiterrepublik umgewandelt werden.

Unter diesen Umständen wuchs der Einfluß des konservativen Flügels der Unionspartei, und O'Neills Regierungspolitik sah sich heftigen Angriffen ausgesetzt. Während der Wahlkampagne von 1969 versuchte er die Öffentlichkeit für ein Programm gemäßigter Reformen zu gewinnen, aber das Wahlergebnis führte zu keiner Stärkung seiner Regierung; einige Monate später mußte er zurücktreten und wurde von James Chichester-Clark, einem ehemaligen Mitglied seines Kabinetts, abgelöst. Der Regierungswechsel zeigte jedoch keinen politischen Wechsel an, denn zu diesem Zeitpunkt war ein Umschwung in der Regierungspolitik so gut wie ausgeschlossen. Die Labour-Regierung in Westminster war über die Lage in Nordirland außerordentlich beunruhigt und machte unmißverständlich klar, daß das von O'Neill konzipierte Reformprogramm schnellstens verwirklicht werden müsse. Verfassungsrechtlich besaß die englische Regierung ausreichende Vollmachten, um diese Forderung gegen den Willen der Unionspartei durchzusetzen; auf Grund der wirtschaftlichen und finanziellen Abhängigkeit des nordirischen Staates von England war es jedoch unwahrscheinlich, daß ein Rückgriff auf derartige Machtmittel überhaupt nötig war. Der Umstand, daß auch die konservative Oppositionspartei in England auf der Notwendigkeit der angekündigten Reformen bestand, isolierte den rechten Flügel der Unionspartei vollends.

Dem Rücktritt O'Neills waren einige Wochen verhältnismäßig ungestörter Ruhe gefolgt. Die Extremisten beider Seiten bereiteten sich währenddessen auf die Fortsetzung der Kämpfe vor, und im August brachen Straßenschlachten von derartigen Ausmaßen aus, daß die Polizei die Kontrolle verlor. Erst jetzt billigte die englische Regierung den Einsatz von Truppen; die normalerweise in Nordirland stationierten Heeresverbände wurden auf schnellstem Wege verstärkt, und mit ihrer Hilfe wurde die Ruhe wiederhergestellt. Mittlerweile war aber allen bewußt geworden, daß der Friede jederzeit in Unruhen umschlagen konnte und daß seine Sicherung auf lange Sicht hin nur mit Hilfe der Armee zu bewältigen war.

Der von der Armee erzwungene Friede wirkte sich nur unvollständig aus, da die IRA die politisch unklare Situation für neue Unternehmungen nutzte und sich dabei — wie schon in den zwanziger Jahren — auf die Katholikenviertel von Belfast stützte. Zur Abwendung dieser Entwicklung verlangten radikale Anhänger der Unionisten wirksamere militärische Maßnahmen und es gelang ihnen, ihren politischen Einfluß so zu verstärken, daß Chichester-Clark zu Beginn des Jahres 1971 sein Amt zur Verfügung stellte. Sein Nachfolger, Brian Faulkner, war jedoch nicht geneigt, sich zu übereilten Entscheidungen drängen zu lassen. Er setzte die maßvolle Politik seines Vorgängers fort, wobei er allerdings den Eindruck gesteigerter Aktivität zu erwekken verstand. Sein Hauptziel bestand in der Wiederherstellung des innerhalb der Unionspartei und der Bevölkerung zerstörten Vertrauens bei gleichzeitigem Einsatz der Sicherheitsverbände gegen die IRA. Das waren politische Zielvorstellungen, die von den beiden großen englischen Parteien unterstützt und in Anbetracht möglicher Auswirkungen fortgesetzter Gewaltakte im Norden auch von der Regierung der Republik eher gutgeheißen als abgelehnt wurden.

Unter Faulkners Amtsführung war es der IRA jedoch gelungen, sich derart in den katholischen Wohnvierteln von

Belfast und Londonderry festzusetzen, daß ihre Vertreibung unmöglich schien. Von diesen Stützpunkten aus betrieb die IRA einen Untergrundkampf, von dem die Bevölkerung in fast dem gleichen Umfang getroffen wurde wie die Armee. Die Waffe der IRA waren Bomben, die in Amtsstuben, Geschäften, Hotels und Restaurants deponiert wurden und trotz der im allgemeinen abgegebenen Vorwarnungen beträchtliche Verluste an Toten oder Verletzten — einschließlich vieler Frauen und Kinder — verursachten. Gegenangriffe radikaler Unionisten verschlimmerten die Lage, zumal militante Anhänger der beiden extremen politischen Lager in sonst nicht gekannter Gemeinsamkeit der Armee Brutalität und die Praxis ungezielter Schüsse in feindselige Menschenansammlungen vorwarfen. Vertreter aller Parteien sahen dagegen ein, daß die britische Armee die einzige Kraft darstellte, die den Bürgerkrieg noch verhindern und die Eskalation der Gewalt einigermaßen steuern konnte. Angesichts dieser Situation entschloß sich die britische Regierung im März 1972 dazu, das Kabinett in Belfast von seiner Verantwortlichkeit für die interne Sicherheit Nordirlands zu entbinden und die Regierungsgeschäfte selber zu übernehmen. Daraufhin trat das Kabinett unter Brian Faulkner geschlossen zurück, da es diese staatspolitische Maßnahme seitens der von den Konservativen geführten britischen Regierung als Sieg der Anti-Unionisten bewertete. Nach Faulkners Rücktritt wurde im britischen Unterhaus ein Gesetzesantrag im Eilverfahren verabschiedet, der die Aufhebung der nordirischen Verfassung und die direkte administrative Abhängigkeit der sechs Grafschaften von der britischen Regierung und einem Minister für nordirische Angelegenheiten konstituierte. Diese Maßnahme sollte eine befristete Übergangslösung einleiten, aber in Wahrheit war allen Eingeweihten klar, daß damit das Ende der 1920 begründeten politischen Ära erreicht war.

Dieser Schlag gegen die Macht und das Ansehen der Unionisten wurde überwiegend als ein Sieg der IRA bewertet. Ihre Störversuche der nordirischen Wirtschaft blieben dagegen weit hinter den Erwartungen zurück: Trotz der

Bombenanschläge, die sich in erster Linie gegen das Privateigentum von Geschäftsleuten richteten, expandierte die Wirtschaft Nordirlands, nahmen die Exportziffern zu und die Arbeitslosenzahlen ab. Darüber hinaus war die Regierung in Dublin besorgt über eine mögliche Ausweitung organisierter Gewalt auf das Territorium der Republik und ging deshalb nicht nur entschiedener gegen die IRA vor, sondern machte auch kein Hehl aus ihrer Überzeugung, daß die Vereinigung der beiden Landesteile nur auf der Grundlage eines demokratisch herbeigeführten Majoritätsbeschlusses der nordirischen Bevölkerung erfolgen könne. Somit verlor die IRA im Süden sehr viele Sympathien, und im Norden fühlten sich die Protestanten auf Grund der IRA-Aktivitäten in ihrem Entschluß bestätigt, das Vereinigte Königreich nicht zu verlassen; ein Entschluß, der in dem von der britischen Regierung durchgeführten Volksentscheid vom März 1973 klar zum Ausdruck kam.

Das Ergebnis dieses Referendums stand von vornherein fest und änderte nichts an der verfahrenen Situation. Nordirland sollte im Vereinigten Königreich verbleiben. Wie aber sollte der verfassungsrechtliche Status des Landes beschaffen sein? In jedem Fall hatte sich die britische Regierung verpflichtet, ein Regierungssystem einzuführen, das die Rechtsunterschiede zwischen Katholiken und Protestanten endlich aufheben und der katholischen Minderheit das uneingeschränkte Wahlrecht für die kommunalen Parlamente einräumen sollte. Es war allerdings kaum abzusehen, wie dieses neue Mitbestimmungsmodell funktionieren sollte, wenn – wie es schien – die oppositionellen politischen Gruppen keine Absicht hatten, ihre Mitarbeit in Aussicht zu stellen. Das wenige Tage nach dem Volksentscheid veröffentlichte Weißbuch vom 20. März sah unter anderem die Konstituierung einer Versammlung vor, die die Machtkonzentration von Gruppen oder Einzelpersonen in den Gemeinden einschränken sollte; auf welche organisatorische Weise der katholischen Bevölkerung der Weg in die kommunale Mitbestimmung geebnet werden sollte, blieb allerdings zukünftiger Planung vorbehalten.

Obwohl die meisten Unionisten mit Argwohn und die Radikalen unter ihnen mit heftiger Ablehnung auf den Regierungsplan reagierten, rief er trotz weitverbreiteter Befürchtungen keinen gewaltsamen Widerstand hervor. Die politischen Führer der katholischen Minderheit waren nicht begeistert, erklärten sich aber bereit, dem Regierungsplan eine Chance zu geben. Eine Gruppe gemäßigter Politiker, der auch die noch nicht lange bestehende Allianz Partei angehörte, begrüßte das Reformmodell der britischen Regierung voller Begeisterung. Es war allerdings unklar, in welchem Umfang diese Gruppe öffentliche Unterstützung finden konnte. Insgesamt bestand jetzt zumindest Aussicht darauf, die bürgerrechtliche Benachteiligung der Katholiken auszugleichen, sobald die Wahlen für die im Weißbuch vorgesehene Versammlung stattgefunden hätten. Diese vergleichsweise kühle Aufnahme des Weißbuchs bedeutete indes nicht, daß die Gewalttaten unterbrochen worden wären. In Nordirland hatte man gehofft, die IRA werde die Diskussion über das Weißbuch zum Anlaß nehmen, einen Waffenstillstand zu erklären. Trotz zahlreicher und inständiger Bitten aus den Reihen der nordirischen Katholiken setzte die IRA ihre Aktionen fort: Die Bombenanschläge auf Geschäfte und Ämter rissen nicht ab, und Angriffe auf britische Soldaten häuften sich.

Die Zukunft Irlands wurde selbstverständlich nicht nur im Norden des Landes entschieden. Der Entschluß der britischen Regierung, der EG beizutreten, war für die Republik notwendigerweise richtungsweisend, und so traten beide Staaten am 1. Januar 1973 der EG bei. Die auf diese Weise neu geknüpften Kontakte zwischen Großbritannien und Eire mußten auf die Dauer auch die Beziehungen zwischen den beiden Staaten Irlands beeinflussen. Diese Erwartung verstärkte die im Süden vorherrschende Meinung, daß die weitere Entwicklung in Nordirland – so wichtig diese auch sei – nicht von anderen Gegenwartsproblemen ablenken dürfe. So standen die allgemeinen Wahlen im Süden, die kurz vor der Veröffentlichung des Weißbuches abgehalten wurden, keineswegs im Zeichen der Nordirland-Frage. Die weit wichtigere Frage, ob nämlich die Fianna Fail Partei, die mit zwei kurzen Unterbrechungen fast vierzig Jahre lang die Regierung gestellt hatte, wiederum die Wahl gewinnen sollte, stand stattdessen im Vordergrund des politischen Lebens Südirlands. Obwohl die Fianna Fail als stärkste Partei aus den Wahlen hervorging, sicherte sich eine aus Labour und Fine Gael bestehende Parteiunion die Mehrzahl der Abgeordnetensitze und bildete unter Liam Cosgrave, dem Sohn eines ehemaligen Ministerpräsidenten, eine Koalitionsregierung.

So war die Lage im Frühjahr 1973. Die Zukunft Irlands war noch immer reichlich ungewiß. Obwohl es als wahrscheinlich anzusehen war, daß die Gewalttaten im Norden unter Kontrolle gehalten werden konnten, bestanden kaum Aussichten auf ein rasches Verschwinden politischer Gewaltverbrechen, womit die Gefahr eines die ganze Insel erfassenden Bürgerkrieges als nicht endgültig gebannt angesehen werden mußte. Für die meisten Iren war die Frage der Landesteilung, die für viele Politiker – einschließlich der IRA – so sehr im Vordergrund gestanden hatte, längst nicht mehr so bedeutsam. Im Süden bestand keine Absicht, die Last der Verantwortung für Nordirland zu übernehmen, und im Norden sehnten sich die Menschen nach Frieden. Die Frage der Landesteilung war zwar in den Hintergrund politischen Bewußtseins gerückt, war aber immer noch nicht gelöst und so lange nicht lösbar, wie politische Vorurteile das Denken beherrschten.

GEWALT, FORTSCHRITT UND KRISE: 1972–1996

von Karl H. Metz

Zwei Lasten hatte die irische Republik bei der Trennung von Großbritannien vor allem auf sich nehmen müssen: die fortdauernde wirtschaftliche Abhängigkeit und die erzwungene Teilung des Landes, in der gleichwohl nur die alte herrschaftliche Teilung der Bevölkerung einen neuen, endgültig geographischen Ausdruck erhielt. Und wenn im republikanischen Süden die ›Bevölkerung‹ nunmehr auch politisch ›Volk‹, ›Nation‹ geworden ist, bleibt sie im britischen Norden, was sie so lange im ganzen Irland gewesen war, eben eine Menge von Menschen, die keine Idee der Gemeinschaftlichkeit besitzen, keine ›communitas‹, ohne welche es keine ›civitas‹ geben kann. Ein Moment des Tragischen ist selbst im Nationalgefühl des Südens mit enthalten, daß sich nämlich das Gemeinschaft bildende ›Wir‹ nicht, wie es die Revolutionäre von 1798 erhofft hatten, aus dem allirischen und transkonfessionellen Gedanken der Republik ergibt, sondern daß es sich immer noch aus historischem Ressentiment und katholischer Konfessionalität speist, mehr als aus irgendeinem anderen. Die erinnerte Geschichte spaltet, in ihr gibt es so wenig Trauer über ›den anderen‹, wie es einen Blick auf eine gemeinsame Zukunft gibt. Daß eine den Frieden gründende Historisierung der Geschichte der Iren nicht entstehen konnte, hat mit der bewußten Fortsetzung dieser Geschichte im künstlichen Staatsgebilde des Nordens zu tun, diesem ›protestantischen Staat für ein protestantisches Volk‹, in dem das (Staats-)Volk wiederum nur einen Teil, wenngleich endlich den größeren, der Bevölkerung bildete. Im Süden hingegen wuchs, langsam doch stetig, ein neues Staatsbewußtsein, das erste wirkliche in einem Volk, das bis dahin den ›Staat‹ vor allem als Fremdherrschaft empfunden hatte, eine Tendenz, die langfristig tatsächlich zu einem ›Republikanismus‹ führen kann und wird, der auf Geschichte und Konfession politisch übergreift, sie in eine Civitas-Idee überführt, der auch ›die anderen‹ angehören.

So gesehen ist das Jahr 1972 durchaus ein Wendepunkt der neueren irischen Geschichte, bot doch der Eintritt der Republik in die Europäische Gemeinschaft die Möglichkeit, die Last der nahezu vollkommenen wirtschaftlichen Abhängigkeit vom einstigen Stiefmutterland schrittweise abzubauen und sich als Kleiner unter mehreren – und nicht mehr bloß einem – Großen rascher und eigenständiger zu entwickeln. Entschloß sich Großbritannien eher mürrisch, unter heftigem Streit und nur dem Druck der Umstände weichend zum Beitritt, so war er in Irland populär. Bei einer Volksabstimmung im Mai 1972 sprachen sich rund 83 Prozent der Wähler für den Anschluß an die EG aus. Das starke wirtschaftliche Wachstum der sechziger Jahre, nach Jahrzehnten der Stagnation, setzte eine Entwicklung in Gang, die durch den Beitritt den entscheidenden Impuls hin zum Übergang von einer agrarisch dominierten zu einer modernen, auf Industrie und Dienstleistungen gegründeten Wirtschaftsgesellschaft erhielt. Die massenweise Auswanderung, ein Grundzug der irischen Sozialgeschichte, kam in den siebziger Jahren zum Erliegen, wenn auch später bei wachsender Arbeitslosigkeit wieder viele Iren erneut die Heimat verließen. Irlands Bevölkerung jedenfalls wuchs wie seit den düsteren Tagen der Hungersnot nicht mehr von 2,8 Millionen (1966) auf 3,5 Millionen (1986), d. h. um 23 Prozent. Im selben Zeitraum sank die Zahl der in der Landwirtschaft Beschäftigten um die Hälfte, während der Dienstleistungsbereich um rund ein Drittel zunahm, bei nur geringfügig erhöhter Industriebeschäftigung. Arbeitete 1966 noch über ein Drittel in der Landwirtschaft, so waren es zwanzig Jahre später nur noch 13 Prozent, Zeichen einer tief eingreifenden Änderung der Wirtschaftsordnung. Dem entsprach, daß auch in den Exporten der vordem beherrschende Agrarbereich von den Industrieerzeugnissen abgedrängt wurde, ein Ergebnis vor allem der – seit 1973 sich noch verstärkenden – ausländischen Investitionen. Fünf Jahre nach dem Beitritt betrug der Anteil des Güteraustausches mit Großbritannien (einschließlich Nordirlands) erstmals weniger als die Hälfte des gesamten Außenhandels. Irland begann wirtschaftlich unabhängiger zu werden. 1979 erfolgte die Trennung des irischen vom britischen Pfund. Auch das wirtschaftliche Gefälle vom Norden zum Süden hin löste sich allmählich auf. Im Norden hatte sich die Industrialisierung etwa ein Jahrhundert früher durchgesetzt als im Süden, und bei der politischen Teilung des Landes war dort nur mehr ein Viertel der arbeitsfähigen Bevölkerung in der Landwirtschaft tätig gewesen, im nunmehr unabhängigen Süden dagegen immer noch über die Hälfte. Trotz einiger Ansätze war im Norden dann aber der rechtzeitige Übergang von den veralteten Industrien der Ersten Industriellen Revolution zu einer neuen Wirtschaftsstruktur nicht gelungen, so daß die Republik zu Anfang der achtziger Jahre den Norden ökonomisch überholt hatte. Entsprach etwa noch 1960 die industrielle Gütererzeugung Nordirlands der des ganzen Südens, so konnte dieser zehn Jahre später seine Produktion auf das Doppelte des Nordens steigern. Doch besitzt das Bild auch seine dunkleren Seiten. Der einsetzende Aufschwung hatte Erwartungen geweckt, die zwar wirtschaftlich kaum einzulösen waren, denen sich die um die Wählergunst ringenden Parteien aber nicht entziehen zu können glaubten. Das hatte seit Anfang der siebziger Jahre eine zunehmend über Kreditaufnahme finanzierte großzügige Ausgabenpolitik mit wachsender Inflation und immer höherer Staatsverschuldung zur Folge. Die achtziger Jahre erzwangen eine Kehrtwendung, doch die stark erhöhten Steuern führten nun ihrerseits zum Umschwung des inflationären Booms in die Depression mit sich verschärfenden sozialen Konflikten.

Konflikte dieser Art zählen durchaus zur ›Normalität‹ freier Gesellschaften, insbesondere dann, wenn diese durch Modernisierungsschübe gehen. Jener Konflikt jedoch, der für alle Welt mit dem Namen Irland, genauer Nordirland, sich verbindet, transportiert die Religionskriege des 17. Jahrhunderts in einen Modernisierungszusammenhang, nämlich den der Industrialisierung, und das macht ihn beinahe unlösbar. Daß die protestantische Solidarität im Norden, den sozialen Gegensatz überbrückend, eine Art von innerem Apartheid-Effekt erzielt, bei dem die Ärmeren unter den Protestanten im Ringen um die knappen Arbeitsplätze gegenüber der katholischen Konkurrenz der Billigarbeit Privilegien erhalten, erklärt die Festigkeit des protestantischen Blocks in einer industriell-urbanisierten Gesellschaft. Marginale Privilegierung und überkommenes Überlegenheitsgefühl gegenüber einer ›papistischen‹ Minderwertigkeit verstärken sich so zur Mentalität des Feindbildes, an der bislang alle Versuche einer politisch-ideologischen Pluralisierung, eines Übergangs vom singulären Feindbild zur pluralen Benennung von Widersachern, die unter Umständen auch Verbündete werden können, gescheitert sind. Der Mißerfolg der sozialistischen Versuche, auf der Einheit des Arbeiterseins eine Einheit des Politischen zu gründen, gehört ebenso hierher wie der Niedergang der Bürgerrechtsbewegung gegen Ende der sechziger Jahre. Die Aufhebung der nordirischen Selbstverwaltung und die Herstellung auch der formalen britischen Machtausübung hatte zur Folge, daß Nordirland nur noch durch fortwährenden Armee-Einsatz regiert werden konnte und die so lange wirkungsvollen Repressionsmittel des ›Orange System‹, d. h. der Monopolisierung politischer wie wirtschaftlicher Macht in den Händen zuverlässiger Protestanten, letztlich doch versagt hatten. Bemühungen der konservativen britischen Regierung unter E. Heath, mit den gemäßigten Gruppen auf protestantischer wie katholischer Seite und der Regierung der irischen Republik selbst auf dem Treffen von Sunningdale im Dezember 1973 einen Weg der politischen Befriedung durch Kompromiß zu finden, scheiterte am Widerstand radikalprotestantischer Kräfte. Der von ihnen herbeigeführte Generalstreik vom Mai des folgenden Jahres zwang die nur wenige Monate zuvor gebildete interkonfessionelle Regierung des gemäßigten Unionisten Brian Faulkner zum Rücktritt, worauf die britische Regierung die vollziehende Gewalt übernahm. Das scheinbar vielversprechende und vernünftige Experiment einer zweifachen Aufgliederung des protestantischen Machtmonopols durch Beteiligung der Katholiken und über eine lose gesamtirische Verbindung bei Wahrung der Zugehörigkeit zum Vereinigten Königreich war gescheitert. Das zeigte auch der eindeutige Wahlerfolg der in der ›Loyalist Coalition‹ verbundenen drei radikalprotestantischen Parteien, die bei den nordirischen Wahlen von 1975 knapp 55 Prozent der Stimmen auf sich vereinigen konnten. Mit dieser absoluten Mehrheit haben sie eine parlamentarische Verwirklichung des vom Unterhaus beschlossenen ›Northern Ireland Act‹ (1973) verhindert, der eine Machtbeteiligung der Katholiken vorgesehen hatte. Die das Gesetz unterstützenden Parteien blieben chancenlos, insbesondere die von den Unionisten abgespaltene ›Alliance Party‹ mit ihrem heroischen – aber vom Untergang der ›United Irishmen‹ bis zur Bürgerrechtsbewegung immer wieder erfolglosen – Unterfangen, ›politisch‹ den Konfessionshader zu überwinden. Die aus der kolonialen Situation sich ergebende Unfähigkeit Irlands, zu einer ›politischen‹ statt partikularistischen Parteienbildung zu gelangen, in der die sozialen bzw. modern-ideologischen Konfliktlagen die konfessionellen oder traditionalen übergreifen und zurückdrängen, diese Unfähigkeit transportiert sich im Norden bis zum Ende des 20. Jahrhunderts fort. Erst mit ihrer Überwindung wird eine Lösung des Nordirland-Problems realistisch denkbar. Davon war man jedoch in den Jahren nach 1972 weiter denn je entfernt. Der zaghafte Konsensusdrift der späten sechziger Jahre auf seiten sowohl der überwiegend katholischen Bürgerrechtsbewegung wie der gehobeneren protestantischen Mittelschichten, unterstützt von den Regierungen in London wie Dublin, zerbrach an der eskalierenden Militanz des Radikalprotestantismus und der darauf reagierenden Gewalttätigkeit einer sich neu formierenden IRA. Ein Partisanenkampf ist mit militärischen Mitteln allein aber nicht zu gewinnen. Im Gegenteil, daß es London nicht gelang, den Armee-Einsatz mit einem Reformprogramm zu verbinden, verlieh dem partikularistischen Kampf der IRA die ideologische Kraft eines nationalen Befreiungskampfes, der den Konflikt im Norden in das Jahrhunderte währende Ringen der Iren gegen die britische Fremdbestimmung stellte. Auf die damit erneut gestellte Forderung nach einer Wiedervereinigung des Nordens mit dem Süden antwortete die Kampforganisation des Radikalprotestantismus, die ›Ulster Defence Association‹ (UDA), mit der Drohung der Errichtung eines unabhängigen nordirischen ›Siedler‹-Staates nach rhodesischem Vorbild (1980). Eine Ausführung dieser Drohung hätte die protestantische Herrschaft ruiniert; daß sie immerhin erhoben wurde, zeigt das Potential an Extremismus, das mit dem Niedergang des ›Orange System‹ seitdem entstanden war. Als ideologisches Ferment wirkte dabei der fundamentalistische Presbyterianismus, verkörpert in Paisleys Theologie des Demagogischen mit ihrer Satansbenennung des unbedingten Feindes.

Ideologien dieser Art sind unpolitisch, wenn ›Politik‹ die Handlungsstrategie einer schließlichen Verständigung mit dem Gegner – statt seiner Vernichtung – darstellt. ›Politik‹ in diesem Sinne gab es in Ulster auf seiten des Mehrheitsprotestantismus nie, weder 1921 noch danach. Und ein zu Zugeständnissen bereiter Reformprotestantismus entwickelte sich erst spät und blieb ohne Überzeugungskraft. So verschärfte sich die Auseinandersetzung mit spektakulären Hungerstreikaktionen inhaftierter IRA-Angehöriger in den Jahren 1980 und 1981, bei denen zehn Häftlinge starben, darunter der ins Unterhaus gewählte Bobby Sands. Die zunehmende Polarisierung schwächte auch die Stellung der gemäßigten Katholiken aus dem Umfeld der aus der Bürgerrechtsbewegung hervorgegangenen ›Social Democratic Labour Party‹ (SDLP). Sie sah sich zunehmend von der IRA-nahen Sinn-Fein-Partei bedrängt und lehnte deshalb die Beteiligung an einer nordirischen Versammlung ab, die 1982 von der britischen Regierung als erster Schritt einer Repolitisierung des Konflikts eingerichtet werden sollte. So versuchte es London erneut, über den Kontakt mit Dublin Einfluß auf Ulster zu nehmen. Bereits seit 1980 hatte es regelmäßige Treffen der beiden Premierminister gegeben, aus denen dann fünf Jahre später ein gemeinsames Abkommen wurde, das an die Sunningdale-Absprache anknüpfte. Es räumte der irischen Regierung bei nordirischen Angelegenheiten ein Vorschlagsrecht ein, bei Zusicherung entschiedenen Vorgehens gegen die Basen der IRA im Süden. Versuche der Radikalprotestanten, das Abkommen wie 1974 durch einen Generalstreik zu Fall zu bringen, scheiterten diesmal an der unnachgiebigen Haltung der Regierung von M. Thatcher, die ihre Zusicherung der Zugehörigkeit Ulsters zum Vereinigten Königreich mit massivem Druck auf die Streikenden verband und so die Front der Gegner aufzubrechen vermochte. Mehr war dadurch jedoch nicht erreicht. Und auch außerparlamentarische Bestrebungen, Bewegung in die festgefahrene Lage zu bringen, wie die von Belfaster Frauen getragene Friedensbewegung, die 1977 mit dem Friedensnobelpreis ausgezeichnet worden war, blieben erfolglos.

Die Haltung der irischen Republik zum Norden in all diesen Jahren ist schwer zu fassen. Einerseits enthält die Verfassung von 1937 eine Verpflichtung zur Wiederherstellung der Einheit, andererseits entwickelten sich in den langen Jahrzehnten der Trennung Staatsinteressen eigener Art, die das Problem des Nordens zunehmend abdrängten. Wäre dort der Übergang vom ›Orange System‹ zum ›power sharing‹ mit der katholischen Minderheit von 35 Prozent geglückt, dann hätte man sich im Süden wohl mit dem Bestehen zweier Staaten in Irland abgefunden. So aber blieb die Idee der Einheit eine Folge fortdauernder Gewalt, der Republik eher aufgezwungen als von ihr mit Entschiedenheit verfolgt. Die Furcht vor einer Ausdehnung der Gewalt auf den Süden wie die geboten erscheinende Rücksichtnahme auf Großbritannien veranlaßten die Dubliner Regierung zu scharfem Vorgehen gegen die IRA, beginnend mit einem 1972 verabschiedeten Gesetz, das der Polizei Sondervollmachten zuerkannte. Von nun an war Nordirland wieder ein fester Bestandteil der irischen Tagespolitik geworden wie seit den Jahren der Teilung nicht mehr. Daran änderte auch das Ende der sechzehn Jahre währenden Regierungszeit der Fianna Fail nach ihrer Wahlniederlage im Februar 1973 nichts. Ihr Nachfolger, Liam Cosgrave, verfolgte als Premier eine ähnliche Politik der Bekämpfung der IRA im Inneren und der Verständigung mit London nach außen, deren Ausdruck das gescheiterte Sunningdale-Abkommen sein sollte. Eine zunehmend repressive Gesetzgebung, zusammen mit den für das vom Energieimport abhängige Land besonders schweren Auswirkungen des Ölschocks und den wachsenden nationalen Emotionen führten 1977 zu einer schweren Wahlniederlage der Regierungsparteien Fine Gael und Labour. Wie brisant die Nordirland-Frage im Süden geworden war, zeigte der Rücktritt des langjährigen Fianna-Fail-Führers und Ministerpräsidenten Jack Lynch Ende 1979, der durch Charles Haughey ersetzt wurde. Doch auch er vermochte, belastet mit einer in sich zerstrittenen Partei, dem Land nicht die dringend nötigen programmatischen Perspektiven zu geben, um es aus anhaltender wirtschaftlicher Krise und der Bewegungslosigkeit in der Nordirland-Frage herauszuführen. Versuche, die nordirische Gewalt, sei es durch Politik, sei es durch Gegengewalt, sei es durch Aufrufe zu beenden, blieben folgenlos, wie auch der Besuch des Papstes in der Republik im Oktober 1979 aufs neue zeigte. Sein Gedanke, die konfessionelle Dimension des Konfliktes ökumenisch und also durch Besinnung auf die Gemeinsamkeit der christlichen Botschaft zu befrieden, fand nur das ohnmächtige Gehör der wenigen gemäßigten Protestanten, stieß aber bei den maßgebenden Radikalen wie Paisley bloß auf höhnende Ablehnung. Johannes Pauls II. anderes Anliegen war es, die Lehren der katholischen Sittenlehre als Leitlinie staatlicher Gesetzgebung zu verteidigen. Seit der Verfassung von 1937 besaß die katholische Kirche einen Sonderstatus in der Republik, der in einem speziellen Artikel eigens festgehalten wurde. Im Dezember 1972 wurde er zwar gestrichen, auch um die Konzessionsbereitschaft im Falle einer Vereinigung mit Nordirland anzuzeigen. Andere katholische Passagen der Verfassung, das Verbot der Ehescheidung (auch für Protestanten), der Abtreibung und des – erst 1979 teilweise legalisierten – Verkaufs von Verhütungsmitteln, verteidigte die Kirche hingegen mit Erbitterung gegen eine zunehmende, von Intellektuellen und der sich bildenden Frauenbewegung getragene Forderung nach Liberalisierung. Das bemerkenswerteste Ergebnis der damit beginnenden Debatte, die rasch zu einer Auseinandersetzung um die Rolle der Kirche in Gesellschaft und Staat überhaupt wurde, war die Gründung einer neuen Partei, der ›Progressiven Demokraten‹, im Dezember 1985, deren Ziel die Schaffung einer republikanisierten ›neuen Republik‹ war, mit der Trennung von Kirche und Staat wie einer Privatisierung des Gewissens als Voraussetzung. Obwohl die Partei die anfänglichen Erwartungen nicht erfüllen konnte, so wurde sie doch zu einem spürbaren Faktor der irischen Innenpolitik, durch ihr bloßes Dasein wie den liberalisierenden Druck, der von ihr auf die etablierten Parteien ausging. Der Kampf gegen die ›zwei Kolonialismen‹, den der Briten und jenen der katholischen Kirche, war ausgerufen, doch wie in der Einigungsfrage so brachten die achtziger Jahre auch in der Kirchenfrage nur Niederlagen, manifest in den fehlgeschlagenen Versuchen von 1983 und 1986, die verfassungsrechtlichen Verbote der Abtreibung und der Ehescheidung zu Fall zu bringen. Auch sonst ist dieses Jahrzehnt von zunehmenden innenpolitischen Turbulenzen, instabilen Regierungen und fünf großen Wahlen (1981, Februar und November 1982, 1987, 1989) gekennzeichnet. Immerhin gelang es aber der seit 1987 wieder amtierenden Regierung Haughey, die eine seit 1981/82 glücklos regierende Koalitionsregierung aus Fine Gael und Labour unter Garret Fitzgerald abgelöst hatte, die irische Wirtschaft wieder zu stabilisieren und vor allem die hohe Inflationsrate drastisch zu senken. Arbeitslosigkeit und Auswanderung blieben weiterhin die beiden Grundübel der ›Armuts‹-Ökonomie Irlands. Die Euphorie der siebziger Jahre und ihre Erwartung, durch Auslandsinvestitionen und technische Neuerung damit fertigwerden zu können, hatte sich nicht erfüllt, zum einen, weil die Bevölkerung trotz Auswanderung nachhaltig anwuchs, zum anderen, weil gerade eine technische Modernisierung nicht arbeitsintensiv ist. Hinzu kommt, daß der Mangel an Erwerbsmentalität und Arbeitsbejahung, Folgen nicht zuletzt einer jahrhundertelangen ›kolonialen‹ Bevormundung, einer kapitalistischen Wirtschaftsdynamik eher hinderlich ist.

Dennoch ist der Anschluß der irischen Republik an die Europäische Gemeinschaft zum wichtigsten Ereignis der irischen Zeitgeschichte seit der Staatsgründung geworden. Daß etwa zum Zeitpunkt des Beitritts erstmals die Zahl der in städtischen Siedlungen (ab 1500 Einwohnern) lebenden Menschen die der ländlichen Bevölkerung übertraf, verweist auf den Zusammenhang, der zwischen der inneren Modernisierung der irischen Gesellschaft und der Integration in die äußere Modernisierung durch übernationale Wirtschaftssysteme bestand. Insgesamt hat dabei die irische Wirtschaft die Herausforderung dieser Integration sehr gut bestanden und nachhaltig von den damit verbundenen Transferleistungen profitiert. Das gilt nicht zuletzt für die Landwirtschaft, wenngleich das große Problem einer Angleichung der landwirtschaftlichen Produktivität an westeuropäische Standards noch ungelöst geblieben ist. Schätzungen, daß weniger als ein Drittel der irischen Bauernhöfe nach solchen Standards als wettbewerbsfähig gelten kann und daß fast im ganzen Westen eine profitable Landwirtschaft unmöglich ist, zeigen die Brisanz eines der wichtigsten sozioökonomischen Probleme des modernen Irland. Daß trotz zunehmend rascher Industrialisierung und Urbanisierung seit den sechziger

Jahren das irische Sozialprodukt immer noch weit hinter den entsprechenden Pro-Kopf-Größen der westeuropäischen Länder zurückliegt (um rund 56 Prozent gemessen an der alten Bundesrepublik, um rund 38 Prozent im Vergleich zu Großbritannien, zu Beginn der neunziger Jahre) hat in der geringen Leistungsfähigkeit der aus zahllosen Kleinbetrieben bestehenden irischen Landwirtschaft und ihrer fortdauernden volkswirtschaftlichen Bedeutung eine zentrale Ursache. Allerdings rangiert Irland deutlich vor den beiden anderen »periphären« Ökonomien der EG, Griechenland und Portugal, und in der Leistungsfähigkeit seiner Staatsverwaltung wie seines Bildungswesens ist es den entwickeltsten Industriestaaten durchaus vergleichbar. Die im Dreieck der Determinanten von klein-bäuerlicher Agrarwirtschaft, Zwei-Parteien-Ordnung und Katholizismus nahezu erstarrte irische Gesellschaft und Politik wird zunehmend offener, vielgestaltiger. Die insulare Isolation, für die sich äußere Welt, äußere Politik fast völlig auf Großbritannien beschränkte, ist verschwunden. Die Wahl von Mary Robinson im November 1990 zur Präsidentin der Republik, als erster Frau in diesem Amt, zudem einer radikal-liberalen Politikerin, die ihre Laufbahn mit Kampagnen für Geburtenkontrolle, Scheidungsrecht, Abtreibung und die Legalisierung der Homosexualität begonnen hatte, war ein Kennzeichen für den nachhaltig werdenden Wandel der irischen Gesellschaft. Die Lockerung des überkommenen Parteien-Gefüges durch das wachsende Gewicht der Arbeiterpartei und der Progressiven Demokraten gehört ebenfalls in diesen Zusammenhang. Der starke Rückgang der bäuerlichen Bevölkerung und das nachhaltige Wachstum im Bereich vor allem der sog. Mittelklassen-Berufe mit höherer Bildung, aber auch der Facharbeiterschaft, formt den sozioökonomischen Bezugsgrund dieser anhaltenden Entwicklung. Hierher gehört auch der rasante Anstieg in der Zahl berufstätiger Frauen von 8 Prozent (1971) auf 32 Prozent zwanzig Jahre später. Hierzu gehört ebenso die Erzeugung einer neuen, fernsehgesteuerten Mentalität, die »Metropolisierung« des kollektiven Bewußtseins durch ein am Sozialraum der Großstadt ausgerichtetes Wahrnehmungs- und Bewertungsmuster. So stieg die Zahl der Fernsehgeräte in der Republik von knapp 93000 bei Beginn eines selbständigen irischen Fernsehens 1962 bis Ende der achtziger Jahre um mehr als das Achtfache an, parallel dazu wuchs übrigens die Zahl der Automobile um das Dreifache, und diese Trends halten an. Die apparative Mobilität schafft mentale Mobilität in ihrer modernen Form des Konsumismus von Gütern, Moden, Freizeit, Ideen. Ihr hauptsächlicher Widerpart ist dabei die verfaßte Religion, die Katholische Kirche, verständlich in einem Land, in dem 93 Prozent der Bevölkerung sich zum Katholizismus bekennen und noch Mitte der achtziger Jahre 82 Prozent der erwachsenen Katholiken mindestens einmal in der Woche an der Messe teilnahmen. Die liberalen Versuche einer Säkularisierung der Gesellschaft durch Verdrängung der katholischen Sittenlehre als Staatsgesetz, ausgefochten am Zentrumsprinzip der Abtreibung, scheiterten 1983 wie erneut 1992 an massiven Mehrheiten bei den Volksabstimmungen. Allerdings gelang es dann den Liberalen im November 1994 ein anderes katholisches Prinzip zu entstaatlichen, nämlich das gesetzliche Verbot der Ehescheidung, mit einer knappen Mehrheit von nur 0,4 Prozent, die der Stimmabgabe in Dublin zu verdanken war, in dessen städtischem Großraum inzwischen ein Drittel der Bevölkerung lebt.

Das Jahr 1992 brachte mit dem Sturz des Premierministers Haughey, der durch seinen früheren Finanzminister Albert Reynolds abgelöst wurde, und dem erfolgreichen Referendum über die Schaffung der Europäischen Union weitere wichtige Ereignisse. Die Wahlen von 1992 zeigten überdies die zunehmende Erosion der so lange allbestimmenden Zwei-Parteien-Konstellation und den Aufstieg der kleineren Parteien. Wichtigstes Ergebnis der von Reynolds geführten Koalitionsregierung aus Fianna Fail und Labour war zweifellos die Einleitung eines erneuten Versuchs, den Konflikt in Nordirland durch zwischenstaatliche Übereinkommen zwischen Dublin und London zu lösen, nachdem die von London im Juni 1991 angeregten Kontakte zwischen Protestanten und Katholiken, bei Beteiligung beider Regierungen, ergebnislos geblieben waren. Eine inoffizielle Reise der irischen Staatspräsidentin Robinson in den Norden und der Vorschlag des irischen Außenministers und Labour-Führers Dick Spring, den Konfliktparteien eine politische Lösung aufzuzwingen, bei implizitem Verzicht auf die Forderung nach Wiedervereinigung, führten zu neuen Gesprächen zwischen Irland und Großbritannien. Trotz eines neuerlichen Gewaltausbruches im Oktober 1993 kam es am

15. Dezember dann in London zur Unterzeichnung einer gemeinsamen, von Reynolds und seinem Amtskollegen John Major unterzeichneten, Erklärung zu Nordirland. Beide Seiten anerkannten darin, daß jede Veränderung in der völkerrechtlichen Stellung Nordirlands nur mit Zustimmung der Bevölkerungsmehrheit erfolgen könne. Allen Konfliktparteien wurden Gespräche angeboten, auch der IRA bzw. deren politischen Vertretung Sinn Fein, die als Partner anzuerkennen die britische Regierung sich bislang geweigert hatte. In einem »Friedensforum« sollten die nordirischen Parteien gemeinsam über die Zukunft ihres Landesteils beraten, die Anerkennung des Gewaltverzichts vorausgesetzt. Doch erst neun Monate später erklärten sich die IRA, dann die Unionisten, zum Verzicht auf Terrorakte bereit. In 25 Jahren politischer Gewalt waren 3170 Menschen umgekommen: In Belfast feierten Nordiren beider Konfessionen am 14. Oktober 1994 die erste Nacht ohne Terrorfurcht auf den Straßen. Kurze Zeit später zerbrach die Koalitionsregierung Reynold, der Führer der bislang oppositionellen Fine Gael, John Burton, bildete eine neue Koalition der linken Mitte. Doch die Ziele der alten Regierung blieben auch die der neuen, nämlich der Abbau der unverändert hohen Arbeitslosigkeit sowie eine Lösung des nordirischen Konflikts. Ein Treffen zwischen Burton und Major im Februar 1995 führte zum Entwurf eines Rahmenplans, der die Wiederherstellung der nordirischen Selbstverwaltung im Zusammenhang des Vereinigten Königreiches sowie die Bildung eines allirischen Rates aus Vertretern der Parlamente in Dublin und Belfast vorsah. Die entschiedene Ablehnung jeder Art von »gesamtirischer« Einbindung durch die Protestanten und die Weigerung der IRA, ihren Gewaltverzicht durch Abgabe ihrer Waffen unumkehrbar werden zu lassen, blockierten allerdings jede weitere Entwicklung. Im Februar 1996 nahm die IRA dann mit einem Bombenanschlag in London ihren Untergrundkrieg wieder auf, nachdem Major gedroht hatte, auch ohne politische Verständigung mit den Katholiken Wahlen in Nordirland abzuhalten, was für die IRA einer schrittweisen Wiederherstellung des unionistischen Regimes gleichkam. Der Ausschluß der Sinn Fein von den nordirischen Mehrparteiengesprächen war die Folge, ohne daß dies die Blockade der politischen Situation im Norden verändert hätte. Im Gegenteil,

Gewalt und Gegengewalt wurden wiederum zu Erscheinungen eines schier unendlichen Konflikts.
Das ist auch die Situation zu Beginn des Jahres 1997, wo nach einem Bombenanschlag in Belfast erneut Polizei und Militär in Alarmzustand versetzt wurden. Zwar halten die britische wie die irische Regierung weiterhin an ihrem Friedensprogramm fest und setzen ihre Konsultationen fort, und auch am Friedenswillen der großen Mehrheit der nordirischen Bevölkerung ist nicht zu zweifeln, eine politische Lösung des Konflikts ist aber weiterhin nicht erkennbar. Dabei ist die Frage einer erneuten Vereinigung von Nord und Süd selbst unter den Katholiken des Nordens nur noch für eine Minderheit von ausschlaggebender Bedeutung, im Süden gar sind es nur 3 Prozent. Als ungleich wichtiger gilt allen die Verminderung der hohen Arbeitslosigkeit und generell die Verbesserung der wirtschaftlichen und sozialen Lebensumstände. Daß es dennoch zu keiner Beendigung des latenten, allein durch die britische Armee niedergehaltenen, nordirischen Bürgerkriegs gekommen ist, zeigt den Einfluß der Geschichte wie der Machtverhältnisse auf die Mentalität der Bevölkerung: Die reale und symbolische Macht der Protestanten wurde gewaltsam errungen und verteidigt und wird provokativ gefeiert, wenn die Siege sich jähren und die Niederlage der anderen, jener nunmehr 42 Prozent Katholiken, die in »Ghettos« leben, in denen die IRA wie unzerstörbar wurzelt. Soviel jedenfalls ist gewiß, daß ohne Zurücknahme dieser Macht und ohne eine Vergegenwärtigung der Geschichte, die Siege oder Niederlagen nicht mehr feiert, sondern als gemeinsames Schicksal erinnert, kein dauerhafter Frieden in Nordirland möglich ist.

LITERATURVERZEICHNIS

I. BIBLIOGRAPHIEN, GESAMTDARSTELLUNGEN UND QUELLENSAMMLUNGEN

Beckett, James C., The making of modern Ireland, 1603–1923, 2. Aufl. (London, 1981)
Boylan, Henry, A dictionary of Irish biography (Dublin, 1978)
Corish, Patrick J. (Hrsg.), A history of Irish Catholicism (Dublin, 1967 ff.)
Cullen, L.M., An economic history of Ireland since 1660, 2. Aufl. (London, 1987)
Curtis und *Mc. Dowell* (Hrsg.), Irish historical documents, 1172–1922, 2. Aufl. (London, 1968)
De Paor, Liam, The peoples of Ireland: From pre-history to modern times (London, 1986)
Eager, Alan, Guide to Irish bibliographical material (London, 1980)
Edwards, Ruth D., An atlas of Irish history, 2. Aufl. (London, 1981)
Farrell, Brian (Hrsg.), The Irish parliamentary tradition (Dublin, 1973)
Freeman, Thomas W., Ireland: A general and regional geography, 4. Aufl. (London, 1969)
Johnston, E.M., Irish history: a select bibliography (London, 1969)
Lee, Joseph (Hrsg.), Irish historiography 1970–1979 (Cork, 1981)
Mac Curtain, Margaret und *O'Corrain, Donnacha* (Hrsg.), Women in Irish society (Dublin, 1978)
Mitchell, Frank, The Irish landscape (London, 1976)
Moody, Theodore W. (Hrsg.), Irish historiography 1936–1970 (Dublin, 1971)
Ders. (Hrsg.), A new history of Ireland (Oxford, 1982 ff.)

ZEITSCHRIFTEN

Archivum hibernicum. Irish Historical Records (seit 1912), hrsg. vom St. Patrick's College, Maynooth
Irish Historical Studies (seit 1938), hrsg. von der Irish Historical Society (mit jährlicher Bibliographie der Neuerscheinungen zur irischen Geschichte)
Irish Political Studies (seit 1986), hrsg. von der Political Studies Association

II. EINZELDARSTELLUNGEN

Mittelalter

Armstrong, O., Edward Bruce's invasion of Ireland (London, 1923)
Bieler, Ludwig, The life and legend of St Patrick (Dublin, 1949)
Bradshaw, Brendan, The dissolution of religious orders in Ireland under Henry VIII (Cambridge, 1974)
Bryan, D., The great earl of Kildare (Dublin, 1933)
Butlin, R. A. (Hrsg.), The development of the Irish town (London, 1977)
Byrne, F. J., Irish kings and high-kings (London, 1973)
Corráin, Donnchadh, Ireland before the Normans (Dublin, 1972)
Curtis, E., History of medieval Ireland, 2. Aufl. (London, 1938)
Dolley, Michael, Anglo-Norman Ireland c. 1100–1318 (Dublin, 1972)
Evans, E. E., Prehistoric and early Christian Ireland (London, 1966)
Frame, Robin, Colonial Ireland (Dublin, 1981)
Gwynn, A., The medieval province of Armagh (Dundalk, 1946)
Hammermayer, Ludwig, Die irischen Benediktiner – ›Schottenklöster‹ in Deutschland ... vom 12. bis 16. Jahrhundert, in: Studien und Mitteilungen zur Geschichte des Benediktinerordens und seiner Zweige, Bd. 87, Heft III/IV (1976)
Hughes, K., The church in early Irish society (London, 1966)

Lydon, J. F., Ireland in the later middle ages (Dublin, 1973)
Macalister, R. A. S., Ancient Ireland (London, 1935); The archeology of Ireland, 2. Aufl. (London, 1949)
Macneill, E., Phases of Irish history (Dublin, 1919); Celtic Ireland (Dublin, 1921)
Nicholls, K. W., Gaelic and gaelicised Ireland in the middle ages (Dublin, 1972)
O'Donovan, J., Annals of the Four Masters, 7 Bde. (Dublin, 1848–51)
O'Rahilly, T. F., The two Patricks (Dublin, 1942); Early Irish history and mythology (Dublin, 1946)
Orpen, G. H., Ireland under the Normans, 4 Bde. (Oxford, 1911–20)
Otway-Ruthven, A. J., A history of medieval Ireland (London, 1968)
Raftery, J., Prehistoric Ireland (London 1951)
Richardson, H. G. and *Sayles, G. O.*, The Irish parliament in the middle ages (Philadelphia, 1952)
Richter, Michael, Irland im Mittelalter: Kultur und Geschichte (Stuttgart, 1983)
Watt, J. A., The church in medieval Ireland (Dublin, 1972)

Tudorzeit

Bagwell, R., Ireland under the Tudors, 3 Bde. (London, 1885–90)
Butler, W. F. T., Confiscation in Irish history, 2. Aufl. (Dublin, 1918)
Edwards, R. D., Church and state in Tudor Ireland (Dublin, 1935)
Ellis, Steven D., Tudor Ireland: crown, community and the conflict of the cultures 1470–1603 (London, 1985)
Falls, C., Elizabeth's Irish wars (London, 1950)
Hayes-McCoy, G. A., Scots mercenary forces in Ireland, 1565–1603 (Dublin, 1937)
Longfield, A. K., Anglo-Irish trade in the sixteenth century (London, 1929)
Maxwell, C., Irish history from contemporary sources, 1509–1610 (London, 1929)
Morley, H. (Hrsg.), Ireland under Elizabeth and James I (London, 1890)
O'Faolain, Sean, The Great O'Neill (London, 1942)
Quinn, D. D., The Elizabethans and the Irish (Cornell University Press, 1966)
Ronan, M., The reformation in Dublin, 1534–1588 (London, 1926); The reformation in Ireland under Elizabeth (London, 1930)
Wilson, Philip, The beginnings of modern Ireland (London, 1912)

Siebzehntes Jahrhundert

Bagwell, R., Ireland under the Stuarts, 3 Bde. (London, 1909–16)
Burghclere, Lady, Life of James, first duke of Ormonde, 2 Bde. (London, 1912)
Butler, W. F. T., Confiscation in Irish history, 2. Aufl. (Dublin, 1918)
Camblin, G., The town in Ulster (Belfast, 1951)
Carty, James, Ireland from the flight of the earls to Grattan's parliament (1607–1782): a documentary record (Dublin, 1949)
Clarke, A., The Old English in Ireland, 1625–1642 (London, 1966)
Coffey, D., O'Neill and Ormond (Dublin, 1914)
Cullen, L. M., Anglo-Irish trade, 1660–1800 (Manchester, 1968)
Ellis, Peter, Hell or Connaught! The Cromwellian colonisation of Ireland 1652–1660 (London, 1975)
Esson, D. M. R., The curse of Cromwell: A history of the Ironside conquest 1649–1653 (London, 1971)
Falkiner, C. Litton, Illustrations of Irish history and topography (London, 1904)
Kearney, H., Strafford in Ireland, 1633–41 (Manchester, 1959)
MacLysaght, E., Irish life in the seventeenth century, 2. Aufl. (Cork, 1950)
Metz, K. H., ›A Tale of Troy‹: Geschichtserfahrung und die Anfänge der Nationwerdung in Irland 1641–1652, in: Geschichte in Wissenschaft und Unterricht 38 (1987), S. 466–77.

Moody, T.W., The Londonderry plantation, 1609–41 (Belfast, 1939)
Murray, A. E., Commercial and financial relations between England and Ireland from the period of the restoration (London, 1903)
Murray, R. H., Revolutionary Ireland and its settlement (London, 1911)
O'Brien, G., Economic history of Ireland in the seventeenth century (Dublin, 1919)
O'Brien, R. B. (Hrsg.), Studies in Irish history 1603–49 (Dublin, 1906); Studies in Irish history, 1649–1775, 2. Aufl. (Dublin 1909)
Prendergast, J. P., The Cromwellian settlement, 2. Aufl. (London, 1870)
Seymour, St John D., The puritans in Ireland, 1647–61 (Oxford, 1921)
Simms, J. G., The treaty of Limerick (Dublin, 1961); Jacobite Ireland (London, 1969)

Die Protestantische Nation

Beckett, J. C., Protestant dissent in Ireland, 1687–1780 (London, 1948)
Bolton, G. C., The passing of the Irish act of union (Oxford, 1966)
Boylan, Henry, Wolfe Tone (Dublin, 1981)
Burke, E., Letters, speeches and tracts on Irish affairs, hrsg. v. Matthew Arnold (London, 1881)
Carré, Albert, L'influence des Huguenots français en Irlande au xviiie et xviiie siècles (Paris, 1937)
Carty, James, Ireland from the flight of the earls to Grattan's parliament (Dublin, 1949); Ireland from Grattan's parliament to the great famine (Dublin, 1949)
Connell, K. H., The population of Ireland, 1750–1845 (Oxford, 1950)
Conolly, S. J., Priests and people in pre-famine Ireland (Dublin, 1981)
Corkery, D., The hidden Ireland (Dublin, 1925)
Craig, M. J., Dublin, 1660–1860 (London, 1952); The volunteer earl (London, 1948) (James Caulfeild, Graf von Charlemont)
Dickson, R. J., Ulster emigration to colonial America, 1718–1775 (London, 1966)
Doyle, D. N., Ireland, Irishmen and revolutionary America 1760–1820 (Cork, 1980)
Dunlop, R., Henry Grattan (London, 1889)
Elliot, M., Partners in Revolution: the United Irishmen and France (New Haven, 1982)
Falkiner, C. Litton, Studies in Irish history and biography (London, 1902)
Ferguson, D., Jonathan Swift and Ireland (University of Illinois Press, 1962)
Froude, J. A., The English in Ireland in the eighteenth century, 3 Bde. (London, 1881)
Gibbon, Peter, The origins of Ulster unionism (Manchester, 1975)
Gwynn, S., Henry Grattan and his Times (London, 1939)
Hammermayer, Ludwig, Herrschaftlich-staatliche Gewalt, Gesellschaft und Katholizismus in Irland vom 16.–18. Jahrhundert, in: Herrschaft und Gesellschaft, Fs. für K. Bosl (München, 1969)
Jacob, R., The rise of the United Irishmen (London, 1937)
Johnston, Edith M., Great Britain and Ireland, 1760–1800 (Edinburgh, 1963; Ireland in the eighteenth century (Dublin, 1974)
Landa, L. A., Swift and the Church of Ireland (Oxford, 1954)
Lecky, W. E. H., History of Ireland in the eighteenth century, 5 Bde. (London, 1892); Leaders of public opinion in Ireland (London, 1912)
Lynch, P. and *Vaizey, J.*, Guiness's Brewery in the Irish economy, 1759–1876 (Cambridge, 1960)
McDowell, R. B., Irish public opinion, 1750–1800 (London, 1944); Ireland in the age of imperialism and revolution 1760–1801 (Oxford, 1978)
McNeill, M., Mary Ann McCracken (Dublin, 1960)
Maxwell, C., Dublin under the Georges (London, 1936); Country and town in Ireland under the Georges, 2. Aufl. (Dundalk, 1949)
Murray, A. E., Commercial and financial relations between England and Ireland, from the period of the restoration (London, 1903)
O'Brien, G., Economic history of Ireland in the eighteenth century (Dublin, 1918)
O'Brien, R. B. (Hrsg.), Autobiography of Theobald Wolfe Tone, 2 Bde. (London, 1893); Studies in Irish history, 1649–1775, 2. Aufl. (Dublin, 1909)

Pakenham, T., The year of liberty: the great Irish rebellion of 1798 (London, 1969)
Simms, J. G., The Williamite confiscation in Ireland, 1690–1703 (London, 1956)
Swift, J., Drapier's letters (hrsg. v. H. Davis, Oxford, 1935)
Wall, M., The Penal Laws, 1691–1760 (Dublin, 1961)
Young, Arthur, Tour in Ireland, 1776–79, hrsg. v. A.W. Hutton (London, 1962)

Irland während der Union

Akenson, D. H., The Irish education experiment: The National system of education in the 19th century (London, 1970)
Black, R. D. C., Economic thought and the Irish question, 1817–1870 (Cambridge, 1960)
Bonn, M. J., Modern Ireland and her agrarian problem (Dublin, 1906)
Boyce, David G., The Irish question and British politics, 1868–1986 (London, 1988)
Boyd, Andrew, The rise of Irish trade unions, 1729–1970 (Tralee, 1972)
Broeker, G., Rural disorder and police reform in Ireland, 1812–1836 (London, 1970)
Brown, Malcolm, The politics of Irish literature from Thomas Davis to W. B. Yeats (Seattle, 1972)
Burke, Helen, The people and the poor law in nineteenth century Ireland (Dublin, 1987)
Carty, James, Ireland from Grattan's parliament to the great famine (Dublin, 1949); Ireland from the great famine to the treaty (Dublin, 1951)
Caulfield, M., The Easter rebellion (London, 1964)
Chart, D. A., Ireland from the union to catholic emancipation (London, 1910)
Comersford, R. V., The fenians in context: Irish politics and society 1848–1882 (Dublin, 1985)
Connell, K. H., The population of Ireland, 1750–1845 (Oxford, 1950)
Connell, K. H., Irish peasant society (Oxford, 1968)
Conroy, J. C., History of railways in Ireland (London, 1928)
Curtis, L. P., Coercion and conciliation in Ireland 1880–92 (Princeton, 1963)
Daly, Mary, Social and economic history of Ireland since 1800 (Dublin, 1981)
Davitt, M., The fall of feudalism in Ireland (London, 1904)
Digby, M., Horace Plunkett, an Anglo-American Irishman (Oxford, 1949)
Drudy, P. J. (Hrsg.), The Irish in America (Cambridge, 1985)
Duffy, C. Gavan, League of north and south (London, 1886)
Dunlop, R., Daniel O'Connell (New York, 1906)
Edwards, R. D., and *Williams, T. D.* (Hrsg.), The great famine: studies in Irish history (Dublin, 1956)
Ellis, Peter B., A history of the Irish working class, 2. Aufl. (London, 1985)
Feingold, William L., The revolt of the tenantry: the transformation of local government in Ireland 1842–1886 (Boston, 1984)
Fitzpatrick, David (Hrsg.), Ireland and the First World War (Dublin, 1986)
Freeman, T. W., Pre-famine Ireland (London, 1957)
Gallagher, Frank, The indivisible island: The history of the partition of Ireland (London, 1957)
Garvin, Tom, Nationalist revolutionaries in Ireland, 1858–1928 (Oxford, 1987)
Goldstrom, J. M., and *L. A. Clarkson* (Hrsg.), Irish populations, economy and society (Oxford, 1981)
Green, E. R. R., The Lagan valley, 1800–1850. A local history of the industrial revolution (London, 1949)
Gwynn, Denis, The struggle for catholic emancipation (London, 1928); Young Ireland and 1848 (Cork, 1949)
Hammond, J. L., Gladstone and the Irish Nation (London, 1938)
Henry, R. M., The evolution of Sinn Fein (Dublin, 1920)
Holt, E., Protest in arms: the story of the Irish troubles, 1916–1923 (London, 1960)
Kee, Robert, The green flag: a history of Irish nationalism (London, 1972)
Keenan, Desmond, The Catholic church in the nineteenth century (Dublin, 1983)
Laffan, Michael, The partition of Ireland 1911–1925 (Dublin, 1985)

Larkin, Emmet, The making of the Roman Catholic church in Ireland 1850–1860 (Chapel Hill, 1980)
Lecky, W. E. H., Leaders of public opinion in Ireland, ii (London, 1912)
Lees, Lynn Hollen, Exiles of Erin: Irish migrants in Victorian London (Manchester, 1979)
Lyons, F. S. L., The Irish parliamentary party, 1890–1910 (London, 1951); The Fall of Parnell (London, 1960)
MacCaffrey, James, History of the catholic church in the nineteenth century, 2 Bde. (Dublin, 1909)
MacDonagh, Oliver, Ireland: the union and its aftermath (London, 1977)
Ders., States of mind: A study of Anglo-Irish conflict 1780–1980 (London, 1983)
McDowell, R. B., Public opinion and government policy in Ireland, 1801–1846 (London, 1952); The Irish administration, 1801–1914 (London, 1964)
Macintyre, A., The Liberator: Daniel O'Connell and the Irish party, 1830–1847 (London, 1965)
Martin, F. X. (Hrsg.), Leaders and men of the Easter rising: Dublin, 1916 (London, 1967)
Mansergh, N., Ireland in the age of reform and revolution (London, 1940); The Irish question, 1840–1921 (London, 1965)
Marjoribanks, E. and *Colvin, I.,* Life of Lord Carson, 2 Bde. (London, 1932, 1934)
McDowell, R. B., The Irish Convention, 1917–18 (London, 1970)
Miller, Kerly A., Emigrants and exiles: Ireland and the Irish exodus to North America (New York, 1985)
Moody, T. W. and *Beckett, J. C.* (Hrsg.), Ulster since 1800 (London, 1954, 1957)
Norman, E. R., The Catholic church and Ireland in the age of revolution (London, 1965)
Nolan, K. B., The politics of Repeal: a study in the relation between Great Britain and Ireland, 1841–50 (London, 1965)
O'Brien, Conor Cruise, Parnell and his party, 1880–1890 (Oxford, 1957)
O'Brien, C. C. (Hrsg.), The shaping of modern Ireland (London, 1960)
O'Brien, G., Economic history of Ireland from the union to the famine (London, 1921)
O'Brien, R. B., Life and letters of Thomas Drummond (London, 1898); Life of Charles Stuart Parnell, 2 Bde. (London, 1889)
O'Brien, William und *Ryan, Desmond* (Hrsg.), Devoy's postbag, 1871–1928, 2 Bde. (Dublin, 1948, 1953)
O'Broin, Leon, Revolutionary Underground: The story of the Irish Republican Brotherhood, 1858–1924 (Dublin, 1976)
Ders., Michael Collins (Dublin, 1980)
O'Connor, Sir J., History of Ireland, 1798–1924, 2 Bde. (London, 1925)
O'Connor, F., The big fellow. A life of Michael Collins (London, 1937)
O'Connor, Ulick, A terrible beauty is born: The Irish troubles, 1912–1922 (London, 1975)
O'Faolain, Sean, King of the beggars (London, 1938)
O'Ferrall, Fergus, Catholic emancipation: Daniel O'Connell and the birth of Irish democracy 1820–1830 (Dublin, 1985)
O'Halpin, Eunan, The decline of the Union: British Government in Ireland, 1892–1920 (Dublin, 1987)
O'Hegarty, P. S., History of Ireland under the union (London, 1952)
O'Tuathaigh, Gearóid, Ireland before the Famine 1798–1848 (Dublin, 1972)
Paul-Dubois, L., Contemporary Ireland (Dublin, 1908)
Phillips, W. A., The revolution in Ireland, 1906–1923 (London, 1923)
Pomfret, J. E., The struggle for the land in Ireland, 1800–1923 (Princeton, 1930)
Post, John D., The last great subsistence crisis in the western world (Baltimore, 1977)
Ruyan, A. P., Mutiny a the Curragh (London, 1956)
Senior, H., Orangeism in Ireland and Britain, 1795–1836 (London, 1966)
Sheehy, Jeanne, The rediscovery of Ireland's past: The Celtic Revival, 1830–1930 (London, 1980)
Stewart, A. T. Q., The Ulster crises (London, 1967)
Strauss, E., Irish nationalism and British Democracy (London, 1951)
Swift, R. (Hrsg.), The Irish in Britain (London, 1989)
Thornley, D., Isaac Butt (London, 1964)

Townshend, Charles, Political violence in Ireland: Government and resistance in Ireland since 1848 (Oxford, 1983)
Wells, Roger, Insurrection: The British experience (Gloucester, 1983)
White, T. de V., The road of excess (Dublin, 1946)
Whyte, J. H., The independent Irish party, 1850–9 (Oxford, 1958)
Woodham-Smith, C., The Great Hunger (London, 1962)
Younger, Carlton, Ireland's Civil War (London, 1968)

Irland seit dem Unabhängigkeitsvertrag

Alexander, Yonah, The Irish terrorism experience (Dartmouth, 1991)
Beale, Jenny, Women in Ireland. Voices of change (Bloomington, 1987)
Bell, J. B., The secret army: The IRA, 1916–1979, 2. Aufl. (London, 1979)
Bishop Patrick, The provisional IRA (London, 1987)
Bowman, John, De Valera and the Ulster question, 1917–1973 (Oxford, 1982)
Brown, T., Ireland: A social and cultural history 1922–85, 2. Aufl. (Glasgow, 1985)
Bruce, Steve, God save Ulster: The religion and politics of Paisleyism (Oxford, 1986)
Buckland, Patrick, A history of Northern Ireland (Dublin, 1981)
Ders., Irish Unionism (Dublin, 1972–73)
Ders., James Craig (Dublin, 1980)
Carroll, Joseph T., Ireland in the war years (Newton Abbot, 1975)
Chubb, Basil, The government and politics of Ireland, 3. Aufl. (London, 1992)
Clancy, Patrick et. al. (Hrsg.), Ireland: A sociological perspective (Dublin, 1986)
Coakley, John und *Gallagher, M.*, Politics in the Republic of Ireland, 3. Aufl. (Dublin, 1996)
Coogan, Tim P., The troubles: Ireland's Ordeal 1966–1995 and the search for peace (London, 1995)
Cooney, John, Crozier and Dial: church and state in Ireland, 1922–1986 (Dublin, 1986)
Downey, James, Them and us: Britain, Ireland and the Northern Question, 1969–82 (Dublin, 1983)
Driever, Klaus, Die Wirtschafts-Europäer. Irland in der EG-EU (Baden-Baden, 1996)
Drudy, P. J. (Hrsg.), Ireland and the European Community (Cambridge, 1984)
Ders. (Hrsg.), Ireland and Britain since 1922 (Cambridge, 1986)
Duggan, John P., Neutral Ireland and the Third Reich (Dublin, 1985)
Dwyer, T. R., De Valera's darkest hour, 1919–1932 (Dublin, 1982)
Ders., De Valera's finest hour, 1932–1959 (Dublin, 1982)
Elvert, Jürgen (Hrsg.), Nordirland in Geschichte und Gegenwart (Stuttgart, 1994)
English, Richard und *Walker, G.* (Hrsg.), Unionism in modern Ireland (London, 1996)
Farrell, Michael, Northern Ireland: The Orange State, 2. Aufl. (London, 1980)
Fisk, Robert, In time of war: Ireland, Ulster and the price of neutrality, 1939–1945 (London, 1983)
Gallagher, Michael, Political parties in the Republic of Ireland (Manchester, 1985)
Girvin, Brian und *Sturm, Roland*, Politics and society in contemporary Ireland (Aldershot, 1986)
Girvin, Brian, Between two worlds: Politics and economy in independent Ireland (Dublin, 1989)
Harkness, David, Northern Ireland since 1920 (Dublin, 1983)
Hill, Ronald und *Marsh, M.* (Hrsg.), Modern Irish democracy (Dublin, 1993)
Jacobsen, John K., Chasing progress in the Irish Republic: Ideology, democracy and dependent development (Cambridge, 1994)
Kennedy, K.A. (Hrsg.), Ireland in transition: Economic and social change since 1960 (Dublin, 1986)
Keogh, Dermont, The Vatican, the bishops and Irish politics, 1919–1939 (Cambridge, 1986)
Lee, Joseph J., Ireland, 1912–1985: Politics and society (Cambridge, 1990)
Litton, Frank (Hrsg.), The constitution of Ireland, 1937–1987 (Dublin, 1988)
Moody, Theodore, The Ulster question, 1603–1973 (Dublin, 1973)
Murphy, John A., Ireland in the twentieth century (Dublin, 1975)

O'Hagan, J.W., The Irish economy, 5. Aufl. (Dublin, 1995)
O'Higgins, Paul, Social security law in Britain and Ireland (London, 1986)
Patterson, Henry, The politics of illusion: Republicanism and socialism in modern Ireland (London, 1989)
Weinz, Wolfgang, Gewerkschaften und Arbeitsbeziehungen in der Republik Irland (Frankfurt a.M., 1984)
Wichert, Sabine, Northern Ireland since 1945 (London, 1991)
Winchester, Simon, In holy terror: Reporting the Ulster troubles (London, 1974)

ZEITTAFEL ZUR GESCHICHTE IRLANDS

um 200 n. Chr.	Entstehung des Mittleren Königtums von Tara, das im 5. Jahrhundert seinen Anspruch auf Oberhoheit über die anderen irischen Kleinkönigtümer, das sog. »Hochkönigtum«, durchzusetzen vermag
432	Patrick beginnt die christliche Missionierung Irlands
nach 563	Anfänge der irisch-christlichen Missionierung Schottlands, Englands und von Teilen des europäischen Festlandes
795	Erstes Erscheinen der Wikinger an den Küsten Irlands
852	Gründung Dublins durch die Wikinger
1170	Beginn der normannischen Eroberung
1175	Tod des letzten irischen Hochkönigs
1177	Durch die Schaffung der »Lordschaft von Irland« beansprucht König Heinrich II. die Oberhoheit über Irland für die englische Krone
1297	Beginn des irischen Parlaments
1315–1318	Schottische Invasion
1366	Statuten von Kilkenny: Rechtliche Diskriminierung der irisch-gälischen Bevölkerungsmehrheit
1494	»Poynings Gesetz«: Unterordnung des irischen Parlaments unter englische Oberhoheit
1534–1540	Erster katholisch inspirierter Aufstand gegen England
1536–1538	Übertragung der englischen Reformation auf Irland
1541	Heinrich VIII. läßt sich zum König von Irland ausrufen
1560	Gesetzliche Durchführung der Elisabethianischen Reformation
1592	Gründung der Universität Dublin (Trinity College)
1594–1603	Aufstand in Ulster, der auf ganz Irland übergreift
1608–1610	Gründung der britischen Siedlungskolonie in Nordirland
1641	Beginn des irisch-katholischen Aufstands
1649	Landung Cromwells in Dublin, Beginn der englischen Rückeroberung
1652	Englische Enteignungsgesetze, Zerstörung der irischen Mittel- und Oberschicht
1689–1691	Irischer Aufstand zugunsten des in England gestürzten katholischen Königs Jakob II.
1695	Beginn der Strafgesetzgebung gegen Katholiken (Penal Laws)
1782	Unabhängigkeitserklärung des irischen Parlaments und Aufstieg eines neuen protestantisch-irischen Patriotismus
1791	Gründung der »United Irishmen«: Beginn des republikanischen Nationalismus in Irland
1795	Gründung des »Orange Order«: Beginn des protestantischen, pro-britischen Radikalismus in Nordirland
1798	Republikanischer Aufstand
1800	Beseitigung der formellen irischen Eigenstaatlichkeit und Vereinigung mit dem britischen Einheitsstaat
1823	Gründung der »Catholic Association«: Beginn des politischen Katholizismus in Irland
1829	Katholiken-Emanzipation: Rechtliche und politische Gleichstellung der Katholiken in Großbritannien und Irland
1845–1848	Hungerkatastrophe (Irish Famine)
1850	Beginn der Bewegung der Kleinbauern gegen den englischen Großgrundbesitz
1867	Erneuter Aufstandsversuch des republikanischen Nationalismus
1870	Gründung der Bewegung für die irische Selbstverwaltung (Home Rule), Beginn der Landreform in Irland
1893	Gründung der »Gaelic League«: Anfänge des irisch-gälischen Kulturnationalismus
1914	Verabschiedung eines Home-Rule-Gesetzes, drohender Aufstand in Nordirland

1916	Oster-Aufstand in Dublin
1918–1921	Irischer Unabhängigkeitskrieg
1921	Unterzeichnung des Vertrages zur Unabhängigkeit Irlands bei Abtrennung des Nordens, der innere Selbstverwaltung erhielt und ein Regime protestantischer Dominanz etablierte
1922–1923	Spaltung der nationalistischen Bewegung und irischer Bürgerkrieg
1926	Formierung der früheren Bürgerkriegsgegner in zwei politische Parteien: »Fianna Fail« und »Fine Gael«
1932	Eamon de Valera irischer Ministerpräsident. Irisch-englischer Wirtschaftskrieg
1936	Neue irische Verfassung
1948	Rücktritt de Valeras
1949	Irland wird formell Republik
1968	Bürgerrechtsbewegung in Nordirland
1969	Aufstand in Nordirland durch britisches Militär niedergeworfen, Beginn eines Terrorkrieges zwischen IRA, protestantischen Radikalen, Armee und Polizei
1972	Aufhebung der nordirischen Selbstverwaltung und direkte Verwaltung durch die britische Regierung
1973	Beitritt Irlands und des UK zur EG, erste direkte Kontakte beider Staaten zur Nordirland-Frage
1995	Irisch-britischer Rahmenplan zur politischen Lösung des nordirischen Konflikts

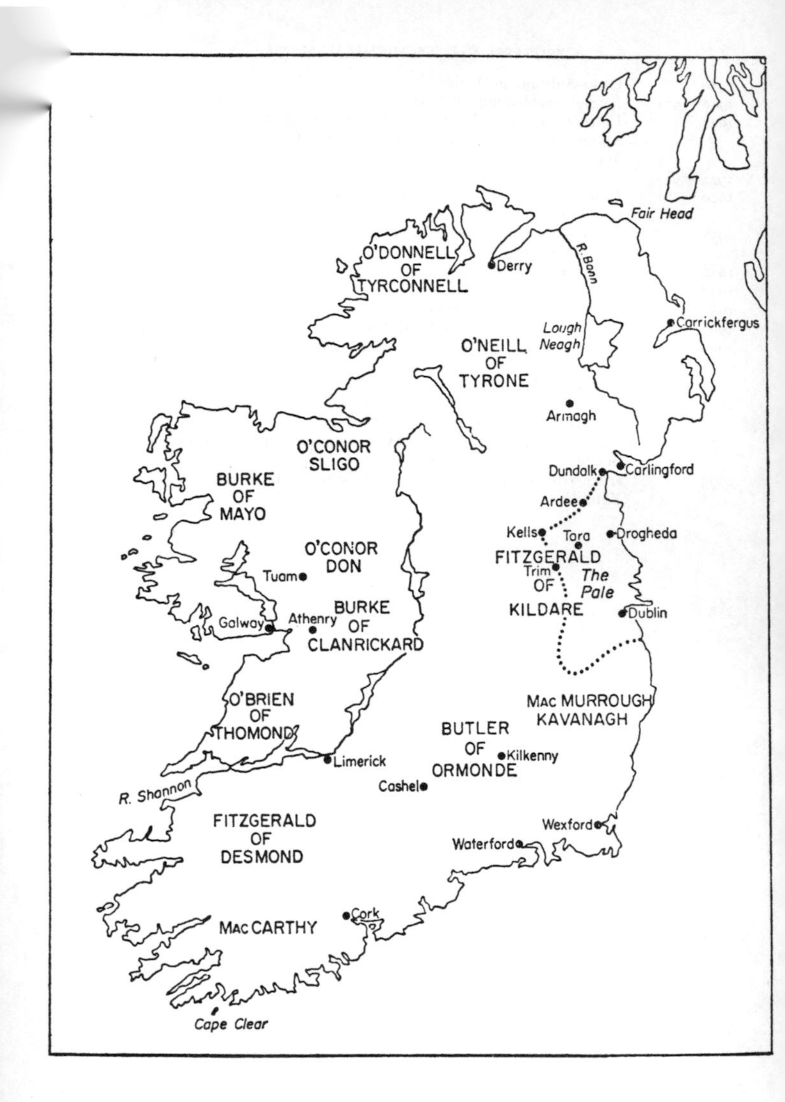

Irland im Spätmittelalter

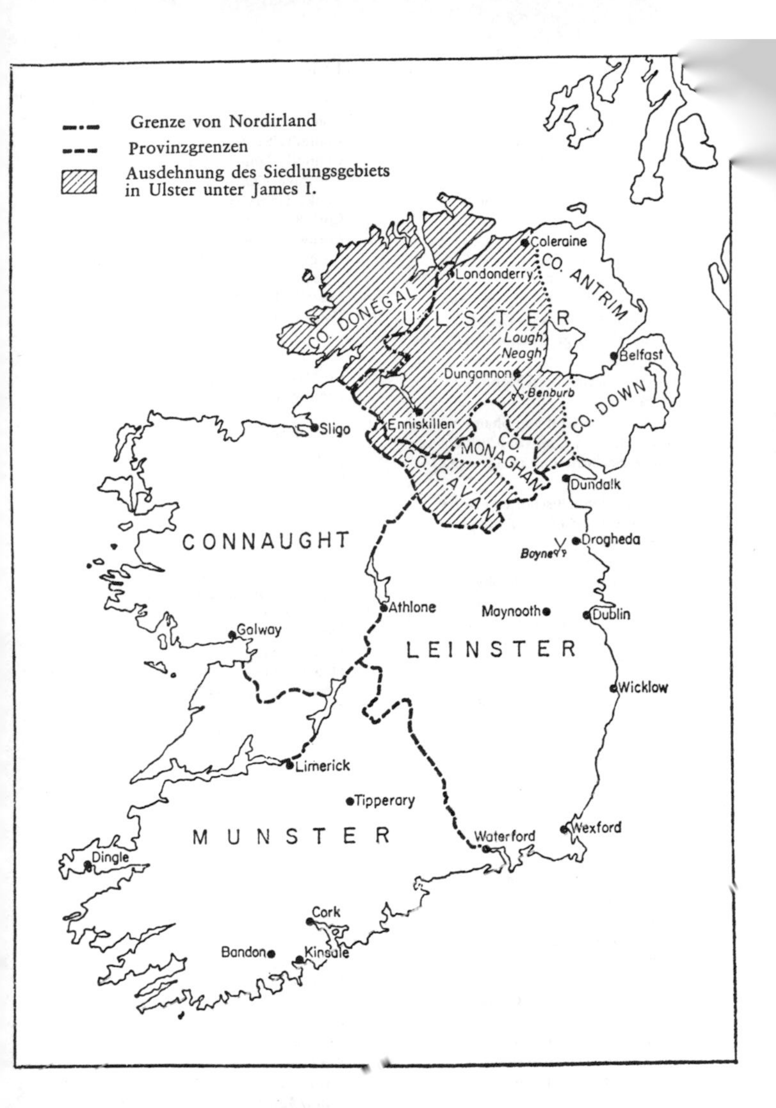

Irland im 20. Jahrhundert

REGISTER